D0533376

LA CONJURATION PRIMITIVE

MAXIME CHATTAM

LA CONJURATION PRIMITIVE

ROMAN

ALBIN MICHEL

Parce que l'ambiance dans laquelle on écrit et lit un livre compte presque tout autant que les mots eux-mêmes, j'ai rédigé cette histoire en m'entourant de musique. Voici celles qui ont été les plus présentes et que je vous recommande vivement pour la lecture de ce roman :

– *Prometheus* de Marc Streitenfeld.
– *The Grey* du même Marc Streitenfeld.
– *Le Silence des agneaux* de Howard Shore.

À Faustine, ma femme.

Écrire une histoire aussi sombre, c'est naviguer sous un ciel noir, sonder des zones d'inconfort. Pour mieux comprendre. L'homme et sa civilisation. Ce qu'il y a de pire en nous. Pour mieux aimer tout le reste.

Pendant cette exploration, elle a été l'étoile qui brillait au-dessus de ma tête. Elle m'a indiqué comment rentrer à bon port chaque jour, sain et sauf, et ne pas me perdre en route.

À mon étoile qui me guide dans les abysses.

PREMIÈRE PARTIE

1.

L'homme ne faisait que passer. Voilà ce que semblait dire la montagne.

Une arête colossale jaillissait de la roche, haute d'un millier de mètres, grise, veinée de stries blanches d'où s'envolaient des arabesques de poudre à chaque rafale, un promontoire vertigineux qui dominait la vallée, couvrant le village de La Giettaz de son ombre permanente, immuable face à la puissance du soleil ancestral.

Cette montagne écrasait tout le paysage de sa majesté depuis des millions d'années, pour encore au moins aussi longtemps.

Le village niché entre deux replis de ce géant minéral n'était, lui, que petites maisons de briques, de planches et d'ardoises, descendantes de huttes branlantes, filles de bicoques bricolées avec de la terre séchée et des fagots de bois, menacées à chaque tempête, malmenées à chaque hiver ou par le moindre vent violent.

Ici le paysage tout entier rappelait que l'homme ne faisait que passer sur l'écorce de la Terre. Il n'était qu'un parasite vaguement persistant qui, bientôt, ne serait plus identifiable qu'aux fossiles de sa civilisation. La montagne, elle, n'aurait presque rien senti de cette courte présence entre ses jambes et sur ses reins.

Pour l'heure, l'homme avait posé sa fine empreinte passagère sur cette masse tranquille, un cordon sombre dans la lumière du matin, savamment appliqué sur les pentes, un fil de goudron fragile qui serpentait du village jusqu'à mi-hauteur.

Alexis Timée conduisait penché sur son volant, le bout des doigts dépassant à peine des manches de sa doudoune. Le chauffage de la voiture de location était en panne. Sa grosse écharpe lovée autour du cou comme un serpent cherchant à étouffer sa proie. Chaque expiration dessinait une chimère éphémère qui se dissipait instantanément dans l'habitacle. Alexis n'aimait pas conduire en montagne. Et les Alpes, en la matière, n'étaient pas une partie de plaisir.

La petite Opel Corsa ralentit à l'abord d'un virage serré, puis reprit de la vitesse pour gravir la pente, remontant les lacets de la route les uns après les autres. Alexis roulait un peu vite, faisant rugir le moteur en passant tard les vitesses, comme s'il voulait mettre le plus de distance possible entre lui et La Giettaz. Par chance il n'y avait pas de neige à cette altitude, pas encore en ce début octobre.

Ses yeux passèrent un instant sur la pochette cartonnée qui glissait sur le siège passager dans les virages.

Le symbole **e* avait été écrit en noir, à la main, par un feutre à la pointe très large, sur le rouge de la pochette.

Rouge comme du sang, songea aussitôt Alexis.

Pas le moment de se mettre ce genre d'idée en tête !

Il valait mieux se concentrer sur la route. L'entrée de la ferme ne devait plus être loin si les indications des villageois étaient bonnes.

Un peu plus haut, au milieu d'un virage, un chemin partait entre les sapins, indiqué par un minuscule panneau en bois rongé par les intempéries. On pouvait malgré tout encore y lire « La Mongette ».

Alexis y était presque.

La Corsa cahota en s'engageant dans les ornières pleines de cailloux et s'enfonça dans cette tranchée au milieu d'une forêt agrippée à flanc de montagne pour atteindre une petite clairière colonisée par une vieille ferme en pierre.

Alexis longea l'étable et se gara à côté d'une jeep antique.

Avant de sortir il jeta un coup d'œil aux environs.

Tout était calme. Pas de vent dans les branches des immenses conifères. Pas l'ombre d'une vie.

Un gros choucas se posa brusquement sur le capot de la voiture, faisant sursauter Alexis. L'oiseau fit deux pas, le bec ouvert, et tourna la tête comme pour fixer le jeune homme de sa bille noire. La buée qui sortait de la bouche du gendarme semblait captiver le corvidé. Puis, comme il était apparu, il s'envola pour gagner une branche en hauteur.

Alexis attrapa la pochette rouge et sortit dans le froid.

La cheminée de la ferme crachait une fumée épaisse. Au moins n'allait-il pas se casser le nez sur une porte close.

Il vit un rideau qui tremblait en se remettant en place et peu après un homme sortit à sa rencontre.

Approchant la cinquantaine, chauve, les yeux presque transparents, d'un gris tirant sur le vert : Alexis le reconnut aussitôt. Richard Mikelis.

Il était cependant beaucoup plus carré que les photos ne le laissaient deviner. Un physique de bûcheron.

– Vous venez pour les cours de math ? demanda-t-il d'une voix posée, grave, profonde, comme si elle venait de la terre même.

– Pardon ? fit Alexis, confus.

– Les cours pour Sacha, ma fille, c'est vous ?

Réalisant qu'il était en civil, Alexis secoua la tête doucement et lui tendit la main.

Mikelis la lui serra, une paume calleuse, des doigts assez fins mais qui lui broyèrent les os.

– Je suis l'adjudant Alexis Timée, gendarme à la section de recherches de Paris. Vous auriez un moment à m'accorder ?

Mikelis se raidit soudain et son regard devint plus acéré. Il se planta dans celui du jeune gendarme et ce dernier eut la désagréable sensation qu'un croc de boucher le saisissait pour l'immobiliser. Hypnotisant. Richard Mikelis était magnétique.

– C'est ma femme ? demanda-t-il sans ciller.

– Non, non, ça n'est rien de personnel, rassurez-vous. C'est… un peu compliqué, est-ce que je pourrais entrer pour tout vous exposer ?

– Vous savez que je ne travaille plus avec la police ni la gendarmerie, n'est-ce pas ?

– Oui, c'est ce qu'on m'a dit.

– Alors qu'est-ce que vous foutez là ?

– Il faut que je vous parle.

Richard Mikelis croisa les bras sur sa poitrine et sa puissante musculature apparut sous les vêtements tendus. Il n'avait qu'un pull de laine sur un tee-shirt, mais ne semblait pas avoir froid.

– Je suis venu de Paris spécialement pour vous voir, insista Alexis.

– Je ne consulte plus, vous auriez dû appeler, ça vous aurait économisé le trajet. Je suis désolé.

– Je savais que vous refuseriez de m'aider au téléphone, c'est pour cette raison que je vous ai apporté ça.

Alexis leva la pochette rouge devant lui.

Les pupilles cerclées de gris-vert se braquèrent sur le dossier.

– Je crois que vous n'avez pas bien compris, jeune homme : j'ai pris ma retraite.

– Vous êtes le meilleur criminologue du pays, sinon d'Europe. J'ai besoin d'un avis. C'est important. Croyez-moi, je ne vous dérangerais pas si ça ne l'était pas. Laissez-moi juste vous exposer ce qu'il y a dans cette pochette.

Richard Mikelis prit une profonde inspiration, sans plus masquer son agacement.

– Vous m'emmerdez, garçon. Je n'exerce plus, vous avez perdu votre temps.

Mikelis lui tourna le dos pour rentrer et Alexis l'interpella :

– Je sais que vous avez arrêté pour être proche des vôtres, pour vous consacrer à votre famille, mais nous sommes largués ! On a besoin d'un avis extérieur, c'est grave ! Je vous demande juste quelques minutes, je ne veux pas vous supplier de reprendre du service, juste votre opinion…

Mikelis s'immobilisa et pivota pour le regarder à nouveau :

– On ne donne pas son avis en quelques minutes, ça ne marche pas comme ça.

– Je peux vous laisser ces documents, le temps que vous les lisiez quand bon vous semblera. Et vous pourrez me conta...

Mikelis leva une main devant lui comme pour lui intimer d'arrêter :

– J'ai pris ma retraite parce que ce métier vous bouffe de l'intérieur. Parce que, pour comprendre la violence, il faut la faire entrer en soi, et elle se répand doucement, elle infecte tout le système de pensée, elle colore les sentiments, teinte les fantasmes, c'est une vraie saloperie, vous comprenez ? Et je ne veux pas élever mes gosses avec ça en tête.

Alexis acquiesça gravement.

– La violence est contagieuse, dit-il. D'une manière ou d'une autre.

Mikelis le scruta, le mettant mal à l'aise avec son regard presque blanc.

– Oui, elle est contagieuse, confirma-t-il tout bas.

Le gendarme agita le dossier devant lui.

– C'est justement de ça qu'il s'agit. Nous sommes face à une épidémie. D'un genre nouveau. Et vous êtes le seul expert qui puisse nous aider.

– Non, je ne suis pas le seul, renseignez-vous mieux, jeune homme. Et contrairement à moi les autres seront ravis de vous assister.

– Ils seront aussi dépassés que nous le sommes.

Mikelis soupira, fatigué par cette conversation.

– C'est vraiment grave, insista Alexis, désespéré.

– Et qu'est-ce qui vous fait croire que je suis plus compétent qu'un autre ?

– Votre passé. Vos expertises. Vous êtes le meilleur. Vous n'êtes pas seulement une bible de connaissances criminalistiques, vous *sentez* le crime, vous parvenez à le comprendre, à parler son langage. J'ai tout lu sur vous. C'est moi qui ai convaincu mon colonel de m'autoriser à vous solliciter.

– Me flatter ne vous aidera pas, navré.

– Je compte sur votre curiosité, répliqua aussitôt Alexis. Ce que j'ai à vous montrer, vous ne l'avez jamais vu nulle part.

Il se sentait fébrile, sa voix manquait d'assurance. Il rassembla ses forces et prit une profonde inspiration pour ajouter :

– Nous ne sommes pas perdus parce que c'est du jamais-vu, mais parce que ça nous dépasse.

Mikelis inclina la tête, intrigué. Il demeura silencieux pendant plusieurs secondes. Le choucas avait assisté à toute la scène depuis sa branche. Il lança un long croassement moqueur avant de s'envoler vers la vallée.

– Pour que la gendarmerie s'avoue perdue, vous devez être vraiment dans la merde, dit enfin Mikelis. Ma femme revient pour le déjeuner, je veux que vous soyez parti avant son retour.

Il s'effaça en désignant l'entrée de la ferme.

– Vous avez à peine une heure.

2.

Richard Mikelis posa les deux tasses de café chaud sur la nappe de vichy rouge et blanc plastifiée.

Le feu crépitait dans la cheminée sans encore totalement recouvrir l'odeur de pain grillé qui flottait dans la cuisine.

Alexis regardait depuis le seuil du salon, la longue pièce meublée de vieilleries, et décorée avec beaucoup de photos de famille accrochées dans des cadres sur les murs. Richard Mikelis et ses enfants, une fillette et son petit frère, avec une femme brune à la peau mate et aux longs cheveux bouclés. Il y en avait partout. Au ski, à la plage, à Disneyland, dans la forêt, lors de fêtes en famille, des dizaines de clichés comme pour ne rien oublier de tous ces moments de bonheur.

– Ce sont mes totems, dit Mikelis dans son dos.

– Pardon ?

– Vous regardiez toutes les photos ? Ce sont mes totems. Pour me protéger du mauvais esprit. Ici c'est mon cocon, mon nid. Asseyez-vous.

Il poussa la tasse de café devant le gendarme.

– Vous avez l'air bien ici.

– Je ne regrette pas d'avoir pris ma retraite, répliqua aussitôt Mikelis, si c'est à ça que vous pensez. Je redeviens apaisé sur cette montagne, avec ma tribu autour de moi. Je ne veux pas ramener les fantômes d'autrefois jusqu'ici. C'est pour ça que vous allez me raconter votre histoire rapidement, pour nourrir ma curiosité, et pour que votre colonel sache que je vous ai écouté mais que je ne peux rien faire pour vous. Après quoi vous redescendrez dans la vallée prendre votre train, et vous ferez passer le message : même dans le pire des cas, Richard Mikelis ne reprend pas son activité. Je vous écoute.

Alexis déglutit, les mains autour de la tasse chaude, puis voulut saisir la pochette rouge, l'autre l'en empêcha d'une parole tranchante :

– Non, pas de photos, pas de rapports. Je veux entendre l'affaire de votre bouche. Avec vos mots.

Le gendarme hocha la tête lentement. Il se redressa sur le banc, faisant craquer plusieurs vertèbres. Il cherchait par quoi commencer.

– Allez à l'essentiel, l'aida Mikelis d'une voix grave, comme s'il lisait en lui.

Alexis opta pour un récit chronologique :

– La première victime a été retrouvée sur les bords de la Marne dans le 77, pas très loin d'un bled nommé Annet.

– Première victime comme dans « crimes en série » ?

Alexis hocha la tête.

– C'était fin juin. Elle était… très salement amochée. Et ce n'était pas à cause de son passage dans l'eau, le corps n'y a pas séjourné. Traces de nombreux sévices. Tortures, viols, la totale. Des marques de strangulations multiples, qui se chevauchent. Au départ, le légiste a cru que l'assassin avait eu beaucoup de mal à l'étrangler, qu'il s'y était repris à trois ou quatre fois pour y parvenir. Mais il y avait aussi des marques caractéristiques de réanimation : hématomes de la région sterno-costale, ecchymoses sur le nez, etc. Apparemment le type qui lui a fait ça la mutilait, la violait et l'étouffait jusqu'à ce qu'elle se sente partir. Puis il la ranimait. Il l'a fait plusieurs fois, jusqu'à ce qu'il ne parvienne plus à la récupérer. Elle s'appelait Cl…

– Pas de nom. Continuez.

Un peu déstabilisé, Alexis s'humecta les lèvres avant de poursuivre :

– La deuxième victime a été retrouvée dans une forêt près du Port-Marly, dans les Yvelines, tout début août. Encore une femme, cette fois un peu plus âgée, trente-trois ans. Mêmes sévices, même mode opératoire, avec cette volonté d'étouffer puis de ranimer sa victime jusqu'à ce qu'il n'y arrive plus.

– Le 78 n'est pas dans votre secteur, pourquoi vous ?

– La section de recherches de Paris a désormais une compétence judiciaire à l'échelon national, depuis 2012. Nous pouvons être saisis de dossiers partout sur le territoire, du moment qu'ils sont liés à une affaire en cours chez nous. C'était le cas ici.

– Comment avez-vous fait le lien entre ces deux meurtres ? Toujours la même signature criminelle ?

– Oui. Il étrangle ses victimes avec leurs sous-vêtements pendant qu'il les viole puis il les ranime pour pouvoir les violer encore, un peu plus tard, et ainsi de suite. Et puis dans les deux cas il s'est introduit chez ses victimes, on y a retrouvé des signes de lutte, du sang, du sperme… Mais aucune trace d'effraction dans les deux cas. D'où le surnom qu'on lui a donné : le Fantôme. Et ce n'est pas tout. Il grave sur leur dos une lettre.

Mikelis haussa les sourcils, surpris.

– Il écrit un mot au fur et à mesure ?

– Non, c'est toujours la même lettre. Un *e*. Précédé d'un astérisque.

Cette fois Alexis sortit une photo de la pochette rouge et la fit glisser sur la table en direction du criminologue.

Peau rose, grains de beauté nombreux au niveau des reins.

Et un bourrelet de peau entaillé sous les omoplates, un sillon pourpre pour toute encre, avec profondément tatoué dans la chair cet étrange message : **e*.

– Deux victimes en moins de quatre mois, constata Mikelis.

– Pour celui-là, oui.

Sans lâcher la photo Mikelis releva ses deux pupilles transparentes vers le gendarme :

– Il y en a un autre ?

– À moins que le type souffre d'un dédoublement de la personnalité. Trois victimes retrouvées dans l'Est de la France entre juillet et septembre, dans des endroits isolés. Lui ne garde pas ses proies longtemps avec lui, il les tue assez rapidement, la méthode varie. Strangulation pour une seule d'entre elles. Celui-là est une bête furieuse. Un animal.

– Parce que le premier ne l'est pas peut-être ?

– Il est plus méthodique. On sent qu'il déroule un fantasme ordonné. Le tueur de l'Est est un boucher. Un fou complet. Lui, on l'a appelé la Bête.

– Vous avez retrouvé de l'ADN pour celui-ci aussi ?

– Autant pour le Fantôme on a tout ce qu'il faut avec le sperme qu'il laisse, autant pour la Bête nous n'avons rien. Il utilise peut-être des préservatifs.

Mikelis tiqua, fronçant les sourcils :

– On est loin du fou qui ne se contrôle pas dans ce cas !

– À moins qu'il n'y ait pas éjaculation… Les capotes c'est juste une supposition.

– Le labo du légiste n'a pas tenté de chercher des traces de lubrifiant ?

– C'était… difficile. Quand je vous dis que c'est une bête furieuse, je suis même en dessous de la réalité.

– Avec trois victimes vous avez bien retrouvé des poils pubiens du type, non ?

– Non. Rien. Pas un cheveu, rien de rien.

– Il laisse forcément quelque chose, surtout sur trois crimes, il ne peut être clean tout le temps.

– C'est que… à chaque fois c'est… une vraie horreur. Vous savez, il… il les…

– Eh bien quoi ? Il leur fait quoi ?

– Nous pensons qu'il les mange.

Cette fois Mikelis resta bouche bée un court instant.

– Qu'est-ce qui vous le fait penser ?

– Traces de morsures. Chair arrachée qu'on ne retrouve pas. Le type a une bouche énorme. C'est le seul indice qu'on ait, si tant est que ça en soit un. La plus grosse bouche que le légiste ait jamais vue. Et une dentition exceptionnelle.

– C'est-à-dire ?

Alexis avala sa salive, un peu gêné d'aborder ces détails.

– Des dents acérées. Comme s'il avait des canines partout.

Le criminologue se couvrit la bouche de sa grosse main pour réfléchir. Il ne l'écarta que pour demander très sérieusement :

– Vous chassez un vampire, c'est ça ?

– Par moments, je me demande...

– Vous avez un type qui est entre le psychotique et le psychopathe. Il a la folie du premier, mais la minutie du second pour ce qui est de la précaution. C'est assez exceptionnel, je vous le concède.

– Je vous avais prévenu.

Mikelis avala une gorgée de café et demanda :

– Quel lien entre les deux séries ?

– Les trois filles retrouvées dans l'Est de la France ont aussi le **e* gravé au couteau, sur les fesses, du côté gauche.

Mikelis demeura un moment circonspect, perdu dans ses pensées.

– Et vous êtes certains que les modes opératoires sont différents, qu'il s'agit bien de deux tueurs distincts ? finit-il par demander.

– Tout porte à le croire.

– Une autre piste ?

– Rien pour le premier. Pour le second, il est moins méticuleux. En plus des traces de morsures, dans deux cas nous avons retrouvé des empreintes de pneus d'une voiture sur deux des trois scènes de crime.

– Vous avez identifié le modèle ?

– Avec les traces on a pu établir l'empattement, le rayon de braquage, et le type de pneu. A priori les experts de l'IRCGN[1] pensent que c'est une Renault Twingo de première génération.

---

1. Institut de recherche criminelle de la Gendarmerie nationale.

– Pas d'ADN avec les morsures ? La salive…

– Non… Faut dire que… c'est un carnage à chaque fois. Le légiste n'a rien pu faire, il y a le sang de la victime partout, ça corrompt tout matériau biologique en faible quantité.

– Donc vous avez deux tueurs en série qui, d'après ce que vous savez pour l'instant, ont démarré leur activité criminelle à peu près au même moment, et qui signent d'un même symbole.

– Nous ne savons pas s'ils s'entraident, s'ils communiquent entre eux, ou s'il s'agit de deux pervers qui se sont lancé un défi en prison avant de sortir et qui maintenant vivent leur vie loin l'un de l'autre. Mais il y a un lien entre eux, oui.

– Étudiez des affaires américaines comme Norris et Bittaker, Ottis Toole et Henry Lee Lucas, ou plus près de nous, en Allemagne, celle de Lewendel et Wirtz. Vous constaterez que les duos de serial-killers existent. Il y a des enseignements à en tirer.

– Je le sais bien. Mais cette fois ils n'agissent peut-être pas ensemble, mais en parallèle.

– Ça reste à prouver, il faudrait étudier le dossier en détail pour en savoir plus.

Alexis jeta un coup d'œil vers l'épaisse pochette rouge. Fallait-il prendre cette dernière remarque pour un encouragement ?

Mikelis était attentif, impliqué, il était temps de tout lui dire :

– Ce n'est pas tout, reprit le gendarme. Il y a un mois un de nos services de lutte contre la pédophilie a trouvé plusieurs photos qui circulent sur les forums Internet : des gamins violés, avec un **e* peint dans le dos en rouge. Deux garçons différents. Les trois experts psychiatres que nous avons consultés affirment tous qu'il s'agit là d'un troisième homme : trop de différences, et peu de compatibilités entre les crimes d'adultes découverts et la pédophilie sur ces garçons.

Alexis marqua une pause, comme pour ménager son effet, avant d'ajouter d'un ton glacial :

– Nous avons donc trois criminels en action qui signent leurs actes de la même manière.

Mikelis le fixait, imperturbable, une main sur la photo de la victime aux grains de beauté, l'autre sur sa tasse de café tiède.

– Vous pensez qu'il s'agit d'un réseau organisé, structuré, ou juste d'un délire entre ex-taulards ?

– Aucune idée. Nous n'avons rien. La piste des photos pédophiles n'a rien donné, elles étaient noyées parmi des centaines d'autres sur le Web, impossible de remonter jusqu'à leur auteur.

– Vous n'avez que ce symbole comme porte d'entrée… Et pour les deux tueurs ? Des avancées en cours ?

– Nous continuons de travailler sur les listings d'appels émis et reçus par tous les téléphones portables des secteurs où ont été retrouvées les victimes dans la fourchette horaire des crimes, des dizaines de milliers de numéros à comparer. Nous étudions toutes les bandes vidéo que nous avons pu récupérer dans les alentours, parkings, banques, péages, dans l'espoir d'y voir un élément significatif, mais c'est un travail titanesque et ça n'a rien donné pour l'instant.

– Aucune Twingo sur les vidéos de surveillance des stations d'essence ou des distributeurs de billets ?

– On a tout épluché, rien d'exploitable. En même temps, il n'y avait pas beaucoup de caméras, ce sont des crimes en zone rurale, peu d'équipements et trop de directions possibles.

– Rien au fichier des empreintes génétiques ?

– Non, le gars, le Fantôme, n'y est pas. J'ai des empreintes de pas dans la forêt de Dabo, près du cadavre d'une des filles, chaussures de marche type Timberland, mais on n'a pas encore identifié le modèle précis. Pointure trente-six, et vu la taille, rien ne prouve que ce soit le pied de l'assassin. Voilà tout ce qu'on a.

– Aucun témoin ? Pour aucune des affaires ?

– Personne. Pourtant nous avons effectué des études de voisinage, nous avons interrogé tout le monde, parfois en poussant loin, jusqu'aux stations d'essence de la région. Rien. Les gars sont prudents.

– Particulièrement prudents.

Alexis acquiesça d'un air sombre.

– On sait tous ce que ça veut dire : ils ne s'arrêteront pas. Faut qu'on les trouve rapidement sinon nous aurons bientôt d'autres cadavres sur les bras. Voilà, vous connaissez les grandes lignes.

Mikelis termina sa tasse puis se leva et s'appuya contre l'évier. Alexis le détaillait avec attention, guettant le moindre signe d'intérêt pour l'affaire. Le criminologue soupira et haussa les épaules :

– Je ne sais pas quoi vous dire.

– Avouez que c'est du jamais-vu. Un dossier pareil, même vous, vous n'en avez jamais traité.

Mikelis planta son regard glacial dans celui du jeune gendarme.

– Je ne marche pas au défi. Écoutez, j'en conviens, c'est... Je ne m'attendais pas à ça, mais je ne peux rien faire pour vous. On ne donne pas son avis en cinq minutes, il faut du temps, tout lire, tout analyser en détail, et s'impliquer. Ce que je ne ferai pas.

– Vous saviez tout ça avant de me faire entrer, alors pourquoi m'avoir ouvert la porte ?

– Je suis un homme curieux, c'est tout. Je vais vous donner les noms de quelques experts compétents, voyez avec eux. J'imagine que la gendarmerie a formé une cellule spéciale autour de ces crimes ?

– Oui. Nous sommes à la section de recherches de Paris, porte de...

– Porte de Bagnolet, je connais. Il y a un criminologue très compétent à Paris, un homme en qui j'ai confiance, je vais lui passer un coup de fil, je suis sûr qu'il vous aidera.

Alexis Timée fixait Mikelis.

Il avait espéré plus. Que l'évocation de toute l'affaire, de son ampleur, sa dimension exceptionnelle puissent suffire à le sortir de sa retraite. Pas seulement à cause de sa réputation, mais surtout pour ses réelles compétences. Richard Mikelis était hors norme. Un héros de littérature plus qu'un expert, de par ses connaissances, son implication, son savoir-faire, ses réussites.

– C'est vous qu'il nous faut. Personne d'autre.

Alexis avait parlé d'un ton tranchant, catégorique.

– Alors vous avez fait tout ce chemin pour rien. Je suis désolé.

– Ça ne vous fait rien de savoir que tous ces gens sont morts et qu'il…

Mikelis le fit taire d'un index brandi subitement devant lui :

– Ne me jouez pas la carte de l'empathie, ce serait inutile. Faites-moi grâce de votre sermon. Je vous ai ouvert ma porte parce que vous avez fait un long chemin pour me trouver, maintenant que vous savez que je ne pourrai rien pour vous, repartez, jeune homme.

Alexis baissa la tête.

Il n'était pas frustré mais déçu. Par lui-même. Par son manque de combativité, de persuasion. Il s'était imaginé qu'il suffisait de débarquer ici et présenter toute la démesure de l'enquête pour que Mikelis se joigne à eux. Il avait tellement répété cet instant dans le TGV qui le conduisait de Paris à Lyon qu'il y avait cru.

– Je vous ferai suivre le nom de la personne à qui je pense, ajouta le criminologue. C'est un bon, il pourra vous assister. Mais n'en attendez pas trop non plus. Vous le savez mieux que moi : c'est votre enquête qui prime, c'est sur elle que tout repose. Les gens comme moi ne font pas de miracles. Nous nous contentons d'envisager des angles d'investigation différents, c'est tout.

Alexis se leva et prit sa doudoune.

– Merci pour le café, lâcha-t-il du bout des lèvres.

Il était sur le seuil lorsque Mikelis l'attrapa par l'épaule.

– Ne faites pas semblant d'avoir oublié votre dossier, je ne le regarderai pas, lui dit-il en lui collant l'épaisse pochette rouge dans les bras. Je vous l'ai dit : j'ai pris ma retraite, tout ça ne m'intéresse plus. Bon retour à vous.

Pendant encore un instant Alexis se surprit à espérer. Mikelis insistait beaucoup sur sa retraite. *Comme pour se convaincre lui-même ?*

Pourtant il arborait l'air de celui qui a pris une décision irrévocable. L'étau qui maintenait l'épaule d'Alexis se relâcha.

Avant de démarrer, le jeune gendarme observa dans le rétroviseur de sa voiture. Il vit le rideau d'une fenêtre s'écarter. Il put presque sentir le regard pénétrant du criminologue sur lui.

L'Opel Corsa fit demi-tour sur le chemin rocailleux et s'éloigna de la ferme perdue dans la montagne.

Il avait tenté sa chance auprès du meilleur.

Maintenant il le savait : ils ne pouvaient compter que sur eux-mêmes. Un petit groupe d'enquêteurs de la gendarmerie. Il n'y aurait pas d'aide extérieure, pas d'assistance salvatrice, aucune bouffée d'oxygène pour insuffler un nouvel élan à l'investigation.

Une poignée d'hommes et de femmes contre un groupe d'anonymes animés par l'odieuse volonté de signer leurs crimes du même symbole.

*e.

3.

Les néons crépitèrent et illuminèrent la petite pièce qu'occupait Alexis Timée pour travailler. Comme il le faisait chaque matin, le jeune gendarme alluma son ordinateur d'un geste machinal avant de déposer son sac à dos contre le mur et de se servir un verre de jus d'orange en brique qu'il piocha dans le tiroir de son bureau. Il aimait la routine, elle le rassurait.

Le mur derrière lui était recouvert d'un drapeau bleu et blanc à l'effigie des New York Giants, l'équipe de football américain qu'il soutenait avec l'enthousiasme d'un fan un peu excessif, comme en témoignaient les photos dédicacées punaisées autour du drapeau, le casque posé près de l'écran de son ordinateur, son porte-clés, stylos, dessous de verre, tapis de souris et même le mug dans lequel il buvait. Un bric-à-brac d'objets bleu, blanc et rouge marqués du sempiternel NY colonisait une large partie de la pièce qu'Alexis occupait avec deux de ses collègues.

La lumière grise du petit matin d'octobre entrait timidement par les deux fenêtres aux stores relevés. Alexis vit son reflet dans la vitre. Ses cheveux châtains coiffés en un savant foutoir, son éternelle barbe de trois jours, ses billes noisette et sa veste militaire tout usée sur un pull marron en laine épaisse. Il avait une sale gueule ce matin. Celle de l'échec. De la déception. Il fit le point au-delà du reflet et observa la façade de l'immeuble en face, de l'autre côté du boulevard Davout, porte de Bagnolet, dans le XXe arrondissement. Un matin brumeux, triste. Un matin à traîner au lit devant la télé jusqu'à ce que les draps soient trop chauds, le corps las de trop de repos. À bouquiner. À rêver de ses prochaines vacances.

Un matin à déprimer surtout.

Il aperçut un mouvement en contrebas, dans la cour de la caserne, et vit Ludivine qui approchait. Ses boucles blondes qui dansaient à chaque pas étaient reconnaissables à cinq cents mètres.

Quelqu'un entra au même moment dans le bureau et Alexis salua le lieutenant Dabo – un mètre quatre-vingt-quinze et une carrure de rugbyman professionnel. Il avait le regard plus noir encore que sa peau. Comme tous les enquêteurs de la section de recherches de Paris, la SR comme ils la surnommaient entre eux, il travaillait la plupart du temps en civil, et par-dessus son pantalon de jogging il arborait ce matin-là un sweat-shirt épais à capuche, avec « Eye of the Tiger » brodé en feutrine sur le devant. C'était son préféré et il lui allait parfaitement, soulignant son imposante musculature.

Segnon Dabo se laissa choir sur son siège qui couina sous le poids du colosse et alluma son ordinateur en tirant sur le fil de ses écouteurs pour ranger son iPod.

– Comment vont les Giants ? demanda-t-il de sa voix grave.

Alexis ne répondit pas, il savait que le géant était encore dans la brume de ses pensées, qu'il avait oublié l'absence de son jeune collègue la veille et la piste Richard Mikelis.

Ludivine entra, le portable à la main, ses yeux bleus glacés par la lumière spectrale du petit écran tactile.

– Toi, tu trouveras un mec le jour où tu arrêteras de vivre avec ton téléphone ! se moqua Segnon en guise de salut.

– J'ai déjà un mec. J'en ai plusieurs même…

– Et ça les fait pas chier que tu twittes plus que tu ne leur parles ?

Ludivine brandit son majeur et rangea son iPhone en découvrant Alexis accoté à la fenêtre.

– Alex ! Alors ? Mikelis ?

Segnon se réveilla d'un coup :

– Oh merde, c'est vrai ! Alors ?

Alexis secoua la tête doucement d'un air dépité.

– Ce sera sans lui.

– Pourquoi ? demanda Segnon.

– Il a raccroché définitivement. Il ne veut plus se mouiller. Ça ne l'intéresse plus.

– Tu lui as présenté l'affaire ?

– Dans les grandes lignes.

– Et il n'a rien dit ? Rien proposé ?

– Juste de nous filer le nom d'un criminologue compétent qu'il connaît.

– Quel connard ! s'emporta Ludivine en jetant sa doudoune sur le portemanteau.

Alexis fixa un bref instant la silhouette athlétique de la jeune femme. Son jean moulant lui sculptait un cul admirable, et ses seins jaillissaient sous son pull Abercrombie. Il adorait la regarder. Pourtant ce matin-là, même la plastique de Ludivine ne parvint pas à lui arracher un rictus de réconfort.

Depuis sept mois qu'ils travaillaient ensemble, ces deux-là se cherchaient, se taquinaient, et lors de certains moments de fatigue finissaient par s'avachir l'un contre l'autre, sans pour autant qu'il se soit jamais rien passé entre eux.

– Vous avez avancé hier ? s'enquit Alexis.

– J'ai terminé l'exploitation de tous les numéros de téléphone, répliqua la petite blonde en se nouant les cheveux au-dessus de la nuque.

– Tous ?

– Tous. Cinq jours en enfer.

Pour chaque meurtre, les gendarmes avaient obtenu auprès de tous les opérateurs téléphoniques l'ensemble des numéros ayant activé des cellules à proximité de la scène de crime dans les vingt-quatre heures qui encadraient l'assassinat. Des centaines de milliers de numéros qu'il fallait ensuite incorporer dans un logiciel d'assistance à l'enquête qu'utilisait la section de recherches : Analyst Notebook. Tous les noms qui apparaissaient dans les procès-verbaux, tous les véhicules, les adresses, et les numéros de téléphone s'accumulaient ainsi et ne manquaient pas de surgir en surbrillance en cas de recoupement. Si l'homme manquait quelque chose pendant les mois d'investigation, la machine, elle, était infaillible.

Alexis fit une moue admirative. Sa collègue n'avait pas traîné.

Il vida son mug de jus d'orange d'une traite et embrassa la pièce d'un regard circulaire. Il avait besoin de se concentrer. De dépasser les espoirs déçus de la veille. Dix jours qu'ils envisageaient la piste Mikelis, jusqu'à ce qu'elle se transforme en obsession, qu'Alexis aille se battre auprès de sa hiérarchie pour obtenir de l'intégrer à l'enquête, lui un civil, au nom de ses compétences exceptionnelles, au nom de son expertise sans pareille, au nom de l'urgence des morts qui s'accumulaient sans que la SR ne sache dans quelle direction enquêter. Tout ça pour rien.

Segnon lisait déjà ses emails, au milieu de toutes les photos de sa femme et ses deux enfants qu'il disposait un peu partout, les bras posés sur des piles de papiers entassés depuis plusieurs semaines. Le colosse se rassurait avec le foutoir. Il accumulait, il colligeait, le courrier pas ouvert, les DVD de films qu'il se faisait expédier ici sans jamais trouver le temps de les visionner, les bandes dessinées qu'il adorait mais n'ouvrait même pas, les emballages vides d'Amazon ; un mur polychrome se dressait entre lui et la réalité sanglante sur laquelle il travaillait chaque jour. Sa protection, son cocon.

L'espace de Ludivine était tout le contraire. Pas de décoration personnelle, parfaitement rangé, le vernis de son bureau bien apparent. Avachie, la jeune femme avait les bras croisés sous la poitrine et fixait Alexis, sa toison d'or repoussée par le dossier de son siège jusqu'à envelopper son petit minois à la peau si blanche. Des boucles rebelles, comme les ronces d'un jardin qui envahiraient l'allée principale, devant la bouche, entortillées autour de son regard bleu, froid. Elle le guettait. Elle attendait la suite.

Alexis coordonnait leur cellule et faisait le lien avec les deux autres bureaux à l'étage supérieur, qui travaillaient de concert sur l'affaire **e*.

Un groupe de trois gendarmes écumait Internet à la recherche de forums plus ou moins obscurs où ce symbole aurait une quelconque signification. L'autre recueillait tous les procès-verbaux des potentiels témoins interrogés pendant les trois derniers mois : employés de stations d'essence, voisins des scènes de crime, proches des victimes, tout y était passé, rassemblé sur plusieurs milliers de feuilles de comptes rendus, épluché dans les moindres détails et peu à peu archivé sur le logiciel selon toutes les entrées jugées pertinentes, essentiellement des noms propres, des noms de lieux aussi, d'entreprises, d'écoles…

Et pas l'ombre d'un début de piste.

Ils avaient analysé les dossiers de tous les pervers libérés depuis le début de l'année, avant d'en faire autant avec les unités psychiatriques. Ils avaient envoyé des circulaires à toutes les gendarmeries et tous les commissariats du territoire pour s'assurer qu'on remonterait vers eux la moindre information sur des violeurs ou détraqués sexuels. Pour l'heure, ils n'avaient rien de pertinent. Rien de concret.

Ou plutôt si, ils avaient le tableau.

Ils avaient les victimes.

Cinq cadavres.

Alexis pivota pour faire face au mur qui fermait la pièce.

Entièrement tapissé de liège. Des centaines de documents punaisés les uns contre les autres. Des cartes imprimées via Google Maps de chaque scène de crime, des photos des victimes – de leur vivant, ici personne ne se croyait dans un film policier et on n'affichait aucune photo sordide des meurtres, personne n'avait envie de travailler toute la journée avec ce genre d'horreurs sous le nez –, des notes rédigées en gros pour rappeler âge, profession, lieux de vie de chacune, et quelques notes chronologiques. Au pied de ce panorama funèbre s'empilaient tous les dossiers utiles, rapports des autopsies, procès-verbaux essentiels, synthèses des laboratoires...

– Tu as pu regarder dans les fichiers des délinquants sexuels ceux qui avaient le permis poids lourds ? demanda Alexis à la gendarme qui le toisait.

Les trois scènes de crime de la Bête se situaient toutes à moins de trente kilomètres de l'autoroute A4, ce qui avait conduit Alexis et ses collègues à envisager la piste d'un routier. Il savait que deux professions revenaient régulièrement parmi les tueurs en série. Deux professions que ces criminels hors norme affectionnaient tout particulièrement. Aux antipodes l'une de l'autre. Sédentaire et sociable pour la première, itinérante et solitaire pour la seconde.

Médecin et chauffeur routier.

– On va éplucher tout ça avec Segnon aujourd'hui. Mais je continue de penser que c'est une mauvaise idée. Les traces de pneus de voiture, Alex, ça c'est pas un routier. Plutôt un gars très mobile, qui n'hésite pas à faire des kilomètres en bagnole pour trouver sa proie.

– Si l'A4 est le fil rouge de ses meurtres, ce n'est pas un hasard. Il la connaît bien, ou elle le rassure, ou... J'en sais rien, moi ! En tout cas c'est une piste à explorer. On ne néglige rien. Je voudrais aussi qu'on récupère l'identité de tout le personnel qui travaille sur l'autoroute dans les tronçons concernés et qu'on la rentre dans le logiciel. On ne sait jamais. Je vais continuer de visionner les bandes vidéo des aires d'autoroute et des stations-service. Tu vas pas me dire qu'il n'y a pas une seule Twingo de première génération qui s'est arrêtée dans l'une d'elles !

– Et si on élargissait la chronologie ? proposa Segnon.

– C'est-à-dire ?

– Pour l'instant on a pris les numéros de téléphone et les vidéos dans les vingt-quatre heures qui entourent les meurtres, mais si les légistes se sont plantés d'un jour ? T'imagines si on est dans le jus à cause de ça et qu'on cherche sur les mauvais créneaux horaires depuis le début ?

Alexis traversa la petite pièce et tapota la photo d'une des victimes de la Bête.

– Agna Prenow, estimée morte dans la nuit du 16 au 17 juillet dernier. Déclarée disparue par ses proches le 16 en fin d'après-midi, son cousin l'a vue dans la rue vers 18 heures. Dernier témoin. Un gamin retrouve ce qu'il en reste en allant à l'école le 17 au matin. Pour elle, pas d'erreur possible.

Alexis fit un pas de côté et désigna une adolescente un peu replète, avec une frange tombant sur ses lunettes, sur une photo aux couleurs passées, l'agrandissement d'un cliché d'identité austère.

– Sophie Ledouin, ses parents ont dîné avec elle le soir du 22 août. Elle sort pour aller dormir chez une amie vers 21 heures. On ne la retrouve que dix jours plus tard, grâce à des promeneurs. Pour elle le légiste est assez formel, la décomposition était très avancée. Tu veux que je te repasse les photos ? Ça grouillait tellement d'asticots qu'on aurait dit qu'elle bougeait encore ! Ils ont retrouvé des pupes par centaines, il y avait déjà eu des éclosions, plusieurs cycles même. Il a fait chaud cette semaine-là, mais l'entomologiste affirme qu'il a fallu au minimum huit à dix jours pour en avoir autant et pour que le corps soit dans cet état. Et dans son cas, on a élargi la chronologie à quarante-huit heures.

Alexis recula encore et pointa la troisième et dernière victime de la Bête.

– Armelle Calet, celle-ci on sait qu'on est plus flou dans le timing. Une amie dit l'avoir vue tapiner en bordure de forêt le 14 septembre après-midi et plus rien ensuite jusqu'à ce qu'on retrouve ses restes. Mais là encore le légiste est plutôt sûr de lui, la mort date probablement du 15, pas plus tard. On ne va pas tout recommencer et perdre à nouveau dix jours parce qu'on ne fait pas confiance à nos expertises.

– Pourquoi focalise-t-on surtout sur la Bête ? demanda alors Segnon. Pourquoi pas l'autre, le Fantôme ?

– Deux crimes en milieu urbain et pas une trace. Il est prudent à l'excès. Ce mec ne laisse rien au hasard. Il est sûr de lui.

– Justement, en ville il y a plus de chances qu'on finisse par trouver un témoin !

– J'y crois plus, on a fait le maximum au niveau des investigations. Non, je suis persuadé que s'il y a quelque chose à trouver, c'est du côté de la Bête. Celui-là se laisse davantage emporter par ses pulsions, il ne se maîtrise pas aussi bien que le premier. Il commet forcément des erreurs.

Segnon ouvrit grand les yeux et plissa les lèvres d'un air dubitatif.

– J'espère ! Parce que là, on nage en plein océan infesté de requins et je ne vois pas l'ombre d'un navire qui vienne à notre rescousse, *captain* !

– Ça va venir, Segnon, ça va venir. Le type n'est pas un génie au cul bordé de nouilles. Il y a forcément quelque chose. Il y a toujours quelque chose. C'est là, quelque part, sous nos yeux, suffit juste d'être attentif et persévérant.

Ludivine observait Alexis à travers ses boucles blondes. Elle n'avait pas bougé depuis le début de la conversation.

– Tu vois, tu fais le job aussi bien que l'aurait fait Mikelis, lui lança-t-elle avec un sourire complice. On n'a rien perdu finalement.

Alexis haussa les épaules.

Lui naviguait à vue au milieu de cette mer de violence, il avançait au fur et à mesure, sans bien savoir où il était ni où il entraînait les neuf gendarmes qui travaillaient à temps complet sur l'affaire. Mikelis, lui, connaissait l'océan mieux que personne.

Non, à bien y penser, il était l'océan.

Chaque molécule d'eau, chaque parcelle de violence filtrait à travers son esprit. Il en parlait le langage. Et tels ces maîtres d'échecs qui avaient toujours plusieurs coups d'avance, Mikelis avait une vision d'ensemble des crimes, il dominait l'échiquier. C'était sa force.

Alexis soupira en se laissant tomber dans son fauteuil.

Lui ne savait même pas jouer aux échecs.

Peu avant 18 heures, les trois gendarmes relevèrent la tête de leurs écrans d'ordinateurs ou de leurs dossiers en entendant un bruit de pas précipités dans le couloir. La porte s'ouvrit d'un coup sur le visage poupin de Lionel Teixa, un des enquêteurs de la SR :

– Venez vite voir BFM dans la salle télé, les gars ! Tout de suite !

Tous se levèrent d'un bond et envahirent une grande pièce face à la télé suspendue au mur.

Les images défilaient.

Un quai de gare. Des silhouettes affolées. Des gyrophares de camions de pompiers illuminant les murs en blanc et rouge. Des visages congestionnés par la peur, par la détresse, par l'incompréhension. Images anxiogènes. Et une voix off, celle d'un homme, détachée, comme pour contraster avec ce qui se passait sous ses yeux, qui insistait sur des mots comme si leur importance pouvait dédramatiser l'horreur : « ... *encore les raisons de cet acte. D'après les premiers témoins, l'homme serait en fait un adolescent, il arborait un sweet-shirt dont la capuche était rabattue sur son visage et plusieurs personnes disent l'avoir vu marcher nerveusement à l'attente du train, juste avant qu'il pousse trois personnes sur les rails dont cette femme avec sa poussette. Il faut dire que le garçon aurait, selon de nombreuses personnes, tagué le mur de la gare, juste avant son geste fou. Je vous rappelle qu'au dernier bilan, l'adolescent aurait tué quatre personnes dont un nourrisson, avant de se jeter lui-même sous le train qui arrivait sur le quai mitoyen.* »

Segnon jeta un regard vers Lionel Teixa.

– C'est moche... Pourquoi tu...

– Regarde !

La caméra pivota et fixa le mur de la gare.

Sur la brique, on avait peint à la bombe un symbole. Un bon mètre de diamètre. Une étoile suivie d'une lettre.

**e.*

Le colosse recula sur son siège.

– Putain… c'est une épidémie !

4.

Il n'y avait plus de sirènes, ni même de gyrophares en action. Rien que la lumière crue des néons des quais et celles, plus blafardes, presque jaunes, des ampoules de la gare.

Les camions de pompiers barraient l'accès principal, ainsi que des cordons en plastique qui avait été noués à la va-vite d'un lampadaire à l'autre pour empêcher la circulation.

Alexis, Segnon et Ludivine brandirent leurs cartes et le policier en faction à l'entrée hésita un instant. Il n'était pas habitué à voir des militaires débarquer sur son territoire et encore moins des gendarmes en civil.

– Section de recherches de Paris, se contenta de préciser Alexis. Votre commandant doit être au courant de notre venue, on l'a fait prévenir.

Ludivine tira sur sa doudoune pour y enfoncer son menton et ainsi se protéger du froid. Le vent d'octobre se plaqua contre le polyamide noir.

L'homme les fit passer sans autres formalités alors qu'un OPJ – la trentaine, mal rasé, cheveux courts et bomber noir sur le dos – s'approchait.

– Vous êtes de la SR Paris ? C'est gentil de venir voir la boucherie de plus près.

– Merci de nous accueillir, répliqua Alexis.

– Il paraît que vous avez une explication au geste de ce taré ? dit-il en ouvrant la porte du bâtiment.

– On vous a mal renseigné. En revanche, on s'intéresse à ce qu'il a tagué avant de sauter.

Il régnait une forte agitation dans la petite gare de banlieue, en même temps qu'il y flottait un mélange d'odeurs de café, de puissant désinfectant et de transpiration. Des psychologues, psychiatres et infirmiers de la cellule d'urgence médico-psychologique encadraient une dizaine d'hommes et de femmes encore en état de choc, dont un jeune homme totalement hagard qui ne cessait de hocher la tête. Quelques pompiers partageaient un thermos fumant autour d'une table de fortune. Des policiers se mêlaient à un groupe de journalistes locaux, appareils photo suspendus sur la poitrine en guise de carte de presse, avec plusieurs représentants politiques de la municipalité ainsi que de la région.

L'OPJ fendit l'assemblée et fit sortir les trois militaires avant de lever l'index sur le mur entre la porte et une fenêtre des bureaux de la gare.

e.

Pas plus grand qu'un poster de magazine.

Peint à la bombe rouge. À hauteur d'homme.

Telle une signature sibylline.

– Des témoins l'ont entendu dire quelque chose ? demanda Ludivine.

– Non. Les pompiers ont tout de suite pris en charge les plus traumatisés, et les collègues ont essayé de recueillir un maximum de témoignages mais pour l'instant il en ressort seulement que c'est un ado, et qu'il était particulièrement agité.

– Vous avez son identité ? s'informa Segnon.

– Pas encore. Ça va prendre du temps.

L'OPJ se tourna vers les voies et fixa un halo blanc qui brillait plus loin, comme un soleil de midi. Des projecteurs portatifs montés sur de hauts pieds dépassaient des quais, disposés en contrebas sur le ballast. Ils soulignaient les ombres des pompiers en train de s'affairer, pliés en deux, au-dessus des rails. Certains arboraient un teint proche du vert, d'autres titubaient un peu à l'écart. Deux autres déposèrent un gros gigot sur une couverture de survie installée sur le bord du quai. Il y avait d'autres fragments de viande dont certains étaient enveloppés dans un film sombre. Des morceaux de vêtements.

– Le mec ne s'est pas raté, ajouta l'OPJ. D'habitude avec les trains on a des membres sectionnés, mais si on aime les puzzles ça se complète vite. Là il a pris le train en pleine tête. Tout a explosé. Et le reste est passé sous les roues. Il a le corps retourné. Dilacérations multiples. La peau à l'intérieur et la chair à l'extéri…

– Ça va aller, le coupa Segnon.

Ludivine, apercevant quatre autres soleils sur une autre voie, demanda :

– Et les autres victimes ?

– La mère et son bébé identifiés par ses papiers, l'autre par une proche qui était présente. On attend encore pour la dernière.

Alexis tendit sa carte sur laquelle il avait griffonné son numéro de portable :

– Je vais faire suivre une demande officielle mais si vous pouviez me communiquer tout ce que vous trouvez, identité de chacun, et une copie des procès-verbaux intéressants, ça nous ferait gagner du temps.

L'OPJ acquiesça.

– Vous êtes sur quoi au juste ? C'est quoi ce dessin ? Une cellule d'anars ?

– On l'ignore, mais il a été retrouvé sur plusieurs macchabées.

Cette fois l'OPJ écarquilla les yeux.

– Carrément ? Alors… notre ado là, il serait déjà passé à l'acte avant ?

– C'est possible, confirma Alexis qui se voulait assez cordial pour que le flic lui fasse suivre tout ce qu'il aurait mais sans en dire ou en faire trop non plus.

Segnon leva l'index vers une caméra de sécurité.

– Vous avez récupéré les bandes ?

– Oui, on visionnera tout ça ce soir devant une pizza chaude. Mais si ça vous intéresse, on a déjà une vidéo de toute la scène.

Les trois gendarmes le transpercèrent du regard.

– OK. Apparemment ça vous branche. Suivez-moi.

Il les entraîna à l'arrière de la gare, dans un bureau qui sentait le renfermé et où s'entassaient une demi-douzaine de personnes dont la plupart étaient au téléphone. L'OPJ se fit confier un iPhone et le tendit vers les militaires.

– Un garçon de dix-neuf piges a trouvé l'ado bizarre et il s'est mis à le filmer quand il a tagué devant tout le monde.

Le petit écran se mit à bouger. Une silhouette habillée d'un treillis et d'un sweat-shirt noir s'y découpa, la capuche relevée sur la tête et sur une casquette dont seule la visière dépassait. L'individu était de dos, en train de peindre son mystérieux dessin sous le regard médusé des usagers qui n'osaient rien dire. À peine terminé son œuvre, l'adolescent lâcha sa bombe pour s'engouffrer dans l'escalier souterrain le plus proche. La vidéo s'arrêta.

Déçu, Alexis ouvrit la bouche pour remercier le flic mais ce dernier fit défiler une seconde vidéo d'une pression du doigt sur l'écran.

– Le témoin a vu le tagueur apparaître sur le quai d'en face, alors il l'a filmé à nouveau. C'est la meilleure partie.

Une double voie séparait le caméraman de l'adolescent à capuche. Le quai opposé était bondé. Le tagueur regardait fixement vers l'horizon, dans l'attente du train. Sa jambe gauche s'agitait, battant la mesure de sa nervosité. Son visage était en grande partie dissimulé par sa capuche, toutefois les gendarmes pouvaient distinguer son menton et sa bouche. Le garçon se mordait la lèvre.

Une petite horloge noire aux chiffres jaunes affichait 17 h 12.

Les gens autour de lui ne semblaient pas le remarquer, plongés dans leurs pensées, le regard rivé sur l'écran de leur téléphone portable, aux pages de leur livre ou magazine, ou en pleine conversation avec un voisin. Tous cherchaient à tuer l'ennui au mieux sans prêter la moindre attention à celui qui allait faire basculer leur existence d'un instant à l'autre.

Pourtant l'adolescent ne tenait pas en place. Il avançait et reculait sur le quai, scrutait au loin l'arrivée du train, et observait les silhouettes autour de lui. Le bec de sa casquette pointait tour à tour vers les uns et les autres. Comme un doigt funeste cherchant sur qui abattre la mort.

– À quelle heure ça s'est produit ? s'enquit Alexis.

– La collision ? Le train de 17 h 14.

Soudain le garçon se mit en mouvement, il marchait lentement, détaillant la foule. La caméra le suivit en pivotant légèrement. L'image était floue par moments, mais relativement stable, l'autofocus opérait rapidement.

Le tagueur s'arrêta dans le dos d'une vieille femme qui se tenait à un poteau d'acier. Après avoir examiné les gens autour d'elle, il reprit son chemin.

– On dirait qu'il cherche quelqu'un en particulier, commenta Ludivine d'une voix froide.

Brusquement, il s'immobilisa. Il hésita derrière deux enfants d'une dizaine d'années qui discutaient, insouciants. L'adolescent tourna la tête à droite et à gauche. Une petite bulle s'était formée autour des deux bavards. Ils étaient un peu isolés.

Des proies idéales, se surprit à penser Alexis. *Un peu à l'écart de la foule. Faciles à pousser.*

La petite horloge indiquait à présent 17 h 13 dans le fond de l'image.

Le tagueur se frotta le visage, avant de reprendre sa marche étrange. Il passa lentement derrière une femme qui berçait sa poussette d'un geste machinal, juste à côté d'un garçon d'une trentaine d'années, type gravure de mode, avec un énorme casque stéréo pour écouter sa musique, loin du monde. À ce moment-là, l'adolescent faillit tomber à la renverse tandis qu'un homme en costume-cravate l'écartait sans ménagement pour venir se placer au bord du quai.

Le tagueur se redressa et sa visière pivota tout doucement vers la nuque de l'homme. Un quadragénaire visiblement très pressé.

La capuche se tourna d'abord à droite, puis à gauche, et revint se positionner dans le dos de l'homme.

17 h 14.

Alexis crut percevoir un frisson général traverser l'assemblée pendant qu'au loin montait le son d'un train à l'approche.

Le tagueur se rapprocha jusqu'à n'être plus qu'à quelques centimètres de l'homme en costume.

Le bruit des machines et du crissement des roues d'acier sur le rail s'amplifiait, saturant le haut-parleur du téléphone.

Brusquement, l'homme fit un bond. Projeté en avant, ses bras s'ouvrirent comme pour chercher à voler et son visage se transforma en un masque de stupeur et de terreur.

Aussitôt l'adolescent saisit la femme à côté et la poussa à son tour sur les voies. Elle bascula dans le vide en un instant, entraînant la poussette d'où tombèrent une forme blanche et des couvertures sur le ballast au milieu des premiers cris.

La gravure de mode venait à peine de s'apercevoir qu'il se passait quelque chose dans le monde au-delà de son casque et de sa musique que le tagueur l'attrapait par les épaules et le déséquilibrait.

Au même moment, la mère du bébé se relevait en hurlant. Elle n'eut pas le temps de courir vers son nourrisson qu'une forme énorme jaillissait par la droite de l'écran. La bouche de l'homme en costume s'ouvrit quand la locomotive le percuta.

Elle le happa d'un coup.

Puis la femme fut heurtée si fort qu'il sembla à Alexis qu'elle se disloquait instantanément. Quant au mélomane, il n'avait pas encore touché le sol que le train lui explosait tous les os du corps et le renvoyait vers le bord du quai comme une balle rebondissante.

L'instant d'après le train envahissait presque tout l'écran et son vacarme étouffait une partie des hurlements de la foule.

La caméra tomba, fixant le sol et le bout d'une basket blanche usée.

Tout avait basculé en moins de deux secondes. Le tagueur avait agi avec précision et détermination. Pas la moindre hésitation. Avant même que quiconque ait pu intervenir pour l'arrêter.

L'OPJ posa la main sur l'écran pour reprendre le téléphone.

– Ça dure pendant plusieurs minutes avant que le gosse pense à éteindre, mais il n'y a plus rien d'intéressant.

Alexis regarda Ludivine et Segnon. Ce dernier haussa les sourcils en faisant la moue.

– C'est glauque, lâcha-t-il.

Le flic opina en ajoutant :

– D'après les témoins, l'adolescent a ensuite tourné les talons pour se jeter sous le train qui arrivait en sens opposé, de l'autre côté du quai. Personne n'a rien pu faire.

– Des témoins l'ont vu arriver à la gare ? À pied, en voiture ? demanda Alexis.

– Pas que je sache. On aura tous les procès-verbaux d'ici demain, je pense. Ensuite, le temps qu'on épluche ça…

– Vous en avez pour longtemps ? insista Ludivine avec un semblant de sourire pour ne pas paraître trop sarcastique.

– Vu l'horreur des faits, les médias seront sur notre dos, donc le préfet aussi, alors non, on va faire vite, ne vous inquiétez pas.

– Vous nous ferez un rapport concernant les bandes vidéo saisies à la gare si c'est pas trop vous demander, intervint Segnon.

L'OPJ acquiesça. L'agacement commençait à poindre sur son visage.

– Le plus important pour nous maintenant, ça va être l'identité du tagueur, conclut Alexis.

Le flic agita la carte de visite.

– J'ai votre numéro et le mail, je vous fais suivre ça dès que j'ai l'info. Vous pouvez m'en dire plus sur ces macchabées avec le même dessin ?

– Nous n'avons pas grand-chose pour l'instant, mentit Alexis. Si ça peut vous aider, je vous ferai un topo quand nous en saurons plus. Merci de nous avoir accueillis. On attend de vos nouvelles demain. Bon courage !

Alexis lui donna une tape amicale sur l'épaule et entraîna les siens vers l'extérieur.

– Tu en penses quoi ? l'interrogea Ludivine.

– L'ado est dingue ! répondit aussitôt Segnon. Dix euros qu'il a un dossier en HP quelque part !

Ludivine fixait Alexis qui ne répondait pas.

– À quoi tu penses ? insista-t-elle.

– Je le sens pas. Tout ce truc, je le sens pas. Vous avez vu comme il a pris soin de choisir ses victimes ? Il a d'abord songé à la vieille, puis aux deux gamins, et c'est la femme avec sa poussette qui l'a finalement attiré.

Les trois gendarmes franchirent un cordon en plastique et marchèrent sur la place en direction de leur véhicule.

– Le type qui l'a bousculé surtout, fit remarquer Segnon.

– Je ne suis pas sûr. Celui-là, il l'a poussé pour le faire payer. Mais je crois que c'est la femme avec la poussette qui lui a plu.

– Il a un problème avec les femmes et les gamins peut-être.

Alexis secoua la tête en grimaçant.

– Je ne pense pas que ce soit ça. Regardez ce qu'il fait avant de les tuer. Il tague un mur devant tout le monde. Comme s'il voulait adresser un message au monde entier. Quand on détaille ses victimes il y a un côté un peu… famille idéale. Il s'attaque aux fondamentaux : une femme et son bébé, l'homme d'affaires et le beau gosse. Papa qui réussit, maman et les enfants parfaits.

– Tu crois qu'il voulait frapper là où ça fait le plus mal ?

Ludivine hocha vivement la tête.

– Alex a pas tort. Il a pris du temps pour choisir ses victimes. Il ne voulait pas n'importe qui. Il s'en est pris à ce qui blesse le plus la société.

– On cherche du côté des mouvements radicaux ? proposa Segnon. Extrême gauche et extrême droite ? Anarchistes ? Je fais une demande demain auprès de la DCRI pour avoir des infos sur ces groupuscules. C'est vrai qu'on leur a pas demandé s'ils ont quelque chose sur le symbole !

– On va faire ça.

– T'as l'air contrarié, souligna Ludivine. C'est la vidéo qui t'a retourné ?

Alexis ouvrit la portière de la Peugeot 206 et demeura en suspens.

– C'est l'accumulation. D'abord deux mecs qui découpent à travers le pays, puis des photos pédophiles et maintenant ça ? Le colonel veut garder l'affaire confidentielle pour ne pas avoir d'emmerdes avec les politiques et les médias, moi je veux bien, mais c'est en train de nous dépasser. Il faut que toutes les gendarmeries soient sur le coup. Il nous faut des experts, des moyens, du personnel en plus. C'est gros, c'est énorme ce qui se passe ! Et au rythme où ça va, je vous dis qu'on n'a pas fini d'en découvrir !

Segnon était de l'autre côté du véhicule.

– Tu veux qu'on mette la pression sur le colonel ?

Alexis hésita puis il désigna d'un coup de menton la gare.

– On va déjà mettre la pression pour récupérer tout ce qu'on peut de cet ado. Son ordinateur, son portable, tout.

– Les flics vont pas être d'accord.

– C'est le problème du colonel, on va le laisser gérer avec le juge d'instruction. L'ado est notre priorité. Il a forcément appris à dessiner son petit motif quelque part ou avec quelqu'un. Je veux qu'on trouve ce que ça signifie. On cherchait une porte d'entrée dans l'univers de ces dingues, on vient de la trouver.

Alexis jeta un dernier coup d'œil au parvis éclairé par les lampadaires aux ampoules jaunâtres. Au loin plusieurs boules de lumière blanche brillaient par-dessus le toit de la gare.

Le jeune gendarme imagina alors comme l'éclat des projecteurs devait souligner la couleur du sang. Presque luisant.

Au cours de sa courte carrière Alexis avait déjà vu bien des horreurs. Des folies parfois. Mais la gratuité de celles-ci le dépassait.

Il revoyait le visage de cette mère qui comprend que c'est trop tard. Pour elle et pour son enfant. Son cri désespéré. La vidéo n'avait pu enregistrer le choc de la motrice sur la chair, mais Alexis l'imaginait sans peine. Brutal.

Il devait y en avoir de la haine chez ce garçon pour vouloir faire si mal au monde. Une haine totale. Absolue.

Celle de la mort. Et pas seulement la sienne.

Une haine tranchante. Définitive.

Un culte fanatique de la destruction. De la douleur.

Pour que le monde souffre avec lui.

Alexis prit une profonde inspiration en s'engouffrant derrière le volant. Ce n'était pas de la folie à bien y réfléchir. Le garçon avait calculé son coup. Pour choquer. Heurter la société.

C'était une vengeance.

Alexis claqua la porte.

5.

Des gens parlaient au loin.
Des voix douces, sûres. Agréables.
Elles gagnaient en intensité.
Alexis ouvrit les paupières avec difficulté, il lui semblait qu'elles avaient rétréci avec le sommeil, trop petites pour ses yeux. Il se les frotta en grognant comme pour leur rendre leur élasticité. Réveil difficile. Groggy. Encore enserré dans son carcan de chaleur réconfortante que maintenait la couette, les joues en guise de sonde pour se rendre compte de la fraîcheur de son appartement.

Il avait veillé trop tard. Incapable d'éteindre la lampe. Alexis avait ses périodes d'angoisses. Celles où il redoutait l'instant où il poserait la tête sur l'oreiller dans le noir, où il serait seul face à la réalité, à sa solitude. C'était dans ces supposés moments de détente que le pire lui revenait en mémoire. Insidieusement. D'abord les broutilles qui vous polluent le quotidien : les problèmes de fric, la chasse d'eau qui fuit encore depuis deux mois, au moins six ou huit semaines sans avoir appelé sa mère pour prendre des nouvelles, les emails en retard des copains, son éternel célibat, jeune trentenaire et pas de femme, pas d'enfant en vue… Puis, une fois tout cela évacué, une fois l'esprit libéré des contingences de la vie réelle, dans cette semi-torpeur, antichambre du sommeil, ce début d'obscurité pour l'âme, venaient alors les morts.

Semblables à des ombres lointaines, presque timides, ils approchaient lentement, pour affleurer la conscience.

Et lorsque leurs silhouettes entraient pleinement dans le champ de la pensée, il était trop tard. Alexis ne pouvait plus s'endormir. Il revoyait ces gens dont il avait découvert les cadavres, ou analysé la vie sous toutes les coutures, ces morts violentes qui revenaient le hanter dans un moment de fragilité.

Alexis l'avait découvert avec un peu d'expérience : les fantômes existent. Ils se nichent dans l'interstice entre veille et sommeil. Cet entre-deux-mondes où le conscient bascule vers l'inconscient, cette fine lisière sans contrôle où l'homme peut encore entrapercevoir des choses quand il ne maîtrise plus sa pensée. Et les fantômes se nourrissent de la solitude des vivants, elle leur rappelle leur propre condition.

Alexis détestait s'endormir seul. Il aimait pourtant sa vie de solitaire, à travailler jusqu'à pas d'heure, à sortir avec des collègues le reste du temps ou à lire des bandes dessinées, à jouer à ses jeux vidéo, et surtout à regarder les matchs de football américain sur Internet. Malgré tout cela, il avait besoin de s'endormir avec quelqu'un, pour chasser les fantômes. Alexis préférait aux somnifères la compagnie de filles rencontrées dans des bars, parfois même il payait le plaisir coupable d'une escort qui partait dès qu'il sombrait. Toutes ces femmes, dont il oubliait le prénom avec l'aube, avaient compté à leur manière, au-delà des extases fugitives. Leur humanité l'avait rassuré momentanément. Il se camait à la chaleur des corps, anxiolytique naturel. Des âmes en guise de traitement homéopathique du blues.

Les voix de la radio parlaient de politique américaine. D'élections.

Alexis se redressa en étirant les bras.

Personne dans son lit ce matin-là. Voilà pourquoi il avait si mal dormi. La tiédeur de l'autre pendant le sommeil avait quelque chose de primitivement rassurant.

Il fila directement dans la salle de bain pour prendre sa

douche, pour chasser les dernières guenilles du sommeil sur sa peau et balaya l'idée de se raser d'un revers de main sur le miroir embué.

Un café fumant dans un mug des New York Giants à la main, Alexis observait le XXe arrondissement qui se réveillait. Les lumières des fenêtres comme autant de paupières qui s'ouvrent sur une nouvelle journée.

Un samedi matin, début octobre.

Il n'y aurait pas de week-end pour lui, ni pour aucun de ses collègues de la section de recherches. Pas avec ce qui s'était produit hier après-midi en gare d'Herblay, petite ville tranquille de banlieue qui venait de basculer à la une des journaux. Pas avec cinq crimes en série, des photos pédophiles et maintenant un quadruple homicide suivi d'un suicide.

Ils allaient passer la journée à harceler les flics pour obtenir l'identité du tagueur, le colonel de la SR, lui, serait avec le juge d'instruction, à pourrir son week-end jusqu'à obtenir de prendre l'affaire en main.

Alexis vivait dans un immeuble de neuf étages au sein même de la caserne. Une barre sinistre qui logeait cinquante-quatre familles de gendarmes, sorte de vase clos étouffant. Sorti du hall, il traversa la cour pour pénétrer dans la gendarmerie au premier étage de laquelle il avait son bureau.

Ludivine était déjà derrière les deux écrans de son ordinateur, l'un ouvert sur les fenêtres de ses différents réseaux sociaux, l'autre sur les dernières dépêches émises par le FBI qu'elle était en train de lire.

– Tu ne dors jamais ? fit Alexis en tendant son poing fermé.

Ludivine le salua du même geste en le cognant par le dessus.

– Les feignants dorment, répondit-elle sans quitter ses écrans du regard.

– Les grands angoissés ne dorment pas.

– À en juger par tes cernes, tu as beaucoup d'angoisses.

Il secoua la tête de dépit.

– Toujours le dernier mot, hein ? Bon, du nouveau dans la nuit ?

– Rien. J'ai déjà relancé l'OPJ qu'on a vu hier. Trois messages en une heure. Je pense qu'il aura compris l'urgence.

La masse de Segnon se découpa dans l'espace de la porte. Il leva une enveloppe au format A4 devant lui.

– T'es déjà là toi ? s'étonna Alexis.

Le colosse avait des poches sous les yeux.

– J'étais au-dessus avec Cyril. On a reçu le rapport de l'odontologiste à propos des morsures qu'a infligées la Bête à ses trois victimes.

– Ils ont trouvé de l'ADN autour des plaies ? demanda aussitôt Alexis.

– Rien d'exploitable.

Segnon sortit plusieurs feuilles roses et les agita. Alexis les reconnut sans même avoir besoin de les lire. Formulaires d'identifications odontologiques d'Interpol. Des fichiers types. Roses pour les morts. Pour les vivants, en cas de disparition notamment, ils étaient jaunes.

– L'expert a établi une empreinte de morsure concordante pour les trois crimes. C'est la même mâchoire à chaque fois.

– On avait peu de doutes là-dessus, ironisa Ludivine.

Sans lâcher la liasse rose, Segnon fit tourner les pages d'un rapport ponctué de schémas crayonnés.

– En revanche, et c'est là que ça devient intéressant, il dit, je cite : « La courbure dentaire revêt une forme en U dont la topographie palatine ne correspond à rien de connu. »

Les collègues se regardèrent, dubitatifs.

– Ça signifie que le type a une malformation ? Un bec-de-lièvre ? demanda Ludivine pleine d'espoir.

Alexis posa une fesse sur le coin du bureau de la jeune femme. La chance était peut-être en train de leur sourire. Une déformation au niveau des dents était mieux qu'un tatouage ou qu'une cicatrice sur le corps, c'était une véritable empreinte. Il faudrait envoyer une circulaire à chaque dentiste du pays, à chaque hôpital, et tôt ou tard, il était très probable que le dossier du patient ressurgisse.

Segnon reprit la main, le regard noir :

– Attendez avant de vous emballer, écoutez plutôt la suite : « La disposition des dents, ainsi que l'accumulation de dents carnassières (incisives et surtout canines), laissent penser à une origine animale, même si la taille de la mâchoire, elle, est très grande et de forme atypique, plus proche dans ses caractéristiques de base de celle de l'homme que de la bête, bien qu'il faille là encore être prudent tant l'ensemble est unique. » Il entre dans les détails techniques ensuite. « Il pourrait s'agir d'un mélange de macrodontie (peut-être liée à un gigantisme hypophysaire), de gémination, ainsi que de dédoublement bien que l'accumulation soit… »

– Alors quoi ? C'est un mec ou une bestiole qui fait ça ? s'agaça Ludivine qui aimait le concret et la clarté.

– De toute évidence ça ne peut être qu'un homme. Je ne vois pas comment il pourrait transporter un animal et l'obliger à mordre. Et puis pourquoi ferait-il un truc pareil ?

– Ce serait pas le premier dingue à…

Segnon les interrompit pour terminer :

– Le toubib conclut en proposant de regarder du côté des patients ayant subi une opération esthétique des dents. C'est en vogue dans certains milieux gothiques. Ils se font poser des fausses dents de formes étranges ou bien limer les quenottes pour avoir des crocs, les plus extrémistes vont jusqu'à se faire tailler toutes les dents pour ressembler à des requins. L'expert dit que c'est particulièrement en vogue en Angleterre et en Allemagne, nettement moins en France. Cependant il reste sceptique quant à la probabilité que ce soit une mâchoire humaine à cause de la topographie palatine singulière à moins d'une déformation majeure.

– Moi j'appelle ça une piste intéressante, conclut Alexis en attrapant les feuilles roses. Nous allons faxer ça à tout le monde. Une bouche comme celle-là, c'est assez exceptionnel pour qu'un dentiste ou un service hospitalier en ait gardé une trace quelque part.

– On oublie l'hypothèse d'un animal ? s'étonna Segnon.

– Tu l'expliquerais comment ? Quel type d'animal ?

– J'en sais rien, c'est pour ça qu'on pourrait solliciter l'aide d'un véto ou d'un expert dans un zoo, non ?

Ludivine secoua la tête, et se rallia à l'avis d'Alexis.

– Un pervers qui a élaboré tout un fantasme complexe au point de tuer et d'aimer tellement ça qu'il recommence, tu crois qu'il s'emmerderait avec une bestiole ? Pour quoi faire ? La forcer à mordre ses victimes ? C'est pas un peu… débile, non ?

– On sait qu'il manque des fragments de chair sur les filles, des bouchées entières ! Je trouve moins dément d'imaginer que c'est une bête qui les dévore plutôt qu'un homme avec une bouche difforme !

– Arrête, c'est pas crédible une seconde, répliqua Ludivine. On n'a jamais vu un mec mélanger ses fantasmes à des délires de bêtes sauvages.

– On n'est pas à l'abri d'une première, opposa Segnon.

– Et puis t'imagines la logistique ? Faire venir l'animal, quel qu'il soit – et c'est manifestement pas juste un clébard, plutôt un ours ou un lion vu la taille des morsures ! –, puis l'obliger à obéir, à mordre, le tout sans qu'on retrouve la moindre empreinte au sol ni même de poils sur la scène ? Il y a des limites au génie criminel et au machiavélisme. On n'est pas dans un film, Segnon !

Alexis brandit les feuilles roses.

– On se concentre pour l'instant sur l'homme. On balance l'empreinte de la mâchoire à tous les dentistes et services de stomatologie des hôpitaux.

Segnon leva les mains en signe de capitulation.

– C'est toi le boss. Je vais faire le rapport.

Il retourna derrière son bureau pour synthétiser le dossier de l'odontologiste afin d'enrichir leurs notes d'enquête.

Sa main recouvrit la souris et, spontanément, il ouvrit Firefox plutôt que le fichier de l'enquête.

La page de recherche de Google s'afficha.

C'était plus fort que lui.

En quelques secondes, Segnon se retrouva sur le site du Muséum national d'histoire naturelle.

6.

Joseph Selima.

L'identité du tagueur tomba en fin de journée par un coup de fil de l'OPJ. Vingt ans. Sans emploi. Sans domicile. Connu de la justice pour divers vols, agressions, possession de stupéfiants et actes de rébellion envers les forces de l'ordre. Seule adresse renseignée : l'établissement psychiatrique où Selima avait fait de fréquents séjours.

Le garçon souffrait de paranoïa, de troubles du comportement, et parfois de crises de délire. La dernière en date s'était soldée par la mort de quatre personnes avant qu'il se suicide, songea Alexis.

Après avoir épuisé tous les fichiers informatiques possibles en entrant le nom du tagueur, il se leva d'un bond.

– Tu vas où ? demanda Ludivine.

– À Neuilly-sur-Marne, à l'unité psychiatrique où Selima séjournait.

– Un samedi soir ?

– Si je me dépêche, je peux y passer avant que les flics y aillent, et choper les premières infos sur notre gars. Il y a peut-être laissé des affaires à lui.

Segnon soupira avant de se lever à son tour.

– J'y vais seul, répliqua Alexis. Toi tu rentres voir ta famille, vous avez assez bossé pour aujourd'hui.

Ludivine arracha sa doudoune au siège :

– Moi, j'ai pas de mari qui m'attend, je viens avec toi.

La nuit était tombée rapidement, comme si le soleil lui-même n'aimait pas s'attarder à l'horizon en cette période de l'année. Toujours cet entre-deux, se dit Alexis. Entre la conscience et le sommeil, entre le jour et la nuit. Territoire des fantômes que même la nature n'aimait pas prolonger inutilement.

Les panneaux terminèrent de guider les deux gendarmes. L'unité psychiatrique de Neuilly-sur-Marne était affublée de l'euphémisante dénomination d'« établissement public de santé mentale de Ville-Evrard ». Alexis gara la 206 banalisée de la gendarmerie devant un bâtiment beige un peu ancien, percé de hautes fenêtres blanches. L'éclairage irrégulier des lampadaires donnait aux tuiles de la toiture un aspect rouge presque inquiétant.

L'endroit était d'un calme troublant. Pas un bruit, pas une ombre au loin alors qu'Alexis s'attendait presque à entendre des cris dès qu'il approcherait de ce qu'il considérait être un repaire de fous, du moins un lieu abritant plusieurs centaines de patients traités pour des pathologies complexes. Il n'aimait pas les hôpitaux, et encore moins tout ce qui touchait aux maladies mentales. C'était un domaine qui le dérangeait, face auquel il se sentait démuni.

Ils se présentèrent d'abord à l'accueil pour se faire guider et, après avoir décliné leur identité une bonne demi-douzaine de fois, ils finirent par rencontrer enfin un médecin qui avait traité Joseph Selima.

– Ça va encore nous retomber dessus, dit le docteur Galène lorsque les deux gendarmes lui eurent exposé la situation. Dès qu'un patient pète les plombs on accuse les psychiatres et les unités psy de ne pas faire leur boulot ! Mais c'est pas moi qui fais les lois. Je ne peux garder quelqu'un contre son gré indéfiniment !

– Comment était Selima ? demanda Ludivine.

– Écoutez, vu l'horreur de ce qu'il a fait, je veux bien vous renseigner à titre officieux, mais je ne signe aucun procès-verbal, entendu ? Pas d'accès au dossier médical sans demande écrite de la justice.

– Entendu, conclut Alexis.

Le docteur Galène les tira vers une petite pièce pleine d'étagères et de boîtes de médicaments qu'il déverrouilla avant de refermer derrière eux.

– Selima, je m'en souviens bien, commença-t-il en baissant la voix, c'est un garçon très renfermé.

– C'était, corrigea Alexis.

– Oui, c'est vrai... C'était. En rupture totale avec le système, une famille violente qu'il n'avait pas revue depuis quatre ans d'après ce que je sais, un pauvre gars abandonné, sans repère, souffrant d'un trouble de la personnalité, antisocial...

– Vous en parlez comme d'une victime, s'étonna Alexis.

– Victime de sa pathologie ? Certainement. Selon le peu qu'il a accepté de me confier, il avait eu ce qu'on pourrait appeler une sacrée vie de merde. Maintenant, ne vous méprenez pas, Joseph Selima n'avait rien d'un ange, même à mes yeux : menteur, impulsif, irresponsable, pas d'empathie, sans remords, bref, le sociopathe par excellence.

– Vous l'avez eu longtemps entre vos murs ? s'enquit Ludivine.

– Plusieurs séjours de quelques semaines.

– Sur décision de justice ?

– La première fois, oui. Ensuite c'était de son plein gré. Je crois qu'il aimait bien être ici. Enfin... pour autant qu'on puisse aimer se dire qu'on a besoin d'aide pour soigner une maladie mentale. Ici, il trouvait une écoute qu'il n'avait pas ailleurs. Il restait le temps de se remettre d'aplomb et il repartait du jour au lendemain.

– Il fréquentait d'autres patients ? questionna Alexis.

– Non, il se tenait à l'écart. Joseph n'aimait pas parler. Avec moi c'était différent, nous avions fini par créer un semblant de relation, il avait à peu près confiance. Mais j'étais un des seuls.

– Et avec le reste du personnel soignant ? Il ne fumait pas une cigarette de temps en temps avec les infirmiers ? Il ne draguait pas les infirmières ?

– Je crois que vous ne cernez pas ce qu'était Joseph Selima. Nous parlons d'un solitaire, un vrai. Quelqu'un capable de rester dix jours sans voir quiconque, sans même ouvrir la bouche. Et cela ne l'ennuyait pas, au contraire ! Ce n'était pas du tout le style à séduire, ni même à chercher la sympathie. S'il voulait une cigarette il vous la réclamait et c'est tout. Il avait grandi dans un environnement sans amour, l'échange familial se résumait à des coups de ceinture et des cris, ça vous donne une idée du personnage.

Ludivine intervint à son tour :

– Vous savez s'il avait des connaissances à l'extérieur ?

– Il n'en parlait pas. Il vivait au jour le jour, vous comprenez, ce n'était pas le genre à planifier son avenir. Il croisait des hommes et des femmes, mais il n'avait pas d'amis, si c'est ce que vous voulez savoir. Je pense qu'il m'en aurait parlé si ça avait été le cas.

Alexis ouvrit la bouche pour enchaîner mais Ludivine le devança :

– À quand remonte son dernier séjour ?

– Au début d'année je crois. Il y a huit ou neuf mois. Il est resté dix ou quinze jours, je ne me souviens plus.

– Il était comment ? fit Alexis.

– Fatigué. À bout. Selima venait une à deux fois par an, quand il n'en pouvait plus.

– Il ne vous a pas parlé d'idées noires, d'envies de meurtre à ce moment ? voulut savoir Ludivine.

– Il avait tout le temps des idées noires. Pour ce qui est de pulsions de meurtre, non, il n'en a pas évoqué. Mais son jardin secret était aussi vaste et dense que l'Amazonie !

– Et vous n'avez plus eu de nouvelles depuis ?

La rencontre se transformait peu à peu en interrogatoire. Les deux gendarmes multipliaient les questions, ne laissant à Galène aucune pause, et le médecin commençait à s'impatienter.

– Non, aucune, fit-il en soupirant.

– Savez-vous de quoi il vivait ? demanda Alexis.

– De petits boulots payés au noir et, entre nous, certainement de vols ou de cambriolages. Il n'avait manifestement pas de gros besoins, à part pour fumer ses joints, il n'a jamais touché à des drogues plus dures, et là-dessus je le crois. D'après ce que je sais, il n'avait pas de loyer, pas de charges.

– Il vivait où ?

– Dans un squat, à Saint-Denis. Enfin, c'est ce qu'il m'a toujours dit.

– Vous connaîtriez l'adresse ?

– Je dois l'avoir sur une de mes retranscriptions, je peux vous la trouver si vous me laissez un email, le secrétariat vous enverra…

– Maintenant ce serait mieux, insista Alexis avec son air déterminé.

Le psychiatre fixa le jeune gendarme.

– Nous enquêtons sur des meurtres, ajouta Alexis. Il se pourrait que Joseph Selima ait fréquenté les meurtriers. Chaque heure compte tant que ces mecs-là sont en liberté.

Galène prit une profonde inspiration par le nez, faisant siffler l'air dans ses narines.

– Je vais faire ce que je peux. Allez m'attendre dans le hall.

Juste un panneau pour affirmer son identité. Aucune démarcation entre ses frontières et celles de ses consœurs limitrophes. Une ville au milieu d'autres, sans personnalité. Une ville comme un enfant laissé sans attention au milieu d'une famille trop nombreuse, et qui aurait grandi sans affection. Des strates de quotidien rassemblées sans cohérence et sans liant, sans envie ni amour, ce ciment de la construction pérenne. Façades anciennes et striées par le temps, immeubles aux peintures écaillées, aux huisseries vermoulues, tours modernes et rutilantes malgré l'absence d'esthétique, enfilade de barres serrées les unes contre les autres, terrains vagues où ne poussent que les détritus et les épaves.

Une cité de Seine-Saint-Denis parmi les autres.

Alexis voyait les fenêtres défiler devant lui, leur reflet comme un film interminable projeté sur les vitres de la petite Peugeot. Le sentiment d'appartenance des gamins dans ces taudis l'interpellait une fois encore. Ils grandissaient dans ces cités délabrées et se prenaient de passion pour leur cage, prêts à se battre pour leur territoire. Il en fallait des manques pour en être réduit à aimer ces endroits. La bande devenait leur famille. Une compensation. Pour exister. Pour se sentir vivre. Faire partie d'un clan. N'y avait-il plus de parents dans ces tours pour donner à ces gamins l'essentiel avant qu'ils aillent le rechercher dans la violence ?

Quel cliché éculé..., pensa Alexis, qui secoua la tête.

Son métier lui donnait parfois le vertige. Il opérait par moments des raccourcis simplistes et se surprenait même certains soirs à se faire peur. À se demander vers quoi il allait tendre avec les années. Avec la fatigue. La lassitude. Des opinions faciles, faites de boucs émissaires acceptables, avec des visages qu'on pouvait mettre sur des fiches d'interpellation, à côté de celui de Marianne et de la République. Certes il ne fallait pas pour autant dédouaner l'individu, mais tout de même. Ne pas céder à la facilité. C'était comme de se tenir sur le bord d'un précipice, de sentir le vertige dominer, le vide vous aspirer et de se laisser tomber parce que c'est plus commode, parce qu'il n'y a pas de combat à mener, pas de batailles, rien qu'un choix élémentaire, se laisser aller. Se reposer sur le vide. Renoncer. Aller au plus simple après une vie de lutte, à détricoter le manichéisme primaire des partis politiques, des médias, des opinions de consommation rapide.

Les partis d'extrême jouaient là-dessus. Sur la lassitude, l'abandon. Et parfois Alexis craignait que son métier le fasse tomber vers ce radicalisme simpliste. À force de trop fréquenter la violence, celle-ci finissait par vous noyer. D'une certaine manière il comprenait Richard Mikelis qui avait tout quitté, renoncé à ce pour quoi il était doué. Pour se préserver. Pour aimer les siens. Pour garder le peu d'amour que la violence n'avait pas tari en lui.

Ludivine ralentit et s'engagea dans une ruelle encadrée de bâtiments de deux étages en très mauvais état. Ils dépassèrent des entrepôts de tôle rouillée, et la voiture s'immobilisa face à de gros blocs de pierre mis en travers de la rue. Une vingtaine de mètres plus loin, au milieu d'une friche constellée de prospectus pourris, de caddies éventrés, de vêtements déchirés, de pièces automobiles corrodées, se tenait un immeuble fissuré, aux accès barrés par des planches taguées.

Les deux gendarmes s'étaient mis d'accord pour effectuer ce qu'ils appelaient dans leur jargon une « perquise à la mexicaine ». L'affaire du suicidé de la gare était celle des flics, la SR n'avait donc pas autorité à enquêter directement, mais ni Ludivine ni Alexis n'avaient l'intention de lâcher une piste qui pouvait les rapprocher de leurs tueurs. Si jamais ils trouvaient quoi que ce soit, il serait encore temps de lancer la procédure judiciaire officielle pour revenir en toute légalité cette fois.

Les phares de la 206 peinaient à atteindre l'immeuble, ne laissant deviner qu'une masse abîmée.

– J'ai vécu des samedis soirs glauques, mais celui-ci commence bien, fit Ludivine pour détendre l'atmosphère.

Les deux gendarmes sortirent de leur véhicule en scrutant les alentours pour s'assurer qu'il n'y avait pas de danger apparent, et commencèrent à approcher du squat.

– Je peux dire un truc horrible que seule ma collègue pourra entendre sans me traiter de malade ? demanda Alexis sans attendre de réponse. Me dire que Joseph Selima a vécu une partie de sa vie ici m'aide à comprendre son besoin de tuer avant de se buter lui-même.

Il avait parlé sur le ton d'une plaisanterie de mauvais goût, mais au fond de lui il ne savait pas vraiment s'il lançait n'importe quelle idiotie pour dissimuler son malaise ou s'il le pensait réellement.

– Tu espères qu'on va retrouver ses affaires ? enchaîna Ludivine. Je crois que tu rêves. C'est pas le genre d'endroit où tu peux conserver la moindre chose plus de quelques heures.

Aux abords du bâtiment, Alexis sortit de sa poche de veste kaki une petite lampe pour inspecter les planches clouées sur les fenêtres et sur la porte. Ils entreprirent de faire le tour, Ludivine jetant de brefs coups d'œil derrière eux pour vérifier qu'il n'y avait personne au milieu des hautes herbes qui les entouraient. Le vent d'octobre avait le souffle vicieux, il glissait au ras du sol et remontait par en dessous, froid et impudique, cherchant à s'engouffrer sous les vêtements, en quête de peaux à lécher, de corps à refroidir.

Alexis arrêta brusquement Ludivine en l'attrapant par l'avant-bras.

– Écoute.

– Quoi ? Le vent ?

– Non… À l'intérieur. Je crois que j'ai entendu des voix.

Le bois du squat grinçait à chaque rafale. Le bruit de la ville au loin ne rendait pas facile la perception de sons dans la maison, et Alexis se rapprocha jusqu'à coller son oreille contre une des fenêtres barricadées.

Il demeura une longue minute ainsi, sa collègue derrière lui, guettant les environs, pas très rassurée.

– Alors ? demanda-t-elle.

– Je n'entends rien.

Alexis se mit à tirer sur les planches pour voir s'il n'y avait pas un passage quelque part et il ne tarda pas à découvrir tout un pan qui s'ouvrait suffisamment pour qu'un être humain puisse s'y glisser.

– T'as ton flingue ? demanda Ludivine.

Il hocha la tête en tapotant sa hanche sous sa veste.

L'intérieur empestait l'urine et une odeur plus âcre encore, semblable à celle de l'eau de Javel. Les deux gendarmes la reconnurent aussitôt : du crack, ce dérivé de cocaïne hyperaddictif au parfum si caractéristique.

Le faisceau de la lampe ouvrait une paupière d'argent au milieu des ténèbres, sondant un monde de détritus, de gravats, de matelas éventrés et souillés, des éclats jaillissant de chaque morceau de verre brisé, bouteilles de bière ou de vin bon marché.

Une tapisserie de graffitis recouvrait chaque mur, tant et tant qu'ils formaient un labyrinthe au sens inextricable, fragments de schizophrénies empilées les unes sur les autres. Alexis ne savait pas bien qu'en penser. Par endroits, ces fresques étaient recouvertes par des traînées marron, et ailleurs par des éclaboussures rouges, des marques qui ressemblaient à du sang, dessinant d'étranges hiéroglyphes évoquant des scènes de violence.

Les relents acides d'excréments empuantissaient les lieux.

Tout ce monde putride se découvrait petit à petit, dans le sillon de la lampe, surgissant brièvement avant de retourner à l'obscurité, tandis qu'Alexis tournait sur lui-même.

Le plancher de l'étage supérieur grinça et un filet de poussière tomba du plafond comme une pluie polluée.

Ludivine mit la main sur la crosse de son arme, mais Alexis, qui la sentait nerveuse, lui attrapa le poignet.

– Il fait trop sombre. Laisse-le là où il est pour l'instant. Une bavure est la dernière chose dont on a besoin ce soir.

Il passa en premier dans ce qui ressemblait à un couloir et s'approcha de l'escalier. Avant même de lever sa torche vers l'étage, il s'immobilisa pour se pencher, essayant de distinguer ou au moins d'entendre quelque chose.

D'un déclic sonore il éteignit sa lumière, les plongeant dans le noir.

Ludivine se rapprocha de lui aussitôt.

– Qu'est-ce que tu fa…

Elle se tut en devinant une légère clarté émanant du sommet des marches. Lueurs tremblantes.

Des flammes.

Ils grimpèrent lentement pour tenter de limiter le couinement des marches sans parvenir à être totalement silencieux et débouchèrent sur un large palier donnant sur cinq pièces sans porte.

Des bougies brûlaient dans celle située face aux deux gendarmes. Alexis avait la main sur la poignée de sa matraque télescopique. Prêt à toute éventualité, il avançait avec la plus grande précaution.

Des morceaux de carton s'entassaient avec des serviettes sales sur un bout de mousse en guise de grand lit, entouré d'une demi-douzaine de bougies allumées. Les murs étaient recouverts du même langage sibyllin qu'au rez-de-chaussée, et le sol tout aussi encombré de déchets.

L'endroit empestait moins les déjections, en revanche le parfum javellisé était beaucoup plus prononcé.

Des pipes à crack occupaient le centre du lit improvisé, avec tout le nécessaire à sa consommation.

Alexis repéra un petit tas de vêtements et un sac à dos tout usé. Il attira l'attention de Ludivine sur ces quelques affaires.

Ni l'un ni l'autre ne perçut la silhouette qui se redressa dans leur dos.

Cheveux longs, sales, formant des dreadlocks.

Visage anguleux, mâchoire allongée, nez fin et pointu.

Les lèvres craquelées de l'homme s'ouvrirent sur une bouche aux dents cassées et noircies. Une substance sombre encadrait sa bouche comme un rouge à lèvres qui aurait débordé de tous côtés.

Il avait les yeux écarquillés par la démence. Deux globes blancs jaillissant de son visage dans la pénombre. Un faciès déformé. Presque une parodie d'être humain.

Ses mains s'ouvrirent au-dessus des deux gendarmes.

Des seringues remplaçaient ses doigts.

Des aiguilles en guise de griffes. Longues et luisantes sous l'éclairage dansant des bougies.

Il souriait. Une bouche trop grande. Un regard illuminé.

Celui d'un clown fou.

7.

Le cliquetis des seringues s'entrechoquant tandis que le clown fou agitait ses doigts d'excitation mit Alexis en alerte.

Il le repéra du coin de l'œil au moment où la main pleine d'aiguilles s'élevait dans l'air pour frapper.

Le coude du gendarme heurta la bouche du clown avec tellement de violence qu'il y eut plusieurs craquements secs semblables à de la porcelaine qui se brise. L'homme se plia en deux immédiatement en crachant un filet de sang poisseux au milieu duquel tombèrent plusieurs fragments de dents.

Alexis avisa alors les seringues enroulées autour des doigts avec du sparadrap marron. Il ne voulut prendre aucun risque et il lui fit aussitôt une clé de bras pour lui passer les menottes qu'il ferma dans son dos. La surprise et le choc ne tardèrent pas à se dissiper et les cris jaillirent.

L'homme voulut se débattre, mais Alexis le plaqua contre le mur en prenant soin de ne pas se blesser.

– Pas bouger ! ordonna le gendarme.

Ludivine avait à nouveau la main sur la crosse de son arme et guettait nerveusement les deux autres accès à la pièce.

L'homme se remit à hurler à s'en déchirer les cordes vocales. Un cri dément. Celui d'un animal entravé, qui se sent mourir. Intense. À vriller les tympans.

– Silence ! tenta Alexis. Oh ! Tais-toi !

Mais la voix du clown s'éraillait.

– Il est en plein délire ! pesta le jeune gendarme en désignant les pipes à crack.

– Alex, je crois qu'il y a quelqu'un d'autre. Il s'est pas envoyé tout ça seul quand même !

– T'as vu son état ? Je serais pas étonné.

Les vociférations se transformèrent d'un coup en pleurs. Des sanglots profonds, désespérés.

– Tu vas te calmer, oui ? Écoute, tout ce que je veux c'est des informations sur un garçon qui a squatté là. Tu m'entends ? Oh !

Alexis secoua le junkie par le col et lui plaqua le visage contre le mur en appuyant assez fort pour créer un choc et le sortir de son obsession, se faire entendre.

– Je veux que tu me parles de Joseph Selima. Ensuite je te relâche, d'accord ?

Mais l'homme pleurait toujours autant.

– Merde, lâcha Alexis.

– On n'obtiendra rien de lui. Accroche-le à un des tuyaux là-bas, qu'on puisse fouiller.

Le gendarme tira l'homme en arrière et à l'aide d'un Serflex en plastique l'enchaîna à deux conduites en fer qui passaient en bas du mur.

Il lui tapota les joues pour attirer son attention.

– Joseph ? Ça te dit rien ? Joseph Selima ? demanda-t-il plus fort, pour couvrir les sanglots.

À ces mots, quelque chose se renversa dans la pièce adjacente et quelqu'un traversa l'étage à toute vitesse.

Une silhouette jaillit sur le palier.

En un instant Ludivine fut sur ses talons.

– Ludi…, s'écria Alexis pour la retenir.

En vain. La jeune femme était déjà hors de la pièce, rapide sur ses appuis, prompte dans ses réflexes. Elle parvint à agripper la capuche du sweat-shirt du fuyard au moment où il arrivait aux escaliers, et elle la tira brutalement. L'individu fut stoppé net dans sa course et se retourna d'un bond en lançant son poing au hasard. Ludivine l'écarta d'un mouvement du bras et riposta d'un direct du droit en pleine joue.

Dans la foulée sa jambe s'éleva et son genou s'écrasa dans les parties génitales de son agresseur, qui se cambra sous la douleur. Puis l'autre genou de la gendarme monta dans les airs, mais l'enchaînement rata de peu le foie et vint taper dans le bassin.

L'instant d'après, Ludivine avait ses menottes en main et immobilisait l'individu en les lui refermant sur les poignets avant de le faire s'agenouiller.

Elle soufflait, plus à cause de la montée de stress que de l'effort réel. Plusieurs mèches blondes s'étaient échappées de l'élastique qui retenait son chignon improvisé, et elles se balançaient à présent devant son visage comme des métronomes. Son calme revenait peu à peu.

Alexis se tenait sur le seuil, bouche ouverte d'admiration et de stupeur. Tout avait été si rapide. Il savait sa collègue très sportive, adepte des sports de combat, mais la démonstration avait été impressionnante de maîtrise.

La jeune femme commençait seulement à réaliser et l'émotion affluait. C'était visible dans son regard, dans sa façon de respirer, ou d'avaler sa salive.

– Ça va ? demanda-t-il.

Elle acquiesça sans le regarder en face.

– Au moins… il n'ira nulle part sans… nous avoir parlé d'abord, dit-elle encore essoufflée.

Alexis attrapa l'individu par le menton pour l'obliger à lever la tête vers lui. La lampe torche du gendarme le fit cligner des paupières et il tenta de se dérober. Environ vingt-cinq ans, cheveux rasés sur les côtés, un semblant de crête sur le dessus, boucles d'oreilles, tatouages dans le cou, maigre à en crever. Les os saillants autour des orbites.

– Où tu allais comme ça ?

Le jeune toxico ne répondit pas, cherchant surtout à éviter la lumière aveuglante.

– Pourquoi tu voulais te barrer ? Tu as quelque chose à nous raconter ?

Ludivine s'accroupit pour être à son niveau.

– C'est le nom de Joseph Selima qui t'a fait peur ? demanda-t-elle, plus douce qu'Alexis.

Cette fois les pupilles noires glissèrent vers la gendarme. Derrière eux, le clown continuait à sangloter.

– Tu le connais ? insista-t-elle.

– On n'a rien contre toi, ajouta Alexis. Tout ce qui nous intéresse, c'est Joseph. Toi, à la fin, tu es libre.

– Je veux pas aller en centre de soins, dit le jeune d'une voix rauque.

– Ça tombe bien, on a autre chose à foutre que de t'y conduire, répliqua Alexis. Parle-nous de Joseph et on se tire.

Le garçon déglutit péniblement. Sa pommette commençait à changer de couleur et enflait.

– Comment tu t'appelles ? voulut savoir Ludivine.

– Fred. Mais on m'appelle Pitbull.

– Tu le connais Joseph, pas vrai ?

Après une courte hésitation, Pitbull hocha la tête.

– Il venait souvent squatter ici ?

– Ouais.

– Qu'est-ce que tu peux me dire sur lui ? Il était comment ?

– Flippant.

– Alors tu vas être rassuré d'apprendre qu'il est mort, l'informa Alexis. Il s'est suicidé hier.

La nouvelle ne sembla pas émouvoir le jeune punk qui se contenta de renifler.

Tout autour d'eux, le squat grinçait sous les assauts du vent qui sifflait aux fenêtres.

– Pourquoi il te faisait flipper ? insista Ludivine.

– Il... il est devenu flippant en fait. Vraiment.

– Pourquoi, il était comment avant ?

– Plutôt calme. Mais depuis quelque temps, il est devenu de plus en plus... bizarre.

– C'est-à-dire ? Qu'est-ce qu'il faisait ?

– C'est plutôt ce qu'il dit. Avant on parlait de temps en temps, on montait des cou...

Le punk se rendant compte qu'il en disait trop se mordit les lèvres.

– Vous montiez des coups ensemble, compléta Alexis. On s'en fout, t'inquiète. C'est lui qui nous intéresse, je te l'ai déjà dit. Et alors ? Il faisait quoi pour te faire flipper ?

Pitbull avait du mal à s'ouvrir. Il restait méfiant, typique d'un toxico. Alexis se fit plus pressant pour lui sortir les vers du nez :

– Écoute, soit tu te mets à table et tu nous fais plaisir en nous racontant tout ce que tu sais, et tu finis ta nuit ici peinard, sans nous, soit je te coffre quarante-huit heures pour que tu ne puisses plus rien t'injecter dans la gueule. On verra dans quel état tu seras demain soir ! Crois-moi, enfermé entre quatre murs sans ta dose, tu vas très vite pleurer comme l'autre débile là-bas !

La peur de manquer, de n'avoir plus ses shoots, débloqua un verrou – le manque était plus fort que toutes les amitiés, que toutes les peurs, que tous les secrets – et Pitbull se lâcha d'un coup :

– Il a changé. Avant il était pas bavard, mais sympa. On pouvait lui faire confiance. Enfin... à peu près. Plus qu'avec la plupart des épaves qui traînent ici. Mais depuis quelque temps, il a changé. Il parle plus du tout. Ou alors c'est pour nous insulter. Il fume presque plus de chichon avec nous. Il est devenu... sûr de lui. Et... il a la haine. La vraie haine. Quelque chose de plus que ce qu'on a tous ici... On sent qu'il est à deux doigts de faire un truc terrible. Il s'est suicidé ? Franchement ? Ça m'étonne presque. J'aurais cru qu'il allait faire bien pire ! Genre... kidnapper des gosses dans une école ou un truc comme ça.

– Pourquoi, il t'en a parlé ?

– Non, mais les rares fois où il parle, c'est pour dire des trucs... flippants. Pourtant, moi je suis un *anar*, j'ai pas la trouille quand faut faire brûler le système ! Mais lui, c'est les gens qu'il hait. Faut le voir !

– Tu sais ce qu'il s'est passé pour qu'il change comme ça ? questionna Ludivine.

– C'est ses fréquentations. Il a rencontré des mecs chelou, je vous dis.

– Qui ça ?

– Je sais pas, il en parle pas. Je sais juste qu'il a rencontré un type il y a quelques mois, c'est devenu son nouveau pote. C'est ce mec-là qu'a une mauvaise influence sur lui.

Ludivine et Alexis échangèrent un regard entendu.

– Tu as un nom ? demanda le gendarme.

– Non.

– Tu l'as déjà vu ?

– Non. J'ai vu que dalle. Joe en parle pas. Sauf au début, mais après il a plus rien dit. Je sais juste qu'il le voyait souvent.

– Ils se sont rencontrés où ?

– Mais j'en sais rien, je vous dis ! s'énerva le junkie. Je sais rien !

Alexis l'attrapa par l'oreille d'un geste vif :

– Sois mignon et réponds aux questions ! Si j'estime que j'en ai pas assez, je t'emmène en cellule et là-bas tu vas la sentir passer ta descente, crois-moi !

– Putain mais je vous ai tout dit ! Je sais rien ! Joe c'est un flippant ! Il fréquente des tordus !

Flairant qu'il y avait autre chose, Alexis décida de le brusquer un peu, il appuya sur la pommette endolorie et haussa le ton :

– Pourquoi tu parles de mauvaises personnes ? Je croyais qu'il n'y avait qu'un type ? Il t'a dit quoi de plus, Joseph ?

Pitbull se mit à respirer fort, en se frottant nerveusement le menton contre l'épaule.

– C'est ta dose qui te fait envie ? railla Alexis. Plus vite tu me balances ce que tu sais, plus vite on se casse. De toute façon, qu'est-ce que tu crains ? Joseph est mort !

– Ils sont plusieurs ! murmura le junkie.

– Pardon ?

– Joe est sous leur influence. J'en suis sûr.

– Pourquoi tu dis ça ?

– Il parle tout le temps d'eux.

– Qui ça ?

– Je sais pas ! Il dit jamais leur nom ! Et... et il m'a fait promettre quelque chose.

Devant l'hésitation de Pitbull, Alexis pencha la tête pour que son regard se fasse plus menaçant.

– En fait, c'était pas vraiment une promesse. Plutôt une menace.

– Quel genre ?

Le toxicomane avait de la peine à avaler sa salive. Il releva ses prunelles sombres vers les deux gendarmes comme pour chercher de l'aide.

– Il m'a dit que si je le faisais pas, ils viendraient pour me prendre. Pour me faire mal.

– Qui viendrait ? Que tu fasses quoi ?

– Garder la lumière.

Pitbull tenta de se relever mais les menottes le gênaient. Alexis le prit sous le bras pour le hisser. Il pouvait sentir tous les os de la cage thoracique du garçon.

Le punk marcha d'un pas lent jusqu'à une pièce près de l'escalier et désigna une lourde planche appuyée contre le mur.

– Faut la retirer, dit-il.

Alexis s'exécuta et devina les jointures d'une porte sans poignée que les graffitis rendaient presque invisibles. Il la tira du bout des ongles et ce qui était autrefois une salle de bain se dévoila. Le carrelage arraché presque partout, la baignoire immonde de crasse, et des trous à la place des toilettes et de la vasque.

Plusieurs dizaines de bougies se consumaient lentement, réchauffant la pièce.

Il y en avait partout. Sur le sol, sur le moindre rebord.

Et là où autrefois avait dû trôner un miroir, il y avait un mur jaunâtre.

Avec un symbole peint en rouge, énorme.

**e.*

La voix de Pitbull monta, chevrotante, par-dessus les hurlements du vent :

– C'est une religion. Il m'a ordonné de garder les bougies allumées jusqu'au bout. Sinon *eux* allaient venir me faire souffrir. C'est une putain de religion. Et *eux*, ce sont ses fanatiques.

8.

Les enfants criaient en se poursuivant, des jouets en forme d'armes dans les mains. Le froid ne semblait pas les atteindre. Ils jouaient à se faire la guerre malgré les protestations des parents, comme si c'était plus fort qu'eux, un besoin naturel, envahissant l'allée centrale du Jardin des Plantes, au cœur de Paris, par un dimanche matin que le soleil d'automne peinait à réchauffer.

Laëtitia Dabo, grande, les cheveux blonds ramassés en arrière par un bandeau, se serra contre Segnon, son mari.

– Pourquoi faut toujours que tu aies des idées un peu… décalées ? demanda-t-elle.

– Décalées ? répéta le colosse de sa voix grave.

– Oui, comme de manger des glaces en plein hiver, ou de sortir les gamins au parc quand il fait un froid de Sibérie, alors que je l'ai proposé il y a trois semaines quand il faisait beau et que tu as dit que c'était un endroit ennuyeux !

– Y a que les imbéciles qui ne changent pas d'avis. Regarde-les ! Ils avaient besoin de se défouler.

Nathan et Léo, jumeaux métis, couraient au milieu d'autres enfants de moins de dix ans. Tout un clan s'était formé spontanément. D'elles-mêmes les filles s'étaient éloignées pour trouver des jeux plus à leur goût. Tous hurlaient, riaient, s'échangeaient des bricoles, des pistolets en plastique, parfois se tripotaient amicalement, avant d'aller joyeusement s'entretuer sous le regard circonspect des petites filles qui, elles, partageaient des conseils pour leurs poupées ou pour préparer à manger.

Les pacifistes et les féministes avaient encore du boulot pour modifier des comportements qui s'étaient peu à peu inscrits jusque dans les gènes des êtres humains, songeait Segnon en observant la scène. Le gendarme se demanda alors si l'homme était né violent, instinctivement, doué pour la guerre, prompt à tuer, d'où son ascension fulgurante jusqu'au sommet de la chaîne alimentaire, ou s'il était devenu violent à mesure qu'il se civilisait, pour marquer son territoire, pour soumettre les autres, devenant de plus en plus gourmand à mesure qu'il découvrait la notion de propriété et de pouvoir. La violence était-elle inhérente à l'espèce humaine, ou le fruit d'une évolution comportementale ? Après tout, aucune espèce vivante jusqu'à présent n'avait jamais mené de guerre massive, opposant un grand nombre d'individus, pour exterminer l'autre, pourtant de la même race.

Segnon sortit de ses pensées en voyant Laëtitia engager la conversation avec sa voisine. Elle était partie pour au moins dix minutes de papotage.

C'était le bon moment. Il enfouit la main sous son manteau et sentit la pochette cartonnée contre son torse. Il se pencha vers sa femme.

– Bébé, je vais chercher des toilettes, je te laisse veiller sur les gosses.

Il l'embrassa sur le front et se dépêcha de filer.

Parfois il s'en voulait d'être aussi lâche avec elle. De ne pas tout lui dire. Mais les réactions de sa femme n'étaient pas toujours prévisibles. Un petit mensonge de temps à autre, du moment qu'il n'était pas grave, cela ne portait pas à conséquence. De toute manière, elle n'aurait jamais compris s'il lui avait tout raconté. Déjà qu'il n'était pas souvent présent ces derniers temps, si en plus il profitait de son temps en famille pour aller faire des heures sup', même en combinant avec les enfants, Laëtitia ne lui pardonnerait pas.

Il avait repéré les lieux au préalable sur Internet et se guida aisément entre les allées, longeant les bâtiments du Muséum d'histoire naturelle. Il avait tout préparé. Le petit mot explicatif, les photocopies du dossier, les notes de l'odontologiste, et surtout la copie de l'empreinte de mâchoire dessinée par l'expert.

Segnon se rapprochait de son objectif : la galerie d'anatomie comparée. Il reconnut la vieille façade de pierres rouges semblable à celle d'une église. Il se hâta d'entrer dans le hall et, après avoir présenté sa carte de gendarme, demanda à l'accueil où il pouvait déposer un dossier pour l'un des professeurs du musée. Une petite dame aux cheveux tellement noirs qu'ils tiraient sur le bleu lui fit signe de la suivre et l'entraîna dans une coursive fermée au public.

– Un dimanche vous ne trouverez personne ici, l'avertit-elle.

– C'est pour ça que je cherche un casier ou une personne de confiance pour remettre ce pli au professeur Dobaguian. C'est bien lui qui est le plus compétent en analyse de squelettes, ou de mâchoires animales, n'est-ce pas ? C'est ce qu'on m'a dit au téléphone hier.

– Elle. C'est une femme. Écoutez, ça j'en sais trop rien. Tenez, voilà, dit la petite dame en arrivant devant un poste d'accueil où se tenait un homme en blouse. Ce monsieur est gendarme, il a une lettre pour le professeur Dobaguian, tu la prends ?

– Son assistante est là si vous voulez, répondit l'homme. Au premier étage.

Segnon regarda sa montre. Laëtitia allait commencer à trouver le temps long. Il soupira et demanda à se faire conduire au bureau.

Au milieu des parquets grinçants, entre des rayonnages entiers de collections poussiéreuses encore plus anciennes pour la plupart que le bâtiment lui-même, le gendarme se trouva face à une femme absorbée par toute une pile de feuilles agrafées ensemble. Elle avait à peine la trentaine, coiffée d'une queue de cheval nouée à la va-vite, une blouse par-dessus un jean et un gros pull à col roulé. Ses lunettes à monture épaisse ne cachaient pas la multitude de taches de rousseur qui recouvraient son visage pâle.

Il flottait dans l'air un parfum de vieilles boiseries et de cire.

Segnon se présenta rapidement et agita le dossier devant lui.

– J'ai eu quelqu'un du Muséum hier au téléphone et on m'a dit que le professeur Dobaguian était la plus à même de m'aider pour identifier à quel type d'animal appartient cette mâchoire.

– La gendarmerie a un problème avec des animaux maintenant ?

– Une affaire un peu compliquée.

L'assistante observa Segnon par-dessus ses lunettes et tendit la main. Elle feuilleta rapidement le dossier et s'arrêta sur les photos de certaines plaies. Son visage se ferma d'un coup.

– Qu'est-ce que c'est ? Une personne qui a été attaquée ?

Elle tourna la page suivante sur laquelle les clichés étaient plus larges. On distinguait nettement l'ampleur du carnage. Du sang partout. Chairs ouvertes. Lambeaux de peau. Cuisse. Humaine, plus aucun doute.

– Mon Dieu..., murmura-t-elle.

– Je suis désolé, je n'aurais peut-être pas dû mettre celle-ci, j'ai pensé que ça pourrait aider...

Les pages suivantes exposaient des clichés infrarouges, des schémas dentaires et enfin une reconstitution sommaire de la mâchoire du meurtrier.

La rouquine recula la tête.

– Un problème ? s'alarma Segnon.

– C'est ça votre *animal* ? demanda-t-elle en tapotant le dessin de la reconstitution.

– Oui. Pourquoi ?

Elle secoua la tête.

– C'est un *hoax*, c'est ça ?

– Un quoi ?

– Un canular. Une plaisanterie. On se fiche de vous, non ?

– Pourquoi ?

Elle le fixait à présent avec gravité.

– C'est sérieux ? insista-t-elle.

– Au plus haut point.

Les sourcils de l'assistante se soulevèrent.

– Je ne pense pas que cette mâchoire existe, voilà pourquoi. Aucune caractéristique connue. Mais je dois me tromper…

Elle détailla à nouveau le dessin.

– Ça pourrait être un homme ? demanda Segnon. Avec une déformation importante ?

– Ce n'est plus une déformation à ce niveau. C'est un monstre ! plaisanta la scientifique pince-sans-rire. Écoutez, je peux faire erreur, je vais soumettre votre dossier au professeur Dobaguian, elle a un champ d'expertise plus large que le mien, et elle vous recontactera le plus vite possible. Ça vous va ?

– Parfait.

Elle le raccompagna jusqu'à la porte de la pièce.

– Vous êtes certain que ce n'est pas un canular ?

– Catégorique. Comme vous l'avez deviné avec la photo, c'est une affaire criminelle.

L'assistante croisa les bras sur sa poitrine en affichant une mine grave.

– À première vue, ça ne ressemble à rien que je connaisse. Je suis spécialisée en anatomie comparée des mammifères et, compte tenu de la taille et de la nature des dégâts, je suppose que c'en est un. Sauf que je n'ai jamais vu ce type de mâchoire.

– Alors ce serait quoi ?

Elle fit une grimace signifiant que c'était justement là qu'elle voulait en venir :

– Une première mondiale ! Une espèce unique. Mais de cette dimension, si vous voulez mon opinion, c'est tout simplement impossible. Donc il y a forcément quelqu'un qui, quelque part, s'est fichu de vous.

Segnon serra les dents.

– À ce point ?

– Sauf si vous croyez encore au yeti ou à ce genre d'histoires.

La langue du gendarme claqua de dépit contre son palais.

Il la salua d'un signe de tête et s'empressa de remonter le couloir de bois. Tout ça pour ça.

Son portable sonna pour lui indiquer qu'il venait de recevoir un SMS.

Laëtitia va me crucifier.

C'était Alexis.

« Du nouveau. On fait un point en début d'aprem avec toute la cellule. Si tu peux venir… »

Cette fois, plus aucun doute : Laëtitia allait le tuer.

9.

Claire Noury, vingt-huit ans, avait le charme intense de certaines personnes au physique banal mais qu'on remarque rapidement dans une pièce grâce à leur prestance. Le genre de femme qui attire le regard, qui plaît par sa singularité plus que par les traits de son visage. Six heures de sport par semaine pour se sculpter un corps de poupée, une hygiène alimentaire à la mesure, et la plus grande attention dans ses choix vestimentaires en faisaient la fille la plus admirée et désirée de la petite PME où elle travaillait comme comptable.

Célibataire, elle sortait d'une relation de trois ans avec un garçon rencontré sur Internet. Leur histoire était partie sur les chapeaux de roue avant que, peu à peu, les masques de la séduction s'affaissent et que leurs véritables personnalités s'entrechoquent. Et là, la cohabitation s'était révélée bien plus difficile que ne l'avaient laissé présager les efforts de l'un et l'autre pendant la première année. Un an de chute progressive. Puis encore une année à ne pas s'avouer la vérité, à opter pour la facilité, à s'aveugler, à ne pas trouver le courage. Claire avait coupé court, elle l'avait quitté en se jurant qu'on ne l'y reprendrait plus. Désormais elle se montrerait comme elle était au quotidien, dès le début d'une relation, sans chercher à rentrer dans les cases de ce que l'autre voulait. On la prendrait pour ce qu'elle était, ou pas.

Claire avait ses habitudes. Chaque mercredi, elle profitait de l'aménagement de travail dans sa PME pour prendre son après-midi et elle allait aider sa sœur aînée qui avait deux enfants, Alice, cinq ans, et Tom, trois ans. Elle jouait le rôle de la tante bien-aimée, et il n'était pas rare de retrouver en fin de journée les trois affalés, dans le sofa, face à la télé, dormant les uns contre les autres.

C'était en repartant de chez sa sœur que Claire avait fait la rencontre qui avait changé son existence. Quelqu'un qui l'avait suivie jusque chez elle.

Du moins le supposa-t-on.

Le dimanche matin suivant, un couple de promeneurs avait manqué trébucher sur la jambe de Claire en se promenant sur les bords de la Marne. Une jambe sculpturale. Dessinée avec soin pendant des années de sport.

La jeune femme était comme sur le sofa de sa sœur, avec ses deux neveux : avachie, les bras ouverts pour les accueillir.

Mais en lieu et place d'Alice et Tom, il y avait des insectes qui grouillaient sur sa peau. Ils festoyaient à ce banquet de sang et de chairs offertes.

Claire avait les paupières entrouvertes, le regard éteint, la mâchoire inférieure un peu pendante, un bout de langue posé nonchalamment sur les dents, devant des lèvres étrangement sombres. Ses pommettes étaient tuméfiées, tout comme son arcade droite et son menton au bout duquel on devinait des éraflures. De loin, Claire ressemblait à l'une de ces chanteuses gothiques maquillées à outrance.

Un mascara comme une signature de la violence. Fard à paupières appliqué au poing. Rouge à joues naturel, à force de coups sur la peau.

Ses seins étaient presque bleus, à l'image de son sternum, comme si on l'avait frappée pendant des heures et des heures à la poitrine.

Son ventre si plat, pour lequel elle avait tant bataillé, affichait des dizaines de petits éclats pourpres, des pincements si violents qu'ils avaient marqué la peau jusqu'au sang.

Elle avait six des dix ongles des mains retournés. Elle s'était débattue. Comme une lionne. Au point de s'écorcher les coudes, les genoux et le dessus des mains.

Son sexe était béant. Violacé. Il était devenu le nid d'arthropodes dodus.

Une vingtaine de plaies superficielles émaillaient ses cuisses, empreintes d'une pointe de couteau à double tranchant. On ne l'avait pas enfoncée très profondément à chaque fois, juste ce qu'il fallait pour crever la peau, trancher des vaisseaux supérieurs, entamer le muscle. Mais après de longues heures inertes à se dessécher, sans circulation, sans vie, les plaies ressemblaient à des bouches ouvertes. Tout son corps paraissait supplier, implorer la vie de partir, pour le délivrer.

Et il avait finalement été exaucé au prix d'un interminable effort.

Le sillon qui creusait une profonde ligne tout autour de son cou en témoignait. *Des* sillons superposés à bien y regarder, parce qu'il avait fallu s'y prendre à plusieurs reprises.

De nombreuses reprises. Le nylon s'enfonçant de plus en plus, se resserrant autour de la gorge, jusqu'à bloquer le flux sanguin, jusqu'à créer un étau sur la trachée, pour interrompre le filet d'air. Le nylon avait beaucoup glissé. Laissant à chaque fois les poumons se remplir partiellement, assez pour qu'un peu d'oxygène pénètre dans le sang jusqu'au cerveau. Bien que serré jusqu'à s'enfoncer de deux centimètres dans la gorge, le nylon n'avait pu totalement empêcher la respiration.

La mort par strangulation prenait un temps fou pour survenir. L'agonie durait généralement près de dix minutes avant que l'irrémédiable survienne.

Pour Claire, on s'était acharné à prolonger… Pour mieux la ranimer ensuite. Comme pour lui refuser le droit au soulagement. Un jeu sadique qui consistait à la conduire jusqu'au renoncement. Qu'elle finisse par comprendre qu'elle ne pouvait plus espérer mieux que la mort. Et qu'elle l'attende avec espoir. Probablement terrorisée aussi à l'instant de l'embrasser de toute son âme. Et au moment où elle pensait que c'était fini, les pressions sur sa cage thoracique et le bouche-à-bouche la faisaient revenir.

Pour souffrir à nouveau.

Et ainsi de suite, jusqu'à ce qu'elle finisse par ne plus reprendre conscience, que toutes les cellules de son corps soient épuisées au point de renoncer, de ne plus répondre. Ce n'était pas son cœur ou son cerveau qui avait capitulé. C'était ce qu'il y avait de plus petit en elle. Il avait fallu harasser son organisme jusqu'à l'extrême pour qu'il cède. Une mort infinie. Un écho interminable de désespoir et de douleur.

Claire était morte plusieurs fois.

C'était aussi la moins abîmée des victimes du Fantôme.

Cinq mètres de mur étaient recouverts par les photos et les notes des trois cellules de gendarmerie de la section de recherches. Les clichés de ses deux victimes d'un côté, les trois de la Bête de l'autre.

Claire Noury, vingt-huit ans, était la première de la liste du côté du Fantôme. Retrouvée morte le dimanche 24 juin en Seine-et-Marne.

Nadia Sadan avait suivi, le 6 août, dans les Yvelines.

Torturées, violées, étranglées avec leurs sous-vêtements, réanimées jusqu'à l'anéantissement. Des calvaires qui avaient duré, cinq heures, peut-être dix ou le double.

Dans les deux cas, l'assassin s'était introduit chez ses victimes comme en témoignaient les traces de lutte. Pourtant il n'y avait aucune marque d'effraction sur les huisseries. Pire, tout avait été refermé à clé ensuite.

Dans l'Est de la France, pour la Bête, la donne était différente. Des attaques éclairs.

Agna le 16 juillet.

Sophie Ledouin le 22 août.

Armelle Callet le 14 septembre.

Les pompiers qui étaient intervenus sur la première scène de crime avaient prévenu la gendarmerie locale en leur affirmant qu'ils ne savaient pas s'il y avait une ou plusieurs victimes. Comme si une bombe avait explosé à l'intérieur. Et les deux suivantes n'étaient pas en meilleur état.

Toutes tuées dans un périmètre d'environ deux cents kilomètres.

À moins de trente de l'autoroute A4 chacune.

C'était l'unique lien entre ces trois filles.

Mais toutes les cinq avaient gravé dans la peau le même symbole.

*e.

Le colonel Aprikan avait les traits tirés.

La cinquantaine, joues creusées, regard gris, presque triste, coupe militaire, le cheveu argenté, corps sec du sportif endurant, coureur de marathon, c'était le seul à porter l'uniforme dans la salle de réunion.

Face à lui, six des neuf gendarmes qui traitaient l'affaire dans sa globalité attendaient son signal pour débuter.

Quand chacun fut installé, après qu'ils eurent tous jeté un regard tour à tour abattu, dégoûté, puis blasé au mur des victimes, le colonel fit signe à Alexis de commencer.

Trois groupes se partageaient l'investigation, mais celui d'Alexis avait été nommé pour coordonner l'ensemble de la cellule d'enquête. La cellule avait été baptisée Hommult pour « homicides multiples » mais tous en interne la surnommaient le Puzzle squad en référence à l'état des victimes. Alexis Timée jouait gros sur cette affaire. Il le savait mieux que personne. On lui confiait une responsabilité comme il n'en avait jamais eu dans son existence. Sa formation à l'Institut de criminologie de Lausanne y était pour quelque chose, tout autant que ses excellents états de service. Il analysait et comprenait vite. L'incarnation d'une nouvelle génération de gendarmes, élevés à l'ordinateur, à la console de jeux, à l'aise dans la gestion de plusieurs tâches en même temps, vifs en formation, adeptes des nouvelles technologies, curieux et prompts à s'améliorer sans cesse. Le profil de ceux qui en d'autres temps seraient devenus ingénieurs, informaticiens, psychologues ou chirurgiens. Alexis était l'incarnation même du gendarme 2.0, le trentenaire qui aux yeux de sa hiérarchie s'intéresse à tout, ici par vocation, bon à tout et surtout capable d'obéir en temps voulu.

Et qui, le cas échéant, peut servir de fusible sans faire trop de vagues. Juste au cas où…

Le jeune homme se racla la gorge et accrocha sur un tableau à l'aide d'un aimant la photo de Joseph Selima qu'il avait récupérée à l'unité psychiatrique.

– Voici notre pousseur-suicidé de la gare d'Herblay. Joseph Selima, vingt ans. Vous avez un brief sur lui dans la note devant vous. Il y a tout ce qu'on a pu trouver, soit pas grand-chose mis à part son casier. Ce qui nous intéresse c'est ce qu'on vient de découvrir sur ses fréquentations. Manifestement, Selima avait des relations avec un groupe d'individus qui ressemble à une sorte de secte. Le terme est peut-être un peu fort, à nous de le découvrir. D'après le seul témoin que nous avons pu retrouver, Selima voyait de plus en plus ces personnes.

– Ils se voyaient depuis combien de temps ? s'enquit Magali, une brune coiffée au carré.

– Le début d'année apparemment. Selima était méfiant, et notre témoin n'a jamais pu voir le moindre visage. Joseph Selima les fréquentait en dehors de son squat.

– Qu'est-ce qui les rassemblait ? demanda Franck, un grand quinqua coiffé en brosse et arborant une fine moustache grise.

– Nous n'en savons rien, sinon qu'ils ont pour emblème…

Alexis prit un feutre Veleda et dessina sur le tableau blanc le symbole qu'ils connaissaient tous désormais : **e*.

– Et forcément, reprit Alexis, maintenant ces gens nous intéressent beaucoup. On ne sait rien de plus. Selima vivait de petits larcins, d'un peu de manche, il n'avait que peu de moyens, il ne devait pas aller bien loin pour les rencontrer. Il va falloir contacter les flics sur place, aller poser des questions, exploiter toutes les idées qui vous traversent l'esprit. Les nouveaux amis de Selima nous conduiront vers…

Il leva les yeux vers les photos de toutes les victimes.

– On cherche quoi au juste ? insista Magali. Un réseau mafieux ? Trois illuminés qui tuent au nom de l'apocalypse prochaine ?

– Dans toute l'histoire de la criminologie, jamais nous n'avons rencontré ça, alors je vais vous le redire : nous n'en avons aucune idée. Deux serial-killers, au moins un pédophile, maintenant un schizophrène tueur, personne n'a jamais vu ce genre de personnalités se rassembler. Habituellement, ils sont au contraire solitaires, craintifs. Mais pour ce que nous avons pu en voir dans le squat de Selima, il y a quelque chose du domaine… spirituel. Presque religieux. Comme un autel avec tous ses cierges autour, à la gloire de ce symbole. Ils ne passent pas à l'acte ensemble, mais ils ont en commun une sorte de dévotion pour cette lettre. Ils partagent quelque chose. À nous de trouver ce dont il s'agit.

Une voix grave, impressionnante de tranquillité et de certitude, traversa la salle depuis le fond, près de l'entrée :

– Ils ne partagent pas, ils communiquent.

Silhouette massive. Bras croisés sur une poitrine musclée.

Crâne rasé.

Regard perçant. Vif. Gris. De ceux qui pénètrent l'esprit jusqu'à mettre à nu ses interlocuteurs.

Alexis le reconnut immédiatement.

Richard Mikelis.

10.

Il y avait dans son regard tous les commandements du monde, toutes les convictions, une force primitive, comme s'il était directement branché sur le cerveau reptilien. Deux iris si gris qu'ils paraissaient blancs par moments, hypnotisants, inquiétants, contrastant avec ses prunelles de ténèbres si intenses qu'elles buvaient la lumière, deux puits sans fond, directement reliés aux abîmes de l'homme.

Richard Mikelis scruta un par un tous les gendarmes présents. Certains ne purent soutenir cette acuité et détaillèrent subitement la pointe de leurs chaussures.

Puis le criminologue se déplia. Sa musculature tendit le tissu de ses vêtements tandis qu'il traversait la pièce d'une démarche lourde où chaque pas se plantait dans le lino pour assurer son équilibre à la masse du personnage.

Mikelis se figea devant le colonel Aprikan et lui tendit la main. Ce dernier, un peu déstabilisé par l'entrée théâtrale, mit une seconde avant de répondre. Puis Mikelis se posta face à Alexis.

Les deux cercles d'argent semblaient briller de l'intérieur alors qu'ils le fixaient avec une telle force que le jeune gendarme crut un instant qu'ils allaient le marquer aussi sûrement qu'un fer brûlant.

Alexis était incapable d'y lire quoique ce soit, de savoir s'il s'agissait d'une colère froide ou d'une excitation profonde.

– Ils ne prient aucune divinité de la violence, si c'est à ça que vous pensez, reprit Mikelis en se tournant vers son auditoire. Je ne crois pas. Ils se parlent. Ils font partie du même clan. D'après les rapports des légistes, ces blessures en forme de **e* ne saignent pas ou peu quand elles sont effectuées, signe que le cœur ne bat déjà plus. Lésions post-mortem donc. Elles sont relativement propres. Dans les deux cas. Le premier tueur comme le deuxième signent à la toute fin. Une fois que c'est terminé, que le pic d'adrénaline est retombé, une fois le fantasme accompli. Cette signature ne fait pas partie de leur schéma personnel, c'est un accessoire. Ils consentent à l'opérer, comme ils effacent leurs empreintes par exemple. Elle n'est pas intégrée à leur désir, à leur fantasme. C'est une sorte d'obligation qu'ils s'imposent.

Aprikan se tourna vers Alexis.

– Je croyais qu'il n'avait pas consulté le dossier, dit-il tout bas.

Le jeune gendarme leva les épaules, sans explication, tandis que Mikelis s'approchait du mur des victimes. Il désigna plusieurs clichés qui montraient les corps meurtris.

– De plus, à chaque fois, le corps a été retrouvé dans une position bien particulière, dit le criminologue. Le **e* en évidence. Que ce soit le dos des victimes, leurs fesses, systématiquement c'est presque la première chose qu'on remarque.

Magali, qui était l'une des rares à ne pas se formaliser de l'intrusion de Mikelis, enchaîna :

– Je pige pas. Si c'est un accessoire, pourquoi ils le mettent en évidence alors ? Vous croyez pas que c'est pour qu'on admire leur marque de fabrique ? Une fierté exhibée ?

– En général, quand un tueur veut qu'on l'admire, il sème un maximum d'éléments qui vont dans ce sens. Il s'adresse à la presse, il contacte les proches de la victime ou les forces de l'ordre, il opère une véritable mise en scène avec les cadavres. Ce n'est pas le cas ici. Ni pour l'un ni pour l'autre. Les morts sont abandonnés dans un état terrible, mais pas mis en situation. On se contente de leur graver dans la chair ce symbole à la toute fin, et on file.

– Je ne comprends toujours pas pourquoi laisser le symbole en évidence alors ?

– Ce n'est pas pour nous. C'est uniquement parce qu'avant de partir, ils ont besoin de faire quelque chose avec. Il leur faut un peu de recul pour avoir une vision d'ensemble. Et il faut que ce *e* soit bien visible.

– Alors quelle est votre hypothèse ?

– Ils prennent une photo. Regardez.

Mikelis désigna les dates où les cinq femmes étaient mortes.

– Le Fantôme est le plus serein des deux tueurs, il s'introduit chez ses victimes. C'est un individu qui aime prendre des risques, il est sûr de lui au point de ne pas hésiter à s'infiltrer chez celles qu'il va tuer. Il est tellement convaincu de sa supériorité qu'il va les chercher chez elles, là où c'est le plus dur. Cet homme a une très haute estime de lui-même, soyez-en sûrs. Il est très méticuleux, peut-être maniaque dans son quotidien. Il aime planifier. Tout vérifier. Tout contrôler. Je ne crois pas qu'il soit dans la colère vis-à-vis de ces femmes, elles ne sont rien d'autre pour lui qu'un instrument de sa jouissance. Il les chosifie totalement.

Mikelis déplia son bras pour poser un doigt épais sur la photo d'une jeune femme rousse, puis sur un autre cliché, celui d'un amas de chairs ouvertes, de sang.

– La Bête, lui, est dans la pulsion. Il la sent monter, il se prépare, mais quand le besoin l'envahit, il perd le contrôle. Il attaque comme un prédateur furieux. Il est dans la destruction totale, dans la haine de ces femmes, de l'humanité. La Bête ne fait probablement pas beaucoup de repérages, il est dans l'action. Il s'en prend à des femmes isolées, jeunes, frêles. Des cibles faciles. Il n'est pas assez sûr de lui pour faire plus. C'est un homme hésitant. Comme vous le constatez, le profil de ces deux hommes est assez différent. Et pourtant, ils finissent tous les deux par graver ce symbole mystérieux sur le corps de leurs victimes. C'est pour s'adresser l'un à l'autre. Je pense qu'ils font une photo avant de partir, une fois qu'ils n'ont plus rien à faire sur place. Ils immortalisent la scène, avec ce petit clin d'œil qu'ils se renvoient. C'est pour ça qu'on retrouve cette marque en évidence.

Il régnait un silence total sur l'assemblée. À peine la rumeur lointaine de la circulation parvenait-elle jusqu'à la salle de réunion. Tous les regards étaient braqués sur cet homme charismatique au regard troublant.

Mikelis tapota du doigt les dates de chaque crime :

– Le Fantôme a ouvert le bal le 24 juin avec Claire Noury. La Bête a pris plus de temps à se décider, mais le 16 juillet, il se lance à son tour. Le 6 août, c'est le Fantôme qui reprend la main. Retour de la Bête le 22 août. Ils jouent au ping-pong. Ils se répondent.

– Sauf que c'est la Bête qui enchaîne à nouveau, le 14 septembre, avec Armelle Callet, intervint Alexis.

Il y avait une pointe de défi dans sa voix. Celui de l'homme qui se sent brusqué, pris par surprise sur son propre terrain.

Mikelis répliqua sans aucune agressivité, rien que son assurance naturelle :

– Soit il y a un autre meurtre du Fantôme qui est intervenu entre-temps et que vous n'avez pas identifié, soit la Bête s'est prise au jeu et essaye de devancer son homologue. Un peu comme l'élève qui voudrait dépasser le plus vite possible son maître, pour s'en affranchir.

Le regard du criminologue se planta cette fois dans celui d'Alexis, un rictus à peine perceptible se formant au coin de ses lèvres.

– Quoi qu'il en soit, enchaîna-t-il, le Fantôme ne va pas tarder à répliquer si ce n'est pas déjà fait. Ils sont dans un cycle court, ils tuent tous les mois ou presque, l'ivresse va les gagner.

– C'est bon pour nous, annonça Segnon qui entrait à peine dans la pièce. Plus ils seront ivres de violence, plus ils commettront d'erreurs. On va les coincer.

Mikelis l'observa le temps que le colosse noir aille s'asseoir, sans ciller à aucun moment.

– C'est possible, admit-il. Mais cela signifie encore plus de victimes. Êtes-vous prêts à ça ? À attendre que d'autres femmes subissent le même sort ? Votre sœur ? Votre épouse ? Votre fille peut-être ?

Segnon se renfrogna, les bras croisés sur la poitrine. Il pivota vers Alexis pour lui demander d'un signe de tête qui était ce guignol.

Le colonel Aprikan prit une profonde inspiration et désigna Mikelis. Il s'exprima sur un ton à l'image de son physique, sec et tout en retenue :

– Vous aurez certainement reconnu le criminologue Richard Mikelis, dit-il. Alexis a sollicité son assistance, compte tenu de ses compétences et de son expérience, et vu la nature complexe et sensible de l'enquête, j'ai accepté. Je vous remercie d'avoir finalement daigné nous prêter assistance, professeur.

Magali souffla sur sa frange par réflexe et ayant attiré l'attention de Mikelis, elle lui demanda :

– Vous avez une idée de ce qui peut rassembler ces hommes ?

– Deux tueurs en série ? Non, pas encore. C'est assez rare, et normalement les duos opèrent ensemble, jamais à distance. Là ça ne semble pas le cas. Le Fantôme a un mode opératoire bien trop singulier et sûr de lui pour s'embarrasser d'un assistant ou d'un observateur. Habituellement, les tueurs quand ils passent à l'acte sont un peu comme les chats quand ils font leurs besoins : ils n'aiment pas qu'on les regarde. Pire : il semblerait qu'il y ait un pédophile dans la boucle, étant donné les photos retrouvées par vos services. Et maintenant un jeune garçon aux « poussées suicidaires ». J'ai vu les infos vendredi soir.

Alexis le fixait. Il se demandait si c'était ce qui l'avait poussé à venir. La mort gratuite d'une femme et de son bébé. Et celle de deux hommes qui n'avaient pour tort que d'être au mauvais endroit au mauvais moment. Ou bien y avait-il autre chose ? Une réflexion qui avait mûri pendant ces quelques jours ? Alexis avait-il lui-même semé une graine qui avait germé dans l'esprit du criminologue, distillant le doute dans ses certitudes de retraite ?

– Quatre hommes, rappela alors Ludivine en se redressant sur sa chaise, qui se sont forcément rencontrés à un moment ou à un autre pour élaborer leurs plans. En prison ? En unité psychiatrique ? Sur le Web ? C'est là que nous sommes dans le flou. Aucune piste pour l'instant.

– Vous avez épluché Internet ? Les forums ? demanda Mikelis. C'est idéal pour rassembler des esprits torturés partageant les mêmes obsessions.

– C'est en cours, tout un groupe planche là-dessus, en même temps que sur le versant pédophile de l'affaire. Mais il y a tellement à voir sur la Toile que ça prend un temps fou.

– J'imagine que vous avez aussi réuni tous les dossiers des pervers sexuels et autres criminels du même type libérés depuis moins d'un an ?

– Nous avons même poussé à dix-huit mois, approuva Alexis.

– Les médias ne sont pas au courant pour les deux tueurs et pour le pédophile, ajouta Aprikan. En revanche, pour l'adolescent de la gare, ça fait du bruit. Donc la politique s'en mêle, et par conséquent la DG[1] veut des résultats rapides. Si vous avez des idées neuves à nous soumettre, nous sommes tout ouïe.

Mikelis secoua la tête en contemplant les photos des victimes.

– J'ai pu jeter un coup d'œil aux dossiers grâce à mes contacts, mais je ne suis pas encore rentré dans le détail. Je n'ai pour l'instant qu'une vision d'ensemble. Vous avez dégagé une priorité d'investigation ?

Aprikan se tourna vers Alexis.

– C'est-à-dire ? demanda ce dernier.

– Un axe à creuser.

– Nous exploitons tout ce que nous avons.

L'index du criminologue se leva vers le dessin **e*.

– Je n'ai jamais vu ça, avoua-t-il. Le gamin a tagué le même symbole avant de commettre ses crimes, à ce que j'ai compris. Il ne pouvait le graver sur ses victimes, alors il a fait mieux : il

---

1. Direction générale de la Gendarmerie nationale.

s'est adressé au monde entier. C'est un symbole de haine. De violence. Ces hommes se rassemblent derrière comme derrière l'étendard de leur rage. C'est là qu'il faut aller, vous ne croyez pas ?

– C'est ce que nous avons essayé. Ça ne donne rien sur Internet.

Mikelis leva les sourcils, surpris :

– Et vous n'avez pas fait avec ce signe distinctif ce que vous avez fait avec vos cadavres en venant vous adresser à moi ?

– Contacter un expert ? Dans quel domaine ?

– Tous pardi ! Historique ! Psychologique ! Mathématique ! Peu importe, mais je crois que pour trouver ces assassins, il va falloir cerner ce qu'ils sont, et pourquoi ils agissent ainsi. Je comprends que vous vous soyez surtout focalisés sur les pistes que vous aviez, les indices, en suivant les méthodes conventionnelles d'enquête, mais il va falloir élargir vos champs de vision.

– Comme quoi par exemple ? demanda Ludivine un peu excédée.

– Vous passez devant ce symbole comme s'il n'était que le point commun entre eux tous, mais il est certainement bien plus encore. Il a un sens pour eux. Probablement un nom. Et tant que nous ne saurons pas exactement ce qu'il signifie, il sera pour nous l'incarnation de ce qu'il y a de pire chez ces hommes. La cristallisation de leur passage à l'acte.

Mikelis prit un marqueur et donna une identité au dessin. Sous le *e* apparurent des lettres.

– Le signe du Mal, lut Mikelis tout bas.

11.

La pluie se mit à tomber tout d'un coup. En l'espace de quelques minutes, un tapis de nuages gris recouvrit le ciel et s'épancha sur Paris. Il filtrait une lumière de fin de journée et cette averse d'après-midi devint l'antichambre de la nuit, si bien que personne ne vit le crépuscule tomber. La ville se mit à scintiller, et les gens dans les rues se hâtèrent de rentrer à l'abri, s'emmitoufler dans des plaids, se faire chauffer des chocolats ou des thés chauds, pour que ce dimanche d'octobre file vite.

À la section de recherches, Richard Mikelis s'entretint longuement en tête à tête avec le colonel Aprikan avant de rejoindre l'autre aile du bâtiment pour venir frapper à la porte du bureau qu'Alexis partageait avec ses collègues.

– J'ai promis à ma femme que je ne restais que quelques jours, dit-il.

Le jeune gendarme hocha la tête.

– Je suis content que vous ayez changé d'avis.

– Pas moi.

La réponse avait fusé, cinglante comme une gifle.

Ludivine et Segnon se regardèrent.

– Qu'est-ce qui vous a décidé ? voulut savoir Alexis. La singularité de l'affaire ?

– Les victimes. Je fais toujours ça pour les victimes. Vendredi soir, en découvrant ce gamin qui avait poussé quatre personnes avant de se suicider, j'ai compris qu'il allait y en avoir beaucoup d'autres.

– Personne ne l'espère, ne put s'empêcher de répliquer Ludivine.

Les puits de ténèbres cerclés d'argent glissèrent brusquement vers la gendarme.

– Ces gens ont de l'avance sur nous. Énormément. Et ils sont assoiffés de sang. Il va y avoir d'autres victimes. Il faut s'y préparer.

– *Nous* ? releva Alexis.

– Pour un temps. Je vous donne mon avis et je vous laisse faire votre métier.

Alexis ouvrit les mains devant lui en signe de bienvenue.

– Vous êtes ici chez vous. Nous prenons toutes vos idées.

– Je travaille à ma manière. Je lis tout ce qui arrive à vos services, sans restriction, je fais mes synthèses, je fais mes propositions, ensuite vous prenez ou pas, c'est à vous de choisir. Votre colonel est d'accord.

– Alors ça me va. Vous avez un endroit où dormir ?

– Ne vous en faites pas pour moi, j'ai trouvé un hôtel à deux pas, rue de la Py.

Mikelis leur tourna le dos pour sortir. Sur le seuil il ajouta :

– J'ai fait jouer mes contacts pour obtenir les dossiers des cinq meurtres dès vendredi soir, et j'ai aussi demandé à ce qu'on me dresse la liste de toutes les morts suspectes entre le 22 août et le 14 septembre pour voir si le Fantôme n'était pas passé à l'acte sans que l'affaire remonte à vos oreilles. Je n'ai rien trouvé.

– Vous croyez qu'il y a une victime qui pourrit quelque part ?

Le criminologue hésita, puis du coin des yeux il jeta un dernier regard au jeune gendarme.

– Contrairement à l'autre tueur, lui ne cache pas ses victimes. Donc non, je ne crois pas. Je pense que la Bête a voulu prendre de l'avance. Montrer qu'il n'hésite plus. Il faut vraiment s'attendre à ce que le Fantôme frappe à nouveau. Très bientôt. Votre colonel va envoyer une circulaire urgente à toutes les gendarmeries et tous les commissariats du pays pour que nous soyons prévenus en priorité en cas de mort violente qui correspondrait au mode opératoire de ce cinglé. Nous sommes sur le coup.

Sur quoi il sortit.

Dès que sa silhouette eut disparu, Segnon repoussa la porte du bout du pied.

– C'est quoi ce mec ? s'étonna-t-il. Il est pas un peu théâtral ?

– Un peu ? Tu veux rire ? Il est à fond dans son personnage, oui ! railla Ludivine.

Alexis demeurait circonspect. Respectueux.

– C'est le meilleur dans son domaine, finit-il par dire. Et c'est justement parce qu'il respire la moindre molécule de violence qu'il est comme ça. Il ne voit pas le monde comme vous et moi.

– Ça, c'est certain ! confirma Ludivine. Il n'est pas comme nous ! Bon, on n'avancera pas plus ce soir et j'ai besoin de souffler. Je vous paye une pizza ?

– Sans moi, déclina Segnon, ma femme va me couper les couilles si je rentre pas pour dîner.

Ludivine et Alexis se retrouvèrent face à face.

– Quand je trouve que j'ai une vie de merde, dit-elle, de solitaire, que j'ai peur de finir vieille femme aigrie, je pense à toi, et ça me rassure de savoir qu'il existe des mecs comme toi. Finalement c'est toi qui vas m'inviter au resto. Mais sans me baiser après.

Elle lui adressa une moue craquante.

Ludivine était parfois désarmante de franchise.

Ils étaient installés dans un box dont les banquettes étaient recouvertes de skaï, au milieu d'un restaurant qui sentait la friture, un air de musique country grésillant au loin.

– Pourquoi tu es devenue gendarme ? demanda Alexis. Tu ne m'as jamais dit.

Ludivine manqua s'étrangler avec la paille de son soda.

– Là ? Maintenant ? Tu veux vraiment savoir ?

Il haussa les épaules.

– Parce que, enfant, j'ai vu mon père se faire tuer sous mes yeux et que je me suis juré de rendre la justice en ce bas monde, répondit-elle subitement.

Alexis déglutit péniblement. Il ne s'était pas attendu à pareille confidence, entre deux bouchées de son hamburger ; il s'était imaginé une histoire banale, et avait posé la question par curiosité autant que par politesse.

Ludivine le fixait comme si elle lui en voulait d'être allé sur ce terrain. Puis son visage se détendit et elle éclata de rire :

– Tu verrais ta tronche ! Mais non ! Toutes les nanas gendarmes ou flics n'ont pas de comptes à régler avec le monde ! J'ai toujours été sportive, je voulais être sur le terrain, j'aime quand les choses sont carrées, j'adore les enquêtes criminelles, et c'est tout ! Un oncle m'a parlé de la gendarmerie quand j'avais vingt piges et c'est devenu un objectif. C'est aussi con que ça.

– Tu regrettes parfois ?

– Non. J'adore mon job. Je déteste quand la hiérarchie s'en mêle à cause de la politique, mais à part ça, je trouve que c'est plutôt cool. Il y a la paperasse qui m'emmerde, la plupart du temps on bosse sur des conneries, l'essentiel des meurtres sont soit des affaires de fric, soit des affaires de cul, mais ça m'éclate. Et puis de temps en temps on dégotte des histoires un peu fun. Pas de quoi se plaindre.

Ludivine avait lâché ses cheveux et ses boucles blondes tanguaient de part et d'autre de son joli minois. Une pointe de ketchup s'était improvisée grain de beauté éphémère juste au coin des lèvres et Alexis n'arrivait pas à en détacher son regard.

– Et toi ? demanda-t-elle soudain.

– Oh, moi... Pas plus original. *Le Silence des agneaux*, *Seven*, depuis que je suis ado, j'ai ça en moi. Traquer le *bad guy*. Comprendre pourquoi l'homme est capable du pire.

– T'as quand même fait une formation scientifique très poussée à Lausanne.

– Au début je pensais travailler comme technicien de scène de crime. Mais quand j'ai compris que dans la réalité ils ne mènent jamais aucune enquête, je me suis réorienté vers la SR.

– T'as des frères et sœurs ? Tu parles jamais de ta famille.

– Fils unique.

– Et tes parents ?

– Ma mère habite Colombes, en banlieue. Et mon père est en maison de retraite. Il a Alzheimer. Je ne suis pas retourné le voir depuis plus de six mois. Il ne nous reconnaît plus, il délire tout le temps, ça me fait plus de peine qu'autre chose. Pour moi il est déjà parti.

Ludivine s'enfonça dans la banquette, une frite à la main.

– Pardon. Je savais pas.

– C'est pas grave. J'en parle sans problème. C'est la vie. Ça fait huit ans qu'on sait qu'il est malade, donc on a eu le temps de se préparer.

– Comment ça se fait que tu ne sois pas en couple ? T'es beau gosse, plutôt amusant, tu gagnes ta vie… C'est quoi le vilain secret que tu caches ?

– Je te retourne la question !

– Mais je suis pas célibataire, moi ! J'ai même deux jules !

– Et ça les dérange pas ?

– J'ai pas l'impression.

– C'est peut-être parce qu'ils ne sont pas au courant ?

– Peut-être, oui…

Ludivine fit une petite moue de fillette, l'air désolée.

– Pourquoi tu fais ça ? demanda-t-il. Pourquoi tu te compliques la vie ?

– Avec deux mecs, je ne suis à la merci d'aucun.

La réponse était directe, franche. Alexis le sentait dans le ton de sa collègue. Ludivine n'était pas du genre à se confier, mais elle se laissait découvrir volontiers pour peu qu'on lui manifeste un intérêt sincère.

– Tu ne veux pas t'attacher ?

– Pas tant que je ne suis pas sûre de ce qu'ils sont, l'un ou l'autre.

– Ça sent la fille qui a souffert de ses relations précédentes, qui ne veut plus se découvrir, qui a trop donné.

– Classique à en crever. Merci de me rappeler que je suis d'une banalité affligeante.

– Qui ne l'est pas ? Allez, dis-moi. Tu as tout donné à un mec et il t'a trahi dans la foulée ?

– Deux mecs.

– Ouch. Gros dossiers. Raconte.

Ludivine soupira et scruta le restaurant, les clients qui discutaient, certains riaient, d'autres étaient très sérieux, presque fâchés, et quelques-uns dînaient seuls.

– Premier amour, commença-t-elle, ça a duré six ans avant que je réalise qu'il couchait avec une autre. Il était infidèle depuis longtemps. Jusque-là rien de très… Bref. L'autre, ça a été ma grande histoire. On en a tous eu une, non ? Une putain de grande histoire d'amour. De celles qui vous formatent pour le restant de vos jours. Et elles se terminent toutes mal, forcément, sinon ce ne seraient pas des grandes histoires. On est restés cinq ans ensemble. Du sérieux. On y croyait grave. On avait planifié notre vie, dessiné notre future maison, choisi les prénoms des enfants que nous aurions, et il m'avait demandé en mariage. Bien sûr, l'enfoiré baisait ma meilleure amie de temps en temps.

– C'est moche.

– Je ne te le fais pas dire. Eux deux, je leur ai tout donné. Tout. Du coup, maintenant je suis plus prudente. Avec deux mecs, je m'assure de prendre le temps de les découvrir, de savoir qui ils sont avant de m'emballer trop vite. Je suis un vrai cœur d'artichaut. Je tombe amoureuse comme un feu passe du rouge au vert.

– Ça fait longtemps que tu n'as plus eu d'histoire sérieuse ?

– Presque deux ans.

– Tu es sortie de la phase « je déteste les mecs, tous des salauds » ? Tu es prête à aimer à nouveau ?

– Maintenant au moins je sais comment vous fonctionnez. Je n'aime plus avec toute ma candeur, j'aime avec intelligence, avec modération, avec ma tête.

– C'est pas de l'amour ça. Et puis arrête avec tes clichés à deux balles, tous les mecs ne sont pas pareils. Je croirais entendre une ado. On n'est pas tous salauds !

– C'est pas que vous êtes salauds, c'est le système qui est pourri. On nous élève, nous les petites filles, avec le mythe du prince charmant, du mec droit, idéal, du chevalier, alors que vous êtes biologiquement programmés pour baiser tout ce qui bouge.

– On peut aussi être civilisés, tu sais.

– T'as jamais été infidèle, toi ?

– Mauvais exemple.

– Tu vois !

– Non, je veux dire : je n'ai jamais eu d'histoires très longues, donc forcément, je n'ai pas eu l'occasion de…

– C'est-à-dire ? C'est quoi ton histoire la plus longue ?

– Deux ans.

– Merde.

– Comme tu dis.

– Tu as quel âge ?

– Trente et un le mois prochain.

– Merde alors. Et pourquoi ça n'a jamais marché ?

– Je me lasse. Les femmes que j'ai rencontrées et dont je suis tombé amoureux se sont révélées ne pas être celles qu'elles étaient après un an ou un an et demi.

– Et c'est moi qui suis candide ? C'est le jeu de la séduction, ça, c'est pareil pour tout le monde. À toi de *sentir* ce qu'il y a derrière une fille au début de ta relation.

– Bah, je dois avoir un instinct de merde.

– Et ça ne te pèse pas ?

– De vivre seul ?

Alexis prit une profonde inspiration pour réfléchir.

Spontanément, face à une femme, jolie de surcroît, il aurait eu envie de répondre que c'était une évidence, qu'il avait besoin d'une présence à ses côtés, de se construire avec quelqu'un. Pourtant il songea aussitôt à son quotidien et la réponse fut moins évidente. Personne à qui rendre des comptes pour ses horaires de boulot. Il pouvait rester à son bureau jusqu'à une heure du matin si ça lui plaisait, aussi souvent qu'il le voulait. Le soir il avait ses petites habitudes, un peu de télé, la console de jeux pour lui vider la tête les jours difficiles, ses plateaux repas, et les soirées lecture au fond du lit… Globalement, Alexis était un solitaire, un vrai. Il voyait de moins en moins ses amis, et il s'épanouissait ainsi.

– En fait, je crois que non, dit-il. J'aime bien ça.

– Et tu baises personne de temps en temps ?

– Pas depuis un moment. Sinon je fais des rencontres sur Internet, mais ça ne mène jamais très loin.

Ludivine haussa les sourcils.

– Deux cas sociaux ! plaisanta-t-elle.

Les deux gendarmes se regardèrent en silence. Chacun étudiait l'autre. Un semblant de sourire aux lèvres.

Brusquement, Alexis se pencha par-dessus la table et posa son pouce au coin de la bouche de sa partenaire qui sembla terrorisée l'espace d'un instant.

– Tu as du ketchup là, dit-il tout bas. Ça fait une plombe que ça me démange.

– Ah.

Ludivine le regarda se rasseoir, l'air un peu perturbée.

– J'ai eu peur que tu m'embrasses, finit-elle par avouer.

Un silence gêné suivit.

Une fois dehors, le froid les fit s'engoncer dans leurs manteaux et se rapprocher.

– Alex, si un soir je déprime, je pourrais passer chez toi ?

– Bien sûr. Il y aura toujours un pot de Häagen-Dazs dans le freezer pour toi.

– C'est gentil.

Il la prit par les épaules et la frictionna amicalement.

Ils marchèrent en direction des immeubles de la caserne, et Ludivine ajouta :

– T'en profiteras pas pour me sauter, hein ?

La question surprit Alexis qui ne trouva pas les mots et se contenta de balbutier :

– Ben... non.

Lorsqu'elle lui déposa une bise sur la joue et fila vers le bâtiment qu'elle occupait, le jeune homme la regarda s'éloigner.

Il y avait un mélange subtil de fragilité et parfois de certitude, de rentre-dedans chez elle qu'il trouvait attendrissant. Ils s'étaient souvent tournés autour sur le ton de la chamaillerie, sans aller plus loin, sans même que ce soit sérieux. Et à cet instant, Alexis se mit à imaginer ce que pourrait être une relation forte entre eux. Une meilleure amie. Une sœur. Il aimait assez cette idée.

Puis lorsqu'il grimpa les marches du perron de son immeuble, il réalisa qu'il rentrait dans son appartement, seul. Avec ses livres, ses DVD, son petit confort.

Et un grand lit froid. Du vide entre chaque mur. Entre chaque minute. Entre chaque pensée.

Alors il se prit à regretter ses mots.

Peut-être qu'en fait, il n'aimait pas tant que ça la solitude.

Mais il savait comment l'apaiser.

Il fit craquer ses doigts. La nuit serait courte.

L'excitation grimpa brusquement.

Il avait hâte de s'y mettre.

12.

Émilie se réveilla d'un coup.

La télé était encore allumée et diffusait des images de guérilleros armés au fin fond d'une forêt. Elle se pencha pour distinguer le réveil. Il était presque une heure du matin.

Elle s'était endormie, comme toujours, devant l'un de ces reportages du dimanche soir.

La place à côté d'elle était vide.

Jean-Philippe n'était toujours pas remonté.

Il exagérait. À chaque fois qu'il s'installait devant la télé en bas, il venait se coucher à pas d'heure.

Émilie se leva et fila dans la salle de bain attenante pour se débarrasser de sa culotte et de son tee-shirt et enfila sa nuisette. Elle regarda la brosse à dents avec fatigue puis renonça. Il était assez tard comme ça et de toute façon elle n'avait pas du tout l'intention de se laisser approcher pour la nuit. Ils avaient fait l'amour la veille, pendant qu'Isabelle était de sortie, et après vingt et un ans de mariage, cela faisait bien longtemps qu'ils ne s'envoyaient plus en l'air deux jours de suite.

Émilie passa dans le couloir. La porte de la chambre d'Isabelle était fermée. Un filet de lumière mouvante s'allumait par intermittences entre la moquette et le battant.

Isa, tu as vu l'heure ? s'énerva Émilie. Elle hésita à entrer pour lui dire d'éteindre et de se coucher mais se ravisa. Elle avait dix-sept ans maintenant, c'était à elle de se responsabiliser.

Et à sa mère d'apprendre à couper le cordon, prendre de la distance. Moins interférer. De toute façon l'adolescente devait être sur Facebook avec ses copines, la télé en fond, le casque sur les oreilles. Dans ces moments-là, il n'y avait rien à faire. L'amitié sur les réseaux sociaux avait totalement remplacé les relations familiales. Anéanti ce qu'il restait d'autorité à Émilie. On ne pouvait pas lutter contre le virtuel. Les parents n'avaient aucune prise directe dessus. Isa était toujours en lien avec ce petit monde, que ce soit sur son ordinateur ou sur son téléphone, ce cordon-là n'était jamais coupé.

Émilie recula et suivit le U de la mezzanine en direction des escaliers.

En bas la lumière du salon et les murmures de la télévision parvenaient jusque dans l'entrée. Jean-Philippe devait être avachi sur son canapé, hypnotisé par les pixels, incapable de s'endormir complètement, et pourtant déjà trop abruti pour trouver le courage de monter se coucher.

Les pas d'Émilie sur la moquette ne faisaient aucun bruit, plus silencieuse que la mort, songea-t-elle en anticipant la trouille qu'elle allait lui ficher.

Elle entra dans la grande pièce pour découvrir le même programme que celui devant lequel elle s'était éveillée.

– Et si tu venais te coucher ? On regarde la même cho…

Le canapé était vide.

Oh le salopard ! Il bouffe !

Un an qu'il se plaignait sans cesse d'avoir pris du ventre, de ne plus avoir la même silhouette qu'avant. Émilie en avait eu marre, elle le collait au régime sec depuis trois semaines. Elle fit volte-face et fonça vers la cuisine attenante avant qu'il l'entende et fasse disparaître toute preuve de sa culpabilité.

La pluie cognait contre les immenses baies vitrées donnant sur la nuit, les gouttes glissaient comme des milliers de visages suppliant qu'on leur ouvre.

Pourquoi je pense à un truc pareil, moi ? se demanda Émilie en chassant cette image sinistre de son esprit. Il était temps qu'elle arrête les reportages sur la police et la violence avant de s'endormir.

Elle manqua lui rentrer dedans sur le seuil de la cuisine.

Émilie étouffa un cri.

– Tu m'as fait peur !

Il avait mauvaise haleine, remarqua-t-elle en premier. Un relent acide.

Elle releva la tête et son cœur s'arrêta brutalement.

Ce n'était pas Jean-Philippe.

Dans la semi-pénombre entre les deux pièces, elle ne pouvait distinguer les traits de l'homme, seulement les reflets des lampes sur ses pupilles et sur l'émail de sa dentition. Mais ce n'était pas la silhouette de son mari. Encore moins son odeur.

L'homme souriait.

Son cerveau se mit aussitôt à chercher une explication, privilégiant une idée plausible, et surtout rassurante.

Un ami de Jean-Phi ?

Émilie n'arrivait pas à réfléchir. Il était tard, elle était encore à moitié endormie. Elle détestait cette confrontation.

– Tu ne dors pas ? demanda l'homme.

Émilie ne sut si la familiarité était bon signe ou pas. Que lui arrivait-il ?

Son regard était glacial. Il y avait quelque chose d'étrange dans ses yeux. Comme s'ils étaient vides.

Jean-Phi reçoit en pleine nuit sans me le dire ? Non, c'est...

– Habituellement, à cette heure, tu dors pendant que ton mari regarde la télé en bas, sur le sofa. Jamais tu ne descends. C'est drôle, non ? Drôle que ce soit justement le soir où je viens que tu changes tes habitudes.

La pression montait en Émilie. Elle respirait bruyamment. Son cœur battait à nouveau, plus fort. Trop fort. Si puissamment qu'elle crut qu'il allait déchirer sa peau pour sortir.

– Vous..., balbutia-t-elle, vous êtes...

Le sourire de l'homme s'élargit, dévoilant ses dents un peu jaunes.

Son regard était toujours aussi vide.

Désespérément vide.

Ce fut à cet instant qu'Émilie comprit que la situation n'était pas bonne. Pas bonne du tout.

La panique l'envahit.

Puis son regard fut attiré par une masse inhabituelle dans le dos de l'homme, près du frigo.

Sur le carrelage gris qu'ils venaient tout juste de changer gisait un corps.

Elle reconnut son mari à ses vêtements.

Puis elle distingua tout le sang. Il baignait dedans. Sa gorge était ouverte. Un immense trou pourpre et noir. Il avait les paupières à demi fermées et la peau du visage si blanche... Ce n'était presque plus lui. Un avatar de Jean-Philippe. Un mannequin auquel il manquait la vie pour être crédible.

Tout le corps d'Émilie se mit à trembler. Elle expulsait l'air par petites saccades, presque des convulsions.

– Je me suis occupé de lui pour qu'on soit tranquilles. Tous les trois.

À ces mots un éclair traversa l'esprit d'Émilie. L'intrus savait qu'il y avait Isabelle dans la maison. Il était venu pour elles deux.

Un frisson la secoua tout entière. Terreur et dégoût.

Sans savoir d'où lui provenait cette force, elle repoussa l'homme et se précipita dans le salon. Les escaliers. S'enfermer avec sa fille. Appeler les flics. Hurler. À s'en crever les tympans. Jusqu'à ce que les voisins entendent.

Cours ! Cours ! aboya une voix en elle. *Sauve ta vie ! Celle de ta fille !*

Car c'était de cela qu'il s'agissait. Leurs vies. Il n'y avait plus aucun doute.

Elle fusa entre la table à manger et un guéridon, si vive que l'environnement autour d'elle disparut. Sa vision se rétrécit pour n'avoir en ligne de mire que les marches de l'escalier.

Émilie volait. Seule la pointe de ses pieds entrait en contact avec le vol, un très bref instant.

Il y avait toute la rage du monde dans cette course. Celle de la mère qui protège ses petits. De l'animal acculé. L'instinct de survie.

Elle voyait l'entrée se rapprocher.

Et ses sens se remirent en marche, tous ensemble, tous en même temps.

Elle sut qu'il n'était pas sur ses talons. Il ne courait pas. Elle allait le distancer. Il était resté sur le seuil de la cuisine. Elle l'avait pris de vitesse.

Cours ! Plus vite encore ! Pour toi ! Pour Isa !

Les marches. L'épaisse porte de l'étage. Le téléphone. Les fenêtres pour prévenir les voisins. Tout était à portée. En haut de ces marches.

Fonce ! Tu y es presque !

Il y eut un déclic et comme un ressort qui claque.

Alors quelque chose se planta dans son dos, semblable à une piqûre d'insecte.

Et la lumière blanche jaillit. En même temps que tous ses muscles se tétanisaient violemment. Un spasme total qui lui coupa la respiration, qui lui bloqua les jambes.

Émilie se sentit tomber. Des décharges lui inondèrent le corps à l'instar de vagues la noyant. Elle suffoquait.

L'ombre de l'homme tomba sur elle.

Elle se referma lentement, buvant chaque lumière au passage, la recouvrant comme un linceul.

Il tenait une sorte de pistolet dans la main, dont partait un long fil torsadé depuis l'extrémité de son canon.

L'homme se posta juste au-dessus d'Émilie.

– Ne crie pas, lui dit-il d'une voix sans émotion. Laisse-moi le plaisir de faire la surprise à ta fille.

Il n'y avait pas la moindre palpitation dans sa voix, pas même de l'excitation. Il était totalement vide.

Émilie voulut se relever. Elle voulut crier. Elle pouvait encore le retenir. Donner à Isabelle une chance de s'enfuir.

Elle tendit le bras mais rien. Ses muscles ne lui obéissaient plus.

L'homme s'accroupit pour mieux la voir.

Il agita doucement son étrange pistolet devant le visage d'Émilie.

– Tu es ma marionnette maintenant, dit-il. Tu vas faire ce que je veux. Tout ce que je veux.

Et il pressa à nouveau la détente.

Émilie se cambra, tout le corps terrassé par la décharge.

C'était impossible. Un cauchemar.

Ils étaient un dimanche soir, en famille. Tout allait bien. Ils étaient sur le point de se coucher. Ça ne pouvait se produire. Pas là. Pas comme ça. Pas si vite. Elle avait une semaine chargée, beaucoup de choses à faire. Des gens à voir. De l'amour à donner, à prendre. Une vie à vivre.

Émilie refusa d'y croire.

Puis elle aperçut, entre deux spasmes, l'homme se caresser l'entrejambe.

Émilie voulut pleurer mais elle en fut incapable.

Elle ne contrôlait plus son corps. Elle n'avait même plus accès à ses larmes.

13.

La Peugeot de la gendarmerie se gara en face du Panthéon.

Le ciel gris défilait rapidement au-dessus du dôme, comme s'il était pressé de ne plus survoler cet endroit.

Alexis, Segnon et Ludivine sortirent en même temps pour se diriger vers une arche en pierre dans le même type de décor historique qui encadrait l'immense place.

Le professeur Ecland leur avait donné rendez-vous sur son lieu de recherche : la bibliothèque Sainte-Geneviève.

Les gendarmes l'avaient contacté à la première heure, suivant les conseils de Richard Mikelis. Ecland enseignait à l'université Panthéon-Sorbonne et était un historien reconnu. Il était le premier spécialiste d'une longue liste qu'ils avaient préparée minutieusement le matin même.

Lorsqu'ils entrèrent au premier étage de la grande bibliothèque, Alexis s'immobilisa sur le seuil, stupéfait par la grandeur du lieu.

La salle faisait quatre-vingts mètres de long, sur quinze de haut. L'arrondi du plafond, sa longueur, la pierre sur les murs et la forme des fenêtres en ogive lui donnaient l'aspect d'une cathédrale. Des livres partout en guise d'autels et de vitraux, leurs tranches multicolores comme autant de réponses à toutes les questions du monde. Les mots et le savoir pour divinités.

Et au centre courait une enfilade de tables et chaises en bois, dominées par des globes verts, pour accueillir l'équipage assoiffé de connaissance qui faisait naviguer cette étrange nef à travers le temps.

Segnon se fit indiquer Ecland par l'un des bibliothécaires, et ils le trouvèrent penché sur une pile d'ouvrages anciens. L'homme arborait un collier de barbe et une petite paire de lunettes lui tombait sur le bout du nez.

Il les toisa un instant avec un air suspicieux.

– C'est que je m'attendais à des gendarmes en uniforme, avoua-t-il en les saluant un par un d'une main molle. Que puis-je faire pour vous qui soit si urgent ?

Trop heureux d'entrer dans le vif du sujet sans avoir à s'embêter de préliminaires fastidieux, Alexis déplia un morceau de papier de sa poche de veste.

– Nous cherchons une explication à ceci.

Il tendit le rectangle froissé avec en son centre le symbole *e dessiné.

Ecland ajusta ses lunettes et demeura un long moment à fixer le motif. Sa respiration sifflait entre ses narines. Ses doigts s'agitaient tandis qu'il réfléchissait.

– Pourquoi pensez-vous que je sois à même de vous renseigner ? fit-il enfin.

– Est-ce que c'est un signe connu dans une époque ancienne ? demanda Ludivine.

– Dans la Grèce antique, ajouta Segnon, ou peut-être un emblème romain ?

Ecland leva les yeux d'un air amusé pour observer les trois gendarmes.

– Vous n'avez aucune idée de ce que ça peut être, n'est-ce pas ? Vous vous adressez à moi comme vous pourriez demander à votre boucher ou votre médecin ?

– C'est un peu ça, admit Alexis. Vous pouvez nous aider ?

Ecland se pinça les lèvres.

– Je vais me renseigner, mais comme ça, à première vue, ça n'évoque rien de connu à mes yeux. Je suis désolé.

Les épaules des gendarmes retombèrent de concert. Alexis soupira.

– Est-ce que vous avez commencé par l'essentiel ? s'assura Ecland.

– C'est-à-dire ?

– Eh bien, c'est une lettre, non ? Est-ce que vous avez consulté un linguiste ?

Alexis, Ludivine et Segnon partagèrent le même air coupable. Le professeur se fendit d'un petit rictus amusé.

– L'évidence ne nous saute jamais aux yeux, camarades, dit-il en se penchant pour écrire au dos du morceau de papier. Tenez, voici le nom d'un confrère de la Sorbonne. C'est un linguiste qui connaît très bien l'histoire des langues et de l'écriture. Allez le voir de ma part.

Moins d'une heure plus tard, Segnon avait faussé compagnie à ses comparses suite à un appel téléphonique du Muséum d'histoire naturelle, tandis qu'Alexis et Ludivine attendaient que l'amphithéâtre se vide de ses derniers étudiants.

– T'as des cernes jusqu'aux genoux, fit la jeune femme. T'as dormi cette nuit ?

– Mal.

Alexis n'était pas d'humeur très bavarde, en tout cas pas prêt à échanger sur ses états d'âme. Ludivine le sentit et embraya sur tout autre chose :

– Tu ne crois pas qu'on perd notre temps ? On devrait être au bureau en train d'éplucher des pistes concrètes.

– Lesquelles ?

– Je sais pas ! Mais franchement, tu espères quoi avec ce symbole ? Mikelis l'appelle le « signe du Mal », c'est déjà bien assez glauque comme ça. À quoi ça va nous servir ?

– Il n'y a rien de plus solitaire qu'un tueur en série et pourtant on en a au moins deux qui s'amusent à signer avec cette lettre. Pareil pour le pédophile et pour l'ado de la gare. Si on trouve ce que signifie cette lettre, on pourra peut-être comprendre comment ils se sont rencontrés. Et comment remonter jusqu'à eux.

Tu te rappelles comment le petit punk parlait des fréquentations de Joseph Selima ?

– Il disait « eux ».

– Comme s'il en avait peur. Sans même les connaître. C'est que Selima avait dû lui foutre une sacrée trouille. Je doute que cet ado ait gaspillé ses maigres revenus dans un cybercafé pour discuter sur un forum. Il avait rencontré quelqu'un. Peut-être le Fantôme, ou la Bête. Peut-être les deux. Ils avaient échangé sur ce que signifiait ce **e*. Assez pour qu'il l'adopte. C'est une revendication. Un slogan. Faut qu'on découvre lequel.

Ils alpaguèrent le professeur Carrion avant que celui-ci ne sorte par une petite porte de l'autre côté de la salle.

Alexis présenta sa carte et sans autres formalités dégaina la raison de sa présence.

Carrion était un petit homme râblé, mal rasé et qui avait la même odeur que ses vêtements : il sentait le vieux, la poussière. Il écouta attentivement les quelques mots du gendarme et prit le papier du bout des doigts avant de le rendre.

– Est-ce que ça vous évoque quelque chose ?

Le linguiste opina du chef.

– Oui, ça ne m'est pas inconnu.

Il prit un morceau de craie et commença à dessiner sur le tableau noir le symbole.

– Il s'agit d'un radical indo-européen.

L'incompréhension d'Alexis et Ludivine se lisait sur leur visage.

– La langue préhistorique à l'origine des langages d'Europe et d'Asie si vous préférez, s'expliqua le professeur. Eh bien ? Vous ne saviez pas qu'à l'origine il y avait un protolangage ?

– Je ne m'étais jamais posé la question, avoua Ludivine.

Le professeur fit une moue désolée avant de reprendre :

– La plupart des langues du monde sont des évolutions de langues anciennes qui ont pratiquement toutes un ancêtre commun. Il y a bien longtemps, nous parlions des langages, ou des dialectes, qui avaient beaucoup de similitudes, qui venaient du même point de départ. Et donc ce que vous me montrez là est une racine ancienne, un radical, de cette langue d'origine. L'astérisque avant la lettre *e* est assez clair à ce sujet.

– Et il signifie quelque chose ce radical ? demanda Ludivine.

– Oui, il veut dire « ceci », « ce » ou encore « celui-ci ». Par exemple il a donné en protogermain **ains*, et plus tard le *eins* allemand ou le *one* anglais.

Le professeur, qui semblait prendre l'histoire très au sérieux, avait écrit chaque mot au tableau.

– « Ceci » ? répéta Alexis.

Il échangea un regard déçu avec Ludivine.

– Et ça ne peut rien vouloir dire d'autre ? insista cette dernière. Notamment en français ?

– Au contraire ! Ça peut signifier beaucoup de choses ! En latin, ce radical a donné *is*, *id*, *ecce*, suffixé en – *nus*. Et on le retrouve dans des expressions latines tel *unus* qui (le professeur prenait le temps d'écrire, formant chaque lettre avec application) a donné *unio*.

– Ce qui veut dire quoi en français ?

– C'est l'étymologie de notre mot « union ».

Cette fois les deux gendarmes échangèrent un regard beaucoup plus vif. La sémantique commençait à leur parler.

– « Union » ? insista Alexis.

– Oui, acquiesça le professeur avec une pointe de fierté, comme s'il était le père de cette découverte. En somme, et si on se limite à la langue française, votre **e* est la racine ancienne du mot « union ».

– La genèse de l'unité. Du rassemblement, déduisit Alexis. Ils seraient liés par ça ? Unis pour ce qu'il y a de plus essentiel à leurs yeux ? (Il réfléchissait tout haut, ses déductions fusant hors de ses lèvres comme elles venaient.) La violence. Ils sont une meute. Un collège archaïque tourné sur la chasse.

– Sur la mort, corrigea Ludivine.

Elle fixait le tableau.

« Eux » venait de prendre du sens.

– Ils sont l'unité primaire. L'union des prédateurs.

– Un rassemblement ça ne se fait pas à deux ou trois, songea Alexis tout haut.

Ludivine secoua la tête.

– Non. Une union, c'est un groupe entier. Du monde. Beaucoup de monde.

Les deux gendarmes se fixaient.

– Ils ont pour ambition d'être nombreux, dit-elle. De se rassembler, pour être forts. Ils veulent recruter.

– C'est peut-être déjà fait.

14.

Une bruine discontinue depuis plusieurs heures imbibait la végétation, les vêtements, et commençait à remplir les gouttières, les caniveaux, jusqu'à former des flaques dans chaque nid-de-poule ou anfractuosité sur les bas-côtés.

La voiture filait à travers la banlieue sud-ouest de Paris. Quartiers chics, discrets, des vieux murs de pierre ou des grilles d'acier derrière lesquels poussaient de hauts arbres, on y distinguait à peine les toits de manoirs, demeures de famille, et villas plus modernes. Banlieue cossue qui vivait repliée sur elle-même, tout y était caché, le centre-ville en retrait des axes principaux de circulation, les belles maisons loin dans leurs parcs. Même la population semblait dissimulée, il n'y avait presque personne dans les rues.

Alexis conduisait vite, le gyrophare en action, Ludivine actionnant la sirène à chaque intersection. Ils arrivaient à Louveciennes. Leurs cœurs commençaient à se serrer au fond de leurs poitrines, ils avaient les mains moites. L'un comme l'autre appréhendaient ce qui allait suivre. Il n'y avait aucune forme d'excitation, aucun espoir à l'idée de découvrir peut-être de nouveaux indices pouvant conduire au Fantôme.

Pas dans ces circonstances.

Le portail était ouvert, deux policiers en faction devant pour réguler le passage. Par chance, aucun groupe de badauds ne s'était amassé sur les trottoirs pour essayer de distinguer quelque chose, la rue était déserte.

La Peugeot s'avança lentement sur le pavé du jardin, en direction de la maison d'architecte blanc et gris. Des bardeaux de bois la recouvraient presque entièrement. Moderne et spacieuse, elle avait tout de la bâtisse familiale typiquement américaine.

Trois véhicules de police, cinq autres de la gendarmerie dont la fourgonnette de la CIC[1] ainsi que la voiture du médecin étaient garées devant le garage.

Les essuie-glaces grinçaient à chaque passage, lavant la vitre du flou qui cherchait à tout prix à masquer cet endroit, comme s'il ne devait pas être.

Magali, la brunette au carré, attendait sous le porche, les bras croisés sur la poitrine. Elle, d'habitude si dynamique et joviale, avait le visage fermé. Lorsque Alexis et Ludivine approchèrent, elle ne s'écarta pas, bloquant l'accès à la maison.

– Vous n'avez pas encore déjeuné, j'espère ?

– C'est à ce point-là ? fit Alexis.

– Les flics locaux ont eu le bon réflexe. Dès qu'ils ont vu le carnage ils ont compris que c'était du lourd, ils ont prévenu la PJ de Versailles qui, en voyant les corps et surtout le mode opératoire, a tout de suite pensé à nous. Vu la similitude des faits, le proc de Versailles nous a saisis.

– Combien de temps depuis la découverte des corps ?

– La femme de ménage les a trouvés vers 9 heures ce matin. Nos services ont été contactés moins de deux heures après.

– Combien de victimes ?

– Trois. Toute la famille.

– Les TIC[2] ont fini le boulot ?

– Oui, ils refont juste quelques photos supplémentaires mais le terrain est libre. Le cocrim est là.

1. Cellule d'investigation criminelle.
2. Technicien en identification criminelle.

Le cocrim, coordinateur des opérations de criminalistique, était l'« expert » qui faisait la jonction entre les techniciens en identification criminelle, les différents laboratoires et résultats d'expertises, et les enquêteurs à proprement parler. Sur une scène de crime, il était le guide et l'interprète.

Magali s'écarta pour les laisser passer. L'intérieur était vaste, aménagé avec beaucoup de goût, tapis molletonné sur un parquet en wengé, murs de couleurs pastel, vert ou camel, les boiseries, moulures et huisseries peintes d'un blanc immaculé. Tout était soigné, meubles en bois exotiques, décoration tribale témoignant de nombreux voyages en Afrique et en Asie, et des cadres sur toutes les parois, photos de vacances, du couple, de la fille, à toutes les occasions possibles.

Chaque vitre était brisée, sur chaque photo. Et il y en avait des dizaines.

Alexis nota également la présence de romans un peu partout sur des étagères, dans des niches. Des romans policiers exclusivement.

Magali désigna un guéridon renversé dans le hall ainsi qu'un porte-revues dont le contenu s'était déversé jusqu'au pied des marches. Les couvertures de *Elle*, *Biba*, *Marie-Claire Maison* et *Les Années Laser* formaient comme un message dramatique sur ce qui s'était passé ici quelques heures plus tôt.

Un marqueur jaune des techniciens en identification criminelle avec le chiffre 3 était posé sur le tapis, près d'une demi-douzaine de taches de couleur rouille qui contrastaient avec la nuance crème de la laine.

– On pense que la femme a été attaquée ici, indiqua Magali. Traces de lutte et un peu de sang. Et puis elle a été traînée vers l'étage, il y a des éraflures à plusieurs endroits sur les marches, et le TIC vient de me confirmer qu'elle a des échardes de parquet sous les ongles.

– Son corps est où ? demanda Ludivine.

– Au premier, dans la chambre.

– Pourquoi le verre de tous les cadres est brisé ? questionna

Alexis. Ça paraît trop méthodique pour être une conséquence d'un affrontement.

– C'est comme ça dans toute la maison. Pas une photo n'est intacte, fit une voix étrangement décontractée dans leur dos.

Philippe Nicolas, le cocrim, s'approcha pour les saluer. Le cheveu noir luisant de gel, des bouclettes rabattues en arrière, veste en cuir de qualité, pull en cachemire, Ray-Ban glissées par une branche dans l'extrémité en V du col, et jean moulant, Philippe Nicolas était aussi à l'aise qu'au bar d'une plage un soir d'été pour draguer.

– J'en ai vu des scènes moches, mais celle-ci vient d'entrer dans mon panthéon personnel, prévint-il en abandonnant toute joie déplacée. La suite est par là.

Il les entraîna vers la cuisine où crépitait le flash d'un appareil photo.

Deux techniciens en combinaison bleue effectuaient une nouvelle série de clichés complémentaires. Ils progressaient avec attention, comme s'ils circulaient sur un terrain miné, vérifiant où ils posaient les pieds à chaque pas, touchant le moins possible leur environnement.

Quatre projecteurs sur trépieds encadraient la pièce pour la baigner d'une clarté blanche terrible, de celle qui n'épargne rien, qui découvre tout, qui ne consent à aucune pudeur, une vérité médicale, technique, cruelle.

Les deux TIC opéraient autour d'une mare rouge qui recouvrait le carrelage sur plus de trois mètres carrés, une mare au milieu de laquelle se reflétait la lumière comme dans un miroir gâté à l'extrême. Ils travaillaient en évitant soigneusement de trop s'approcher de l'homme qui était allongé sur le dos, la gorge ouverte, luisante comme une entrecôte tout juste sortie de sa barquette et fendue en deux. Le sang avait séché sur la peau, et au sol il paraissait poisseux, presque collant. D'une couleur foncée, un bordeaux sombre d'autant plus inquiétant qu'il était éclairé avec puissance.

– Le père de famille, présenta Philippe Nicolas en tendant le bras. Le scénario le plus probable est qu'il a été tué en premier. Certainement par surprise, aucune trace de lutte, pas de sévices, on s'est débarrassé de lui comme d'un moustique gênant lors d'une bonne soirée entre amis.

Ses paupières n'étaient pas totalement refermées et, depuis le seuil de la cuisine, Alexis pouvait deviner ses pupilles qui brillaient légèrement sous l'éclairage intense des projecteurs. Des yeux qui regardaient mais qui ne voyaient plus. Qui ne serviraient plus jamais. Ils s'étaient arrêtés sur le visage de la mort, figés pour toujours sur celui qui allait briser ces existences.

L'homme avait les doigts recroquevillés. Il s'était accroché à la vie. Il avait refusé de partir. Il avait tout fait pour chasser le néant. Pourtant, à mesure que son sang le fuyait, il avait dû comprendre que c'était irrémédiable. Il luttait contre une chimère. La vie s'écoule hors d'un corps comme une brume que nul ne peut retenir. Et la sienne s'était peu à peu vaporisée dans cette cuisine, une nuit d'automne, tandis que sa femme et sa fille se faisaient massacrer juste à côté. Alexis savait qu'en cas d'hémorragie, à mesure que le sang s'écoule, la chaleur disparaît dans le corps et le froid se fait ressentir de plus en plus fort. Cet homme était mort sur son carrelage en grelottant, comprenant que cette morsure qui s'enfonçait de plus en plus profondément dans sa chair était irréversible, que c'était la mâchoire du vide qui se refermait sur lui tandis qu'il agonisait.

Ludivine prit la manche de son collègue et le tira en arrière. Il réalisa alors que le cocrim était déjà reparti vers l'étage.

– Ça va ? fit la petite blonde.

Alexis hocha la tête.

– J'arrive jamais à couper complètement le fil avec l'empathie, avoua-t-il tout bas.

– Je sais. Je commence à te connaître. Mais c'est aussi pour ça que tu *sens* bien les choses sur les scènes de crime, que tu parviens à te mettre à la place des victimes, du coupable, et que tu débusques des pistes.

La main de Ludivine attrapa la sienne, elle était chaude, et elle le tracta vers les escaliers.

À l'étage régnait encore plus d'agitation. Il y avait des lumières puissantes qui irradiaient depuis deux pièces opposées et des ombres en pagaille qui se mêlaient aux voix, au crépitement des flashs, et à celui des radios.

– Le médecin qui a certifié les décès a remarqué quelque chose de particulier sur les cadavres ? s'enquit Ludivine en lâchant son partenaire.

– Vu leur état, il n'a rien dit d'autre que « merde », répondit Magali.

– On a une idée malgré tout de la chronologie ? demanda Alexis.

– La femme de ménage les a trouvés à 9 heures, exposa le cocrim, et les corps n'étaient pas froids quand la PJ a débarqué. J'ai regardé le portable de l'adolescente. Dernier texto envoyé à 23 h 47 hier soir, tout allait bien. C'est donc arrivé dans la nuit. Votre collègue, le crimino chauve, pense que ça s'est produit tard.

– Mikelis est là ?

Magali tendit la main vers une chambre.

– Avec Franck et Ben.

Le groupe de Magali était au complet. C'était un trio efficace, polyvalent, constitué de trois générations de gendarmes avec chacune ses compétences et ses forces. Alexis aimait travailler avec eux.

Ils marchèrent jusqu'au seuil de la suite parentale occupée par deux personnes. Franck, le quinquagénaire moustachu, était en train de prendre des notes, tout en observant la scène de crime. Plus loin, au-dessus du lit, la silhouette chauve de Mikelis détaillait chaque parcelle, ses billes grises glissant d'un côté à l'autre, d'un indice à l'autre, pendant que le cerveau cherchait à donner du sens à tout ce qu'il voyait.

C'était une vaste pièce meublée avec goût, des tons chauds, murs ocre, coffres en velours, des coussins bruns partout. Et plusieurs étagères remplies de livres. Encore des romans policiers. Il y en avait également sur une des tables de chevet, près d'une bouteille d'eau et d'un coffret à bijoux. Madame était fervente lectrice de polars, comprit Alexis.

La mère de famille était là, allongée sur un couvre-lit rouge.

Rouge de tout le sang qu'il avait bu.

Elle gisait nue, la face enfoncée dans les couvertures, les chevilles attachées par des liens en plastique à la structure du lit. La commissure d'une profonde blessure à la gorge apparaissait entre deux plis du dessus-de-lit.

Elle avait été égorgée comme son mari.

Gravé profondément dans la peau, le symbole allait d'une omoplate à l'autre.

**e*.

Le radical indo-européen. L'origine des origines du mot.

Gravé sur une morte.

Plus qu'une signature, un appel au rassemblement.

À l'Union.

Les iris gris atterrirent sur Alexis.

– Je vous l'avais dit : ce type est sûr de lui, dit Mikelis de sa voix grave et posée. Il vient de passer à l'étape supérieure : toute une famille.

Les projecteurs des techniciens étaient encore en place, ainsi qu'une douzaine de marqueurs d'indices jaune et noir. Alexis pénétra dans la suite en prenant soin de ne pas marcher dans une tache de sang.

– Vous aviez raison aussi sur le passage à l'acte imminent.

Le jeune gendarme observait son environnement avec attention, cherchant des signes pouvant lui expliquer comment s'étaient déroulés les meurtres : objets renversés ou brisés, vêtements déchirés sur le sol ou griffures sur les murs, mais il ne vit rien d'emblée, jusqu'à ce que son regard s'arrête sur un lien plastique vide, enroulé autour d'un barreau de la tête de lit. Il y en avait un autre un peu plus loin, manifestement pour entraver la victime au niveau des poignets.

– Elle est parvenue à sortir ses mains ?

– Apparemment.

Les poignets étaient tuméfiés et plusieurs entailles profondes lui ouvraient le bas des mains. Elle s'était arraché la peau tout autour, jusqu'à se mettre les chairs à vif. Les liens étaient des Serflex, ces nœuds coulants prisés par les forces de l'ordre américaines, et qu'on ne peut défaire une fois en place sinon en les coupant avec une bonne paire de ciseaux.

– Mais elle n'a pas réussi à se libérer les chevilles, ajouta Mikelis. Et pourtant, ce n'est pas faute d'avoir essayé.

Elle s'était débattue au point de s'ouvrir tout autour de la malléole mais les liens aux chevilles n'avaient pas cédé.

– Il y a même des écorchures d'ongles, c'est assez évident, elle s'est mutilée toute seule, commenta le criminologue.

– C'est elle qui s'est fait ça aux chevilles ?

– Je pense que si on lui avait laissé une heure de plus elle se serait découpé les deux pieds à coups d'ongles.

– Vous êtes sérieux ? Mais… pourquoi ?

– On va y venir.

– Il l'a égorgée ?

– Presque jusqu'à l'os, pas besoin du légiste pour le confirmer, il suffit de s'approcher.

Alexis préféra se tenir à distance. Il ne voyait pas ce que l'observation d'une gorge béante pouvait lui apporter pour l'enquête. Déjà l'odeur du sang commençait à lui tourner la tête. Un parfum âcre, celui du fer, qu'il avait déjà respiré de nombreuses fois et qui invariablement le renvoyait au même souvenir : celui d'un abattoir qu'il avait visité petit. On lui avait souvent répété que les odeurs se fixaient avec des souvenirs et qu'elles se rappelaient à nous, à notre mémoire, avec ces images lointaines, par association. C'était entrelacé avec ses sens, le tatouage de l'expérience sur l'existence.

– Il l'a tasée, commenta le criminologue en désignant deux petites piqûres au centre du dos ainsi que la peau bleutée qui les entourait.

– C'est nouveau ça. Et d'habitude il ne tue pas comme ça non plus. Il a été pris par le temps ?

Mikelis secoua la tête.

– Au contraire, il est venu ici pour prendre son temps.

– Elle n'a pas été torturée comme les victimes précédentes, fit remarquer Ludivine depuis le seuil. Est-on sûr que c'est bien lui ? Le Fantôme ?

Franck leva enfin son nez de son carnet pour préciser :

– Aucune trace d'effraction. Et la femme de ménage est catégorique : c'était verrouillé quand elle est arrivée. Le tueur a pris soin de tout bien refermer derrière lui, cet enfoiré !

– On ne sait pas comment il est entré ? demanda Alexis.

– Non. Comme pour les deux précédentes.

– Claire Noury et Nadia Sadan avaient des alarmes chez elles ? s'enquit Mikelis.

– Oui. Mais ce n'est pas la même compagnie, on a vérifié. Pas le même fournisseur Internet non plus. À la rigueur le Fantôme a pu se faire passer pour un type d'EDF pour entrer. On a creusé de ce côté-là, mais aucun voisin n'a vu le moindre camion dans la journée.

– Ils ont pu le manquer, ajouta Ludivine.

Mikelis répliqua aussitôt :

– Je doute que notre homme se soit fait passer pour un employé de quoi que ce soit un dimanche soir tard pour entrer ici. Il a une autre méthode. Qui fonctionne de jour comme de nuit, week-end comme semaine. Il est bien rodé. Vous avez épluché les relevés de carte bleue ? Voir si les victimes n'étaient pas passées chez un serrurier ?

– Ça n'a rien donné non plus, rapporta Alexis.

– Il y a forcément un point commun entre elles. Un moyen pour lui de pénétrer dans leur domicile. Soit il réussit à se faire ouvrir sans éveiller la méfiance, et il récupère les clés ensuite pour partir, soit il a une méthode bien à lui que nous devons identifier rapidement.

– Il ne vole pas les clés de ses victimes, corrigea Ludivine.

Nous avons retrouvé les trousseaux chez chacune, et les proches confirment qu'il n'en manquait pas.

Mikelis approuva d'un air songeur.

– C'est quoi le sang à vos pieds ? demanda Alexis.

Le criminologue s'écarta. La descente de lit était maculée de taches pourpres. Le marqueur 7 était posé dessus.

– Les TIC ont effectué un prélèvement, expliqua Philippe Nicolas. Peu probable que ce soit le sang de la victime, c'est du côté opposé à celui où elle se tient et il n'y a pas de marques de coulures. C'est probablement celui du tueur. Il s'est peut-être blessé pendant l'affrontement.

– C'est elle qui a des échardes du parquet sous les ongles ?

– Oui, le même bois que celui du rez-de-chaussée et des marches. Apparemment il l'a neutralisée en bas, avant de la traîner jusqu'ici.

– Il voulait la violer sur son propre lit ?

L'index de Mikelis désigna brièvement l'entrejambe de la victime, juste devant lui :

– Je ne crois pas qu'elle ait été violée, dit-il sans pour autant la regarder.

Son regard inquiétant se promenait davantage sur le pourtour du lit.

– Comment pouvez-vous en être sûr ?

– Sur les victimes précédentes il en a mis partout. C'est un jouisseur, il se frotte contre elles, il a besoin de contact. C'est un conquérant aussi, il répand son sperme. De plus, il les torture systématiquement pendant qu'il les viole. Pour elle, il s'est contenté de l'égorger.

– Alors comment peut-on être sûr que c'est bien lui ?

Mikelis planta son regard froid dans celui du jeune gendarme.

– Je vous conseille d'aller jeter un œil dans la chambre d'en face, dit-il. Si vous voulez savoir à quoi ressemble l'intérieur de la tête d'un tueur en série pendant qu'il passe à l'acte, vous allez être servi. Cette fois, il ne s'est retenu sur rien. Il s'est étalé complètement, dans tout ce qu'il est. Dans toute sa frénésie, sa déviance. Et vous allez comprendre pourquoi cette douce mère de famille était prête à se découper les deux chevilles avec ses propres ongles pour se libérer.

Alexis avala sa salive. Il commençait à imaginer le pire.

– Et ça va vous plaire, ajouta Mikelis, pour la première fois il nous a laissé un message.

15.

Les lettres étaient de couleurs bariolées, faites avec des plumes synthétiques jaune poussin, smaragdines, fuchsia, lapis et vermeilles.

Elles étaient collées au centre de la porte à mi-hauteur.

ISABELLE.

Benjamin, quadra dégarni, se tenait de dos et observait le TIC prendre des photos.

La chambre était à l'image du nom sur le battant : bigarrée et évanescente avec des voiles de mousseline pendus sur les murs, des meubles roses, dorés, des miroirs encadrés, et des dizaines d'objets de déco aux formes et tons atypiques. La chambre d'une adolescente en pleine mutation, qui n'a pas encore totalement renoncé à la petite fille en elle, mais qui cherche tout de même à être femme.

Une adolescente à qui on avait brutalement imposé le monde des hommes. Dans ce qu'il a de pire.

La plupart des bibelots étaient renversés, brisés, les voiles déchirés, tachetés par des nuages pourpres, des bruines de sang. Les cadres avaient tous été fendus, un par un, avec une rage anormalement méticuleuse. La penderie était ouverte, les deux portes fracassées, ballantes sur leurs gonds tordus, les vêtements arrachés à leurs cintres, mouillés par de l'urine, qui sentait depuis le palier.

De nombreuses traînées écarlates maculaient la moquette, des traits de plus de cinquante centimètres de long, des éraflures de couleur sur la pureté blanche.

Chaque flash de l'appareil photo faisait luire des rivières de sang comme s'il était veiné d'argent.

Au centre de la pièce, le lit attira aussitôt l'attention d'Alexis.

Le sang avait tellement imbibé l'alèse que des flaques s'étaient formées par endroits, dessinant une créature hideuse.

Une créature vaguement humaine de par sa forme, ses quatre membres.

Féminine.

Ses cuisses écartées sur son sexe béant. Une substance visqueuse s'écoulait de son intimité, une poisse rose clair.

Sperme et sang s'illuminèrent dans l'esprit d'Alexis.

Il y en avait beaucoup. De l'un comme de l'autre. On avait beaucoup joui pendant qu'elle avait beaucoup saigné.

Isabelle avait la peau hâlée, tannée par l'ocre séché de ses fluides corporels. Son sang la recouvrait depuis le bassin jusqu'au bout des pieds, comme une Peau-Rouge, son intérieur recouvrait son extérieur. Des plaies sur l'abdomen et les jambes, des hématomes sur les cuisses et les bras.

Et la poitrine tellement bleuie par les tentatives successives de réanimation qu'elle virait au noir.

Mais tous dans cette pièce savaient que ce n'étaient pas les premiers secours qui avaient tenté de la sauver.

Le tueur s'était acharné. Il l'avait étranglée, puis au moment où la vie la quittait, il lui avait fait du bouche-à-bouche, des massages cardiaques répétés, jusqu'à ce qu'elle revienne à elle.

Pour la violer et la torturer à nouveau.

L'étrangler.

Jusqu'à la mort.

Jusqu'à la vie. Ou plutôt sa géhenne.

Un soutien-gorge violet enroulé autour de la gorge de l'adolescente témoignait de son calvaire.

Ses cheveux châtains étaient devenus bruns sur les deux tiers de leur longueur, une teinture sanglante.

Les ecchymoses obscurcissaient largement son visage, la rendant méconnaissable par rapport aux photos aperçues au rez-de-chaussée.

Ses lèvres étaient bleues, presque noires. Un bout de langue ressortait au milieu d'un mucus jaunâtre constitué de bave séchée. Deux perles de nacre striées de carmin jaillissaient de ses orbites, un jaspe pâle au centre de chacune. De loin l'adolescente ressemblait à une caricature, à un personnage de dessin animé, avec ses yeux agrandis de la sorte. Il y avait eu une telle pression répétée sur sa gorge qu'ils avaient presque été expulsés de leurs cavités. Les vaisseaux avaient explosé dans une bonne partie de la sclérotique, assombrissant son regard déjà difforme.

– Sans m'approcher j'ai déjà compté vingt-deux coups de couteau dans le ventre et les cuisses, fit Ben en guise de salut.

Le technicien en identification criminelle leva son appareil photo et le flash immortalisa le plafond.

Des centaines de fines gouttelettes rouges y formaient une galaxie obscène.

Alexis se souvint aussitôt que voyager dans l'espace, c'était voyager dans le temps. Il en allait de même ici. L'expert qui prendrait le temps de parcourir ces constellations remonterait dans la chronologie des faits. La disposition des traces, leur taille, la direction des queues des gouttes, tout cela donnerait de précieux renseignements sur la vélocité des projections, leur origine. Comme dans ces jeux pour enfants, il suffirait de relier les points entre eux pour que peu à peu apparaisse une image précise des attaques.

Le flash suivant fit scintiller les perles de strass d'un journal posé sur le bureau.

– C'est son journal intime ? demanda Alexis.

– On dirait, répondit Ben.

Il était encore fermé à clé par un loquet métallique. Le tueur ne s'y était pas intéressé. Pourtant il était en évidence, immanquable, et ce n'était pas le minuscule fermoir qui l'aurait arrêté. Il y avait là toute l'intimité de l'adolescente, tous ses sentiments, ses pensées, ses peurs et ses désirs, ses fantasmes peut-être. Et il n'y avait pas touché. Ce qu'elle pensait, ce qu'elle était au fond n'avait aucune importance pour lui. Elle n'était qu'une coquille vide. Un outil pour son plaisir. Pour libérer ses pulsions.

Il avait abusé de son nouveau jouet jusqu'à le briser en petits morceaux sans avoir même lu le mode d'emploi.

Alexis comprit qu'il n'utilisait pas le bon terme.

L'assassin ne jouait pas. Il voulait faire mal.

Détruire.

Un petit garçon qui avait mal grandi, et qui n'avait aucun plaisir à s'amuser avec ses jouets. Il ne savait que les casser pour sourire.

Mikelis avait raison : la tête du tueur était là, sous leurs yeux.

Le TIC se tourna vers les nouveaux venus et les salua à travers sa combinaison bleue.

– Il y a ça aussi, dit-il en pointant un doigt ganté vers un pan du mur près de l'entrée qu'Alexis ne pouvait distinguer sans entrer dans la pièce. Vous pouvez y aller, on a tout contrôlé.

Le jeune gendarme s'avança et découvrit un miroir ovale au-dessus d'une commode dont on avait ouvert les tiroirs. Des sous-vêtements en pagaille débordaient comme s'ils avaient été retournés.

Il y avait un liquide blanchâtre par endroits sur les culottes et les soutiens-gorge multicolores.

– C'est du sperme ? demanda Ludivine.

– J'en mettrais ma main à couper, répliqua le TIC. On a fait les prélèvements pour l'ADN.

Alexis leva les yeux.

Il se vit dans le miroir. Son éternelle barbe de trois jours, ses prunelles marron. Les traits tirés de celui qui dort peu, mal.

Au-dessus de son visage, écrits avec du sang, il y avait ces mots : LE VISAGE DE LA VIOLENCE.

Alexis Timée était ce visage.

Ses cernes violets lui donnaient un air méchant. Corrompu par ses cauchemars. À tout instant, il semblait que la mort pouvait sortir de son regard et se déverser sur le monde.

Le Fantôme avait réussi son coup. Marquer les esprits. Provoquer. Narguer les flics dans leur dos.

La voix grave de Richard Mikelis brisa le silence de la chambre :

– Le message est clair, non ?

Alexis sursauta.

– Il en veut à la Terre entière…, balbutia-t-il.

– Pour lui nous sommes tous coupables. Sa violence est la nôtre, nous en sommes responsables, la société *est* violente.

– Bon, fit Ludivine d'un air un peu las, ça nous confirme ce qu'on savait déjà : il ne va pas s'arrêter.

Mikelis ouvrit les bras devant la pièce.

– Il y a beaucoup plus ici, il y a toute sa pensée. Ce qu'il est profondément. Froid jusqu'à l'extrême, une fureur immense contenue par un étau de contrôle impressionnant, une absence totale d'empathie, une capacité d'excitation énorme, il a éjaculé partout, et probablement de nombreuses fois. Il ne doit pas être capable de jouir autrement, pas à ce point. Je serais tenté de croire qu'il vit seul, ce n'est pas le tueur qui se dissimule derrière le masque du bon père de famille, du voisin idéal. Il est tellement rongé par sa haine, son obsession de tout maîtriser qu'il ne peut vivre que seul, et sa sexualité est trop déviante pour faire illusion auprès d'une femme normale. Il déteste les images familiales, comme en attestent tous les cadres brisés, les reflets du bonheur des autres. Il a un vrai problème avec la notion de joie. Il s'en est pris à cette maison pour son côté famille idéale. On se rapproche de ce qu'il est profondément. Un homme meurtri, déconstruit par son enfance ravagée, par un climat de violence permanent. Il explose maintenant. Les deux premières victimes c'était la libération, le déchaînement. Maintenant il s'attaque à ce qui le touche vraiment, il règle ses problèmes tout en jouissant.

– Une indication de son âge ? proposa Alexis.

Mikelis pivota vers le jeune gendarme.

– Exactement. Il est assez mature pour se contrôler parfaitement, mais il y a tant de colère en lui qu'il n'a pu la contenir pendant des décennies et des décennies. Je dirais entre vingt-sept et trente-cinq ans. Un jeune trentenaire. Il a élaboré ses fantasmes pendant longtemps, puis ça a explosé. Il a eu besoin de passer à l'acte. Il s'en prend à des gens qui, d'une certaine manière, lui rappellent sa propre enfance, sa propre famille, ou plutôt ce qu'elle n'a pas été. Il est probablement de type caucasien, un Blanc. Il a fracassé les photos, pas les miroirs. Il n'est pas perturbé par son propre physique. Il est sûr de lui, il doit peut-être même se trouver beau. Il doit y avoir chez lui une forme de complaisance à s'entretenir, à se faire un physique séduisant pour mieux narguer le monde. Un sportif qui se sculpte un corps, cela lui sert également pour être plus performant avec ses victimes, et le sport doit le vider de ses pulsions quand elles montent trop et que son plan d'attaque n'est pas encore prêt. Il est certainement fort, il n'a eu aucun problème à dominer tous les occupants de la maison. Un adepte de la musculation.

Philippe Nicolas, le cocrim, laissa échapper un long sifflement admiratif depuis le seuil.

– Alors ça marche en vrai aussi le profilage ? Pas que dans les séries à la télé ?

Mikelis l'ignora et s'adressa à Alexis :

– Vous avez trouvé des poils pubiens lui appartenant sur les scènes précédentes ?

– Oui, et des cheveux dont l'ADN correspond au sperme. Il est brun.

– C'est un garçon à l'intelligence aiguë, capable de planifier ses attaques, de trouver un moyen d'entrer chez ses cibles. Il veut être chez elles. Il pourrait les embarquer dans un lieu isolé, chez lui ou dans un endroit qu'il loue, pour ne pas prendre le risque d'être surpris, pourtant il veut les violer chez elles. Pénétrer ses victimes totalement. Dans leur chair, mais aussi dans leur vie. Il a le fantasme de l'omnipotence. Elles cessent d'être puisqu'elles sont à sa merci, chez elles. Il les contrôle parfaitement.

– Et qu'est-ce que ça indique ? demanda Ludivine.

– Il recherche quelque chose. Au-delà de la jouissance, de la mise à mort. Il est important pour lui d'être dans leur vie. Chez elles.

– Pourquoi ?

– Je l'ignore pour l'instant. Ça fait partie de son fantasme, à nous de le décortiquer pour comprendre.

– Vous le dites intelligent, et malgré tout il laisse son ADN partout derrière lui, rappela Alexis.

– Parce qu'il est narcissique au plus haut point. C'est un moyen de marquer son territoire, de signer son crime, de s'approprier ses victimes, en les souillant vraiment, et aussi parce que son fantasme est physique. Leur peau contre la sienne, il a besoin de les pénétrer entièrement, sans artifice, il ne peut pas mettre de capote, ça le couperait de l'autre, du contrôle, de sa jouissance. Il est tellement arrogant qu'il se fiche qu'on ait son ADN, il sait qu'on ne pourra jamais remonter jusqu'à lui. Ça nous confirme juste qu'il n'a jamais été arrêté pour une affaire grave et donc qu'il n'est pas dans nos fichiers des empreintes génétiques.

– Je croyais que les tueurs en série étaient des criminels qui montaient en puissance, s'étonna Ludivine. Qu'ils commettaient de nombreux délits avant de passer finalement au meurtre, comme une… spirale infernale vers l'irrémédiable.

– C'est le cas pour la plupart. Et notre gars a certainement commis quelques infractions : adolescent, il a pu pénétrer chez ses voisins et voler, peut-être même a-t-il à son actif des attentats à la pudeur, voire des viols… Mais il ne s'est jamais fait choper, ou bien il était mineur et son ADN n'a pas été enregistré à l'époque.

– Il a tué Claire Noury un mercredi soir, et Nadia Sadan un lundi, rappela Alexis en se prêtant au jeu du profilage psychologique. Il est sans profession ? Ou alors un métier souple, qui lui permet de s'adapter ?

– Il ne peut se priver d'argent, corrigea aussitôt Mikelis. Pour son véhicule, pour acheter sa tranquillité. Par contre, il doit mal supporter l'autorité d'un patron. Soit c'est un indépendant, ce que j'ai peine à croire, cela implique beaucoup de temps, de paperasse, ce serait chronophage par rapport à ses autres… *besoins.* Plutôt une profession qui implique d'être autonome, peinard, un type qui fait des tournées, des livraisons, cela lui permettrait de surcroît de repérer ses victimes potentielles. Il faudra éplucher les relevés de comptes de tous les morts. S'assurer qu'il n'y a pas une entreprise de livraison qui serait passée pour tous, un démarchage à domicile, ce genre de choses.

– On a déjà commencé en ce sens, confirma Alexis, sans rien trouver.

– Il a peut-être des problèmes pour conserver un job sur le long terme, compléta Mikelis, encore que je le croie assez malin pour réussir à faire illusion, il sait qu'il a besoin d'un revenu stable, pour se concentrer sur ce qu'il aime le plus : tuer. Pour ce qui est des jours où il tue, il peut avoir posé un RTT pour le lendemain, être en congé, ce n'est pas assez symptomatique, je pense, pour en tirer une conclusion.

Benjamin se frotta le crâne et les rares cheveux qu'il lui restait encore.

– Concrètement, ça nous dit quoi tout ça ? voulut-il savoir.

Mikelis le fixa avec intensité. Ben soutint le regard, comme une épreuve de virilité.

– Un brun, environ trente ans, commença le criminologue, sportif, costaud, sûr de lui, probablement pas laid, voire beau gosse, vivant seul, prompt à des accès de rage lorsque la soupape ne parvient plus à faire son travail, il déteste le bonheur des autres, malin, égocentrique, exerçant une profession relativement solitaire ; si l'identification criminelle parvient à nous lancer sur des pistes concrètes avec des indices, une fois une liste de suspects potentiels sous les yeux, nous pourrons affiner rapidement vers le coupable, voilà ce que ça nous dit. Vous avez un portrait psychologique de notre homme. De quoi mieux le cerner, et surtout se mettre à sa place. Penser comme lui.

Ben haussa les sourcils.

– Je vous laisse cette part du boulot, moi c'est sans façon.

– C'est à ce prix que nous aurons un coup d'avance sur le tueur. Pour anticiper. Pour l'arrêter avant qu'il recommence.

Le téléphone portable d'Alexis se mit à sonner.

Puis celui de Ludivine, presque au même moment.

Alexis lut le nom de Segnon sur le cadran lumineux.

– C'est Aprikan, fit Ludivine.

La voix de Segnon résonna dans la chambre tant il parlait fort :

– Alex ? On a un problème.

À côté, Ludivine qui venait d'écouter le colonel se mit à pâlir.

– Qu'est-ce qui se passe ? demanda Alexis.

– Il a recommencé.

– Je sais. On est sur place. Trois victimes cette fois.

– Non, Alex, pas le Fantôme.

Ludivine fixait Alexis, elle hocha la tête.

Alors il comprit. Ses paupières se fermèrent.

Il prit une profonde inspiration tandis que les mots de Segnon parvenaient à ses oreilles :

– La Bête. Il a tué. Cette nuit.

16.

Segnon les attendait dans leur bureau, au premier étage de la caserne dans le XXe arrondissement. Il venait de punaiser sur le tableau en liège les photos fraîchement sorties de l'imprimante.

– Je viens de les recevoir par email, indiqua-t-il.

– Cette nuit tu as dit ? récapitula Alexis en entrant.

– Dans la région de Cracovie, dans le sud de la Pologne.

– Comment ça se fait qu'on soit prévenus si vite ? s'étonna Ludivine.

– Coup de bol. Un des flics locaux est le correspondant Interpol du secteur, il a vu passer notre note il y a peu de temps, celle avec le symbole. Quand il a vu le corps, il a reconnu le mode opératoire et le même dessin : *ℯ.

Alexis s'approcha des photos.

La tête permettait d'identifier que c'était une femme, et un sein également. Pour le reste, ce n'était qu'un amas de chairs éventrées, de la gorge jusqu'au sexe, rien qu'un chaos vermillon, comme si une grenade avait explosé dans son estomac.

– Ils ont des indices, des témoins ?

– Pas encore. Tomasz, mon contact, me tient au courant.

– On a le profil de la victime ? s'enquit Ludivine.

– Apparemment une prostituée. Elle tapinait toujours dans le même coin, la banlieue industrielle de Cracovie. Elle a été retrouvée à l'entrée d'une forêt, près d'un village, à une quinzaine de kilomètres de là.

– Une autoroute à proximité ?

Segnon s'installa derrière son ordinateur, et après quelques clics sur Google Maps, il tourna son écran vers ses deux collègues.

– L'E40, à huit kilomètres.

– Un chauffeur routier ? devina Ludivine.

– Ses trois victimes françaises étaient toutes à moins de trente kilomètres de l'A4, autoroute qui file vers l'Est. Tu la prolonges un peu et tu arrives... à Cracovie.

– Je lance une demande spécifique vers les flics d'Allemagne, fit Segnon en récupérant son ordinateur. Si ça se trouve cet enfoiré est passé à l'acte chez eux et on n'a rien vu.

– La note à Interpol a déjà été publiée, rappela Ludivine.

– Tu les regardes toutes avec une réelle attention, toi ?

Elle inclina la tête pour signifier qu'il n'avait pas tort.

Alexis auscultait à nouveau la demi-douzaine de photos. Après ce qu'il venait de vivre à Louveciennes, le papier glacé créait une distance avec ses émotions, son empathie, qui était la bienvenue.

Bien que l'ampleur du carnage déformât les lignes de son corps, Alexis nota que la fille était forte. Comme les trois précédentes. Il y avait une constante dans le choix des victimes. La Bête les préférait bien en chair. Pulpeuses. Cette fois le **e* avait été gravé sur son front. Bien en évidence.

Il tapota un gros plan d'une cuisse dont avait été arrachée une très large portion de chair. La blessure était arrondie et des filaments de muscles pendaient sous une pellicule jaune de graisse.

– On dirait une morsure de requin ! s'exclama-t-il.

– C'est un peu ça, répondit Segnon en cessant d'écrire pour s'enfoncer dans son siège.

– On a un retour des dentistes et services de stomato des hôpitaux à propos de l'empreinte dentaire de ce type ?

– Négatif, répliqua Segnon.

– L'expert a parlé d'une pratique en vogue dans les milieux gothiques, en Allemagne notamment, rappela Ludivine, celle de se faire tailler les dents en pointe.

Alexis observait la blessure avec attention. Toute la chair avait été enlevée. Il avait fallu une sacrée pression. Une mâchoire humaine ne pouvait avoir causé autant de dégâts.

– Je doute que ce soit ça, murmura-t-il.

Il avait refusé d'entendre l'hypothèse de Segnon à propos d'un animal, mais il fallait se rendre à l'évidence face à cette nouvelle attaque : aucun homme n'était capable d'une amputation pareille avec ses dents, pas cette fois. Il manquait un trop gros morceau, il aurait eu la bouche la plus grande du monde. Et la mâchoire la plus puissante aussi.

– Segnon, je crois qu'il va falloir étudier ta piste, avoua-t-il, celle de l'animal.

Le colosse était au fond de son siège, mal à l'aise.

– Eh bien quoi ? Qu'est-ce qu'il y a ? s'étonna Alexis. Tu n'y crois plus maintenant ?

Son collègue soupira.

– J'ai pas attendu pour creuser cette voie, admit-il. Et la réponse est formelle : ce n'est pas une mâchoire d'animal connu.

– Pardon ? s'étrangla Ludivine.

– Contrairement à vous, j'ai refusé de laisser tomber si vite cette option, alors j'ai profité de mon dimanche pour contacter le Muséum d'histoire naturelle, et ils sont catégoriques : l'empreinte ne correspond à aucun mammifère répertorié. J'en ai eu la confirmation ce matin.

Ludivine pesta :

– Qu'est-ce que ça veut dire ces conneries ? Ils disent que c'est pas un animal et l'odontologiste affirme que ce n'est pas un humain, c'est quoi alors ?

Segnon avait les bras grands ouverts devant lui :

– Rien de connu !

– Il y en a forcément un qui se goure, insista la gendarme. Pas de poils ni d'empreintes animales sur aucune scène de crime, j'opte pour la déformation d'une mâchoire d'homme. En plus ça expliquerait qu'enfant, il se soit senti rejeté, sentiment de frustration, construction psychologique instable, et aujourd'hui il se libère de toute cette rage contenue. Cliché, mais c'est souvent la réalité ! Qu'est-ce que t'en penses, Alex ?

– Pourquoi pas... répondit-il l'air absorbé.

– À quoi tu réfléchis comme ça ? demanda Segnon.

– À défaut de comprendre comment il fait ces morsures de plus en plus marquées, il faut s'intéresser à ce qu'elles racontent de lui.

– C'est exactement ce que j'étais en train de dire ! grogna Ludivine. Tu ne m'écoutes pas !

Alexis l'ignora et poursuivit sur sa lancée :

– Il a un besoin dévorant de l'autre, d'absorber sa victime. Rappelez-vous qu'il part avec des fragments d'elles ! Il y a des morceaux entiers qu'on ne retrouve pas !

– Les fameuses morsures, dit Segnon tout bas. Il les bouffe...

– C'est une supposition. Concrètement, on n'a aucune preuve qu'il les mange, rappela Ludivine.

– Mais ça se tient. L'état des cadavres est assez révélateur de son état d'esprit. Il est enragé. Il veut détruire l'image féminine de ses victimes. Il les saccage jusqu'à ce qu'il n'en reste plus rien. Il les bat jusqu'à briser tous leurs os, il les ouvre, il les répand, c'est d'une barbarie qui, à ce point-là, devient un langage.

– Il ne s'en prend qu'à des femmes, et a priori ce n'est pas pour les violer, même s'il mutile leurs parties génitales. C'est vraiment l'image féminine qui l'attire, ajouta Ludivine en se prêtant au jeu.

– Exact. Maintenant pourquoi les mordre ? Pourquoi les manger ? Pour être moins seul ? Souvent les cannibales sont des êtres d'une solitude extrême, qui avalent l'autre pour qu'il soit en eux. Ce qui me surprend c'est le décalage entre la frénésie de ses crimes au moment même de l'acte et la minutie qui les encadre : il s'assure d'être loin de tout témoin, il prend soin de ne pas être repéré par les caméras de surveillance du secteur, il ne laisse que très peu de traces derrière lui, et même pas d'ADN, pas un cheveu ni un poil, pas de peau sous les ongles de ses victimes, rien.

– Un des légistes a remarqué d'infimes lésions sous les ongles d'une des filles, il pense qu'on a gratté pour y retirer tout matériau compromettant, se souvint Ludivine. C'est une preuve de sang-froid, ça !

– On a tout de même des marques de pneus et une empreinte de chaussure, rappela Segnon.

– C'est rien du tout ! s'excita Alexis, pris au jeu des déductions et énervé de pressentir qu'il y avait peut-être sous leurs yeux quelque chose sans parvenir à définir quoi. Avec toute l'agitation autour de ses victimes, il devrait au moins perdre quelques cheveux, se blesser lui-même, mais non ! Il ne jouit même pas !

– Il met peut-être une capote, proposa Ludivine.

– J'en doute. Il a un rapport extrêmement charnel avec elles, au point de les mordre ! Il a besoin de les sentir. Je crois tout simplement que la dimension sexuelle de son acte n'est pas dans la pénétration et la jouissance même, plutôt dans l'explosion d'émotions au moment de tuer.

Soudain Alexis fronça les sourcils.

– Qu'est-ce qu'il y a ? s'inquiéta sa collègue.

Il se précipita vers son bureau.

– On a les rapports des autopsies quelque part ?

Segnon lui tendit une pile de dossiers dans des pochettes de couleur crème :

– Les trois sont là.

Alexis s'humecta l'index et tourna les pages à toute vitesse, pour retrouver ce qu'il cherchait. Après quelques hésitations, il s'arrêta sur un paragraphe du légiste qu'il martela du bout du doigt. Ensuite il chercha dans le rapport de la victime suivante, puis de la troisième.

– Elles ont toutes la cage thoracique défoncée, mais de l'intérieur ! Les côtes fendues, parfois cassées… Distension extrême du plastron sterno-costal ! La peau déchirée !

– Où veux-tu en venir ?

– Ce n'est pas un hasard s'il tue des femmes d'une large corpulence. Il en a besoin.

– Besoin ? répéta Ludivine.

Alexis hocha la tête en se levant sous l'effet de l'excitation.

– Il les mange pour se sentir plus proche d'elles, il se frotte à elles, il les mord parce qu'il ne peut s'en empêcher. Quand vous êtes amoureux de quelqu'un, ça ne vous est jamais arrivé d'être tellement ivre de l'autre que vous voulez vous frotter, presque entrer en lui ? C'est ce qu'il fait. *Concrètement.* Il les ouvre et les vide pour se glisser à l'intérieur. Il se recroqueville en elles. Tant bien que mal. Et forcément, même s'il ne met qu'une partie de son corps, elles craquent de partout.

– *En* elles ? fit Ludivine en grimaçant de dégoût.

– Pourquoi ? voulut savoir Segnon. Même un taré ne rentre pas… *dans* sa victime, pas lui, pas tout entier, c'est complètement aberrant !

– C'est sa construction. Il détruit l'image féminine probablement en réponse à ce que sa mère lui a fait subir, et pourtant, dans le même temps, il cherche à revivre sa naissance, se cacher du monde dans le ventre d'une femme, fuir la réalité, ou peut-être renaître pour avoir une seconde chance. De notre point de vue cartésien, ça paraît démentiel, mais c'est une réponse de son esprit à des traumatismes d'enfant. Sa psyché s'est enfoncée dans les marécages de la violence pendant sa construction, du coup elle est instable aujourd'hui, corrompue dans ses fondations mêmes, pourrie, et elle le fait vivre sur un socle instable. Il s'est bâti un raisonnement qui lui est propre, qui lui a permis de survivre à tout cela, mais qui n'est pas adapté au nôtre, à celui de notre société.

– Pointure trente-six, se souvint Segnon. C'est bien son pied. Il chausse petit car il est minuscule. C'est pour ça qu'il parvient à… se mettre en elles.

– S'il est si petit que ça, il est très ingénieux pour parvenir à les maîtriser, commenta Ludivine.

– On en revient à ce paradoxe entre préparatifs et démence sanguinaire au moment du passage à l'acte. Il retrouve son sang-froid après le crime à une vitesse incroyable.

Un silence plombant tomba sur la pièce. Aucun ne parvenait à s'empêcher d'imaginer la Bête en train de se glisser de force dans l'abdomen ouvert de ses victimes. Une gymnastique abjecte, monstrueuse, vouée à l'échec, au cours de laquelle le costume de chair et de peau trop petit se déchirait de plus en plus.

Et toujours la même frustration chez le tueur. Une quête impossible.

Le besoin de recommencer. Encore et encore, dans l'espoir de parvenir un jour à *être* dans l'une de ces femmes. À l'abri. Caché du monde. En sécurité, protégé. Paré pour revenir au monde, lavé de ses traumas, de ses pulsions, un homme meilleur.

Segnon tendit la main vers les photos :

– Et il passe à l'acte en même temps que son petit camarade maintenant !

Alexis acquiesça.

– Ils se sont mis d'accord, je ne crois pas une seconde au hasard.

– C'est quoi ? Un moyen pour eux de nous narguer ?

– Le Fantôme a laissé une sorte de message à notre intention, confirma Ludivine, cette fois ils voulaient agir en même temps, il n'y a plus de compétition entre eux.

– Et le Fantôme s'en prend à toute une famille, fit Alexis. C'est son crime le plus parlant sur lui-même. Non seulement les deux tueurs se coordonnent, mais on touche de plus en plus à leur personnalité. À ce pourquoi ils sont ce qu'ils sont, à la raison de leur déviance.

– Tu crains une escalade ? devina Ludivine.

– Elle a déjà commencé.

Segnon fit claquer ses mains en se redressant.

– Et s'ils avaient tué en même temps ? Je veux dire : exactement en même temps ? Pour être parfaitement synchro !

– Ils se sont appelés, comprit Alexis. Bien vu ! On contacte tous les opérateurs téléphoniques. Je veux la liste de tous les numéros qui ont activé la borne près de la maison de Louveciennes la nuit dernière. On recherche un appel en direction de la Pologne, entrant ou sortant d'ailleurs.

Alexis fixa à nouveau les photos de la victime.

Il imagina un homme petit, maigre, animé par des pulsions de mort telles que l'adrénaline décuplait sa force. Il le vit se mettre nu, et s'enfoncer dans le torse béant de cette pauvre femme, les viscères répandus sur le côté. Il le vit se contorsionner pour que ses épaules rentrent, il entendit le bruit de toute la colonne vertébrale de la morte se détendant, les côtes craquer, puis se briser sous la pression de ce corps étranger essayant de rentrer.

Comment faisait-il pour ne laisser aucun poil, aucun cheveu à l'intérieur ? Les légistes ne pouvaient être passés à côté. Pas trois fois.

Et quel type de mâchoire avait-il pour frapper de la sorte ?

Tout ça n'était pas clair. Pas encore.

Les réponses tomberaient lorsqu'ils lui attacheraient les mains dans le dos.

Ils allaient l'arrêter.

Lui et le Fantôme. Ils n'avaient jamais été si proches de les identifier.

Ce n'était plus qu'une question de jours.

Peut-être d'heures.

17.

La cellule de Magali s'était jointe à celle d'Alexis pour refaire un point complet sur le dossier, pendant que Ludivine et Segnon réceptionnaient les listings qui arrivaient par dizaines depuis les opérateurs téléphoniques. Les deux gendarmes les intégraient dans le logiciel Analyst Notebook qui cherchait ensuite à faire des recoupements entre numéros. Des dizaines de milliers de numéros. La maison de Louveciennes était toute proche de la route nationale 186 et du triangle de Rocquencourt, point de jonction entre l'A13 et l'A12. Un des secteurs les plus passants de l'Ouest parisien. De nombreux relais couvraient toute la zone et beaucoup d'automobilistes avaient dû les activer en passant, ce qui ne simplifiait pas le travail de recoupement.

Les six gendarmes discutaient en relisant l'ensemble des données dans la même petite pièce où flottait une odeur de café. La nuit était tombée sur Paris et les lumières de la ville avaient succédé au soleil d'automne.

Ben, le quadra dégarni de l'équipe, finit par se lever pour aller s'étirer près de la fenêtre.

– Avec tous les services informatiques modernes, tu ne vas pas me dire qu'ils ne peuvent pas nous dégotter directement le numéro sortant ou entrant en Pologne quand même ! On est obligés de se taper tout ça à la main ?

– Une fois les listings convertis, corrigea Segnon, je n'ai plus qu'à faire une recherche par indicatif, c'est pas si fastidieux.

– Parle pour toi ! Pourquoi c'est toujours moi qui me tape Bouygues ?

Ben exhiba une liasse de feuilles. De tous les opérateurs téléphoniques, un seul n'expédiait pas ses fichiers sous format Excel, mais en PDF qu'il fallait donc convertir, avec les sauts de ligne qui ne manquaient pas d'apparaître et qui exigeaient une correction manuelle longue. Ludivine avait commencé par imprimer toutes les pages PDF arrivées de chez Bouygues Telecom pour les confier à Ben et Franck, le temps qu'elle et Segnon terminent l'enregistrement des autres opérateurs directement dans Analyst Notebook.

– Tous les numéros qui viennent avec le préfixe 0033, tu mets de côté, fit Franck machinalement, sans aucune humeur dans la voix. Et si tu en chopes un qui entre avec le préfixe 0048, tu as gagné la cagnotte. Allez, va fumer ta clope et reviens, plus nombreux on sera, plus vite on aura terminé.

– Deux heures que ça dure ces conneries, s'énerva Ben en sortant sa cigarette. Je remonte dans cinq minutes.

Magali souffla sur sa frange comme à son habitude, et se pencha vers Alexis :

– Le nom de la famille qui est morte, c'est bien Eymessice ?

– Oui.

– T'as le prénom du mari ?

– Jean-Philippe.

– Sûr ?

– Jean-Philippe, à cent pour cent, Mag. Pourquoi ?

– J'ai deux Eymessice à Louveciennes.

– Il y a les parents du père de famille. Aprikan était chez eux cet après-midi pour les informer du drame et pour leur poser quelques questions. Pourquoi tu me demandes ça ?

– Depuis tout à l'heure on se concentre sur des numéros de téléphone qui ne parlent à personne, du coup j'ai regardé sur les pages blanches le numéro des Eymessice chez eux.

Alexis se tapa le front du plat de la main.

– Mais qu'on est cons. On n'a même pas commencé par là !

Un large sourire illumina le visage de la brunette.

– Ils sont chez Orange. Je fais la demande, bouge pas.

Magali contacta le technicien d'astreinte chez l'opérateur et se fit expédier par email un relevé détaillé des appels depuis le poste fixe des Eymessice.

Il ne lui fallut pas deux minutes pour brandir la page imprimée :

– Stoppez les machines ! triompha-t-elle. Je l'ai ! Un appel à 1 h 29, cette nuit, avec l'indicatif 0048. Cet enfoiré a appelé de chez eux !

Alexis, trop impatient, lui arracha la page des mains.

– C'est un portable français qu'il a joint là-bas ?

– Négatif. Ça ressemble plus à un numéro local.

– J'appelle le juge pour qu'il nous délivre une commission rogatoire internationale en urgence. Il faut que les Polonais nous disent à quoi correspond le numéro ! Et surtout qu'ils ne bougent pas tant qu'on ne sera pas sûrs que c'est la Bête.

– Et si on l'arrête trop tôt, que le Fantôme l'apprend et en profite pour mettre les voiles, on aura l'air con ! fit Ludivine.

Alexis sauta sur son portable.

– Bon boulot, Mag. Maintenant c'est au juge de faire vite.

– Et en attendant ? demanda Segnon. On ne va pas rester là à se tourner les pouces !

– On se focalise sur le Fantôme. Prenons tout ce que nous avons sur le massacre de Louveciennes, on décortique, on analyse. Je veux tout savoir.

– Sans les rapports d'autopsie, ni ceux des TIC, on ne va pas aller loin, grommela Franck.

Ludivine regarda sa montre.

– Il est presque 20 heures, Alex.

Le jeune gendarme capitula.

– OK. Rentrez chez vous. Je gère avec le juge. Réunion avec tout le monde demain en fin de matinée.

Tous se levèrent pour s'habiller et sortir.

Sauf Ludivine qui demeura sur le seuil.

– Tu vas passer ta nuit ici ? demanda-t-elle.

– Pourquoi, tu te soucies de savoir où je dors maintenant ?

– Je me soucie de ta santé. Tu devrais décrocher. Faire un break pour la soirée, ça te ferait du bien, tu aurais les idées plus claires demain.

Alexis acquiesça.

– T'as raison.

Ludivine le fixa quelques secondes. Pas convaincue. Sa paume tapa le chambranle de la porte.

– C'est ta vie, fais comme tu veux.

Il la regarda s'éloigner. Il aimait bien quand elle le maternait. Ça titillait son ego et le réconfortait.

Il contacta le juge d'instruction pour obtenir en urgence sa commission rogatoire internationale et avait à peine raccroché que son portable sonna.

– Timée ? C'est vous qui dirigez la cellule Hommult, n'est-ce pas ?

Alexis mit trois secondes avant de reconnaître la voix chaleureuse de Philippe Nicolas.

– Oui, pourquoi ?

Le cocrim émit un rire sec dans le combiné.

– Vous venez de gagner une nuit avec les morts, mon petit.

– Pourquoi ?

– Parce que vous venez me remplacer.

– Vous êtes où ?

– À l'institut médico-légal de Garches.

– À cette heure-ci ?

– Les corps sont arrivés en fin de journée. J'ai demandé à ce qu'on les autopsie en priorité et un des médecins sur place a accepté de s'en occuper ce soir. Il faut quelqu'un de chez vous pour procéder aux constatations et poser les scellés sur les prélèvements, moi je ne peux pas rester.

– J'arrive.

– Autre chose : il y a le chauve au drôle de regard qui est là aussi, il insiste pour assister aux autopsies. J'en fais quoi ?

– Mikelis. Je m'en occupe.

– Il est plutôt flippant, votre ami.

– Laissez-le entrer, je me mets en route tout de suite.

– Quand il s'agit de morts, Timée, je sais que vous ne refusez jamais, c'est ce qu'on m'a dit de vous. Vous êtes malade, mon garçon. Malade. Vous êtes fait pour vous entendre avec le chauve, on dirait. Dépêchez-vous de rappliquer, ils ne pourront pas ouvrir les corps tant que vous ne serez pas là. Et on ne fait pas attendre toute une famille quand elle est morte.

Le cocrim n'avait pas terminé sa phrase qu'Alexis était déjà dehors.

18.

L'hôpital Raymond-Poincaré de Garches avait quelque chose d'angoissant en plein jour, avec ses deux immenses bâtiments blancs symétriques reliés par une passerelle aux larges fenêtres, mais de nuit les hautes baies illuminées de l'intérieur ressemblaient à des dizaines d'yeux braqués sur le visiteur, tels ceux d'un insecte géant guettant sa proie.

Alexis mit plus de dix minutes à trouver son chemin, passant de couloirs déserts en escaliers mal éclairés, exhibant sa carte de la gendarmerie à chaque permanence pour, enfin, parvenir à une petite pièce en sous-sol, où patientait Mikelis, une pile de dossiers sur les genoux.

– Désolé, je me suis un peu perdu, s'excusa-t-il.

– Vous ne connaissez pas le truc ? s'étonna le criminologue en le traversant de son regard blanc.

– Quel truc ?

– Quand vous cherchez une morgue dans un hôpital, demandez les cuisines, elles sont toujours à côté.

– C'est vrai ça ?

– Vous verrez.

– C'est bizarre, non ?

– Peut-être que dans l'inconscient des architectes, tout ça ce n'est que de la viande ! ironisa Mikelis. À moins que ça ne soit pour faciliter la construction, quand on fabrique une chambre froide pour la nourriture on peut bien en rajouter une de l'autre côté du mur pour les macchabées. Vous êtes prêt ?

– Je vous suis.

Mikelis entraîna le gendarme vers la salle attenante comme s'il était l'officier en charge de l'affaire, et ils entrèrent dans une longue pièce fraîche avec plusieurs tables d'autopsie en inox. Trois étaient occupées par des corps sur lesquels étaient disposés des draps blancs aux initiales de l'hôpital, sauf le dernier, celui d'Émilie Eymessice, la mère de famille, qui était entièrement nue sous la lumière puissante des scialytiques.

Un homme arborant une moustache noire et des lunettes à grosse monture s'approcha, blouse et bonnet chirurgical sur la tête.

– Docteur Levy. On n'attendait plus que vous pour commencer. Il y a des masques là-bas, et du baume mentholé.

Alexis ne se fit pas prier et se couvrit abondamment la lèvre supérieure de crème pour s'asphyxier les narines. Il n'avait pas l'intention de sentir l'odeur de la mort toute la nuit. Constatant que Mikelis n'en mettait pas, il reposa le pot.

– Vous êtes vacciné ?

– Non, ça pue tout autant pour moi que pour vous, mais l'odeur est un indice en soi.

Alexis n'était pas particulièrement coutumier des autopsies. Il n'avait jamais aimé ça. Trop méthodique pour lui. Cette façon de découper lentement et vider un être humain en scrutant chaque détail de son anatomie le mettait mal à l'aise.

La femme qu'il avait « rencontrée » le midi même gisait là, sans plus aucune pudeur, sans plus aucune vie. C'était déjà impressionnant en soi. Elle avait la peau anormalement rouge vermillon à cause de tout le sang qui avait teinté l'avant du corps après sa mort. Seuls ses tétons avaient conservé leur couleur rose clair. Il y avait aussi des marques blanches partout où le corps avait été en appui sur le matelas. Elle ressemblait à un dalmatien inversé, sombre avec ses pois pâles.

Alexis nota le pubis finement épilé, sans savoir pourquoi son regard s'était promené là, il préféra éluder la question. Et puis il y avait ce sourire terrifiant qui lui ouvrait la gorge d'une oreille à l'autre, et qui attirait tant l'œil que son visage ne semblait plus avoir d'importance. Pourtant elle avait été belle. Une femme qui prenait soin d'elle, sportive, ventre plat, triceps dessinés. Elle était châtain clair, les cheveux mi-longs.

Alexis réalisa alors qu'il la voyait de face pour la première fois.

Paupières closes, lèvres fermées.

Ses mains étaient emballées dans des sacs en papier, scotchés au niveau des poignets pour ne pas risquer de perdre ce qu'elle avait sous les ongles. Il repensa aussitôt aux liens sur le cadre du lit et détailla ses chevilles dont l'une était particulièrement entaillée. Dans un geste désespéré, elle avait commencé à se mutiler en espérant se libérer.

Le légiste tira sur le fil du micro qui pendait du plafond et appuya sur la pédale qui commandait l'enregistrement :

– Nous sommes le lundi 8 octobre, il est (il fit un mouvement large du bras pour dégager sa montre) 21 h 37, et nous allons procéder à l'autopsie de (coup d'œil sur la fiche rivée à une tablette plastique sur un chariot en inox) Mme Émilie Eymessice, quarante-quatre ans, retrouvée morte à son domicile ce matin. D'après les premières constatations sur place, le décès serait survenu entre minuit et 2, peut-être 3 heures.

Il attrapa alors un flacon et un long coton-tige qu'il enfonça dans l'anus du cadavre en passant son bras entre les cuisses, puis il le tourna avant de le ressortir pour le conserver dans le flacon refermé.

– Eh bien ? Vous n'avez jamais assisté à une autopsie ? s'étonna le médecin devant le regard incrédule d'Alexis.

– Si, justement. Jamais vu ça.

– Je travaille à l'ancienne, moi. Je déteste ces sondes qu'on enfonce dans le foie pour prendre la température, c'est traumatique, ça peut compliquer les choses ensuite quand on ouvre. Moi je passe par les voies naturelles, d'où le prélèvement, au cas où il y aurait eu violences sexuelles anales, mieux vaut effectuer le prélèvement maintenant.

Sur quoi il enfonça cette fois un thermomètre dans l'anus.

– La température sur la scène de crime était normale ? Inférieure à 23 °C ?

– Oui, confirma Alexis.

– La victime était nue, c'est bien ça ?

– Exactement.

– Et allongée droite, pas en chien de fusil ? Parce que le chien de fusil conserve bien la chaleur et ça fausse les données si on n'en tient pas compte pour appliquer des correctifs.

– Elle était couchée sur le ventre, presque toute droite.

– Oui, ça correspond aux lividités cadavériques.

Une fois le cœur arrêté, tout le sang avait coulé sous l'effet de la gravitation vers le bas du corps allongé, remplissant le visage, la poitrine, les hanches et la partie avant des jambes. Les appuis du corps sur le matelas avaient empêché les vaisseaux de se remplir correctement partout où de la matière appuyait sur la chair, et toutes ces zones étaient à présent blanches, entourées de flaques violettes, ce qui donnait cet étrange air de dalmatien inversé. C'étaient les lividités cadavériques qui avaient pour principe de se fixer rapidement. Lorsqu'un corps était retrouvé dans une position ne correspondant pas à ces marques, il devenait évident qu'il avait été déplacé après la mort.

De sa main libre, le légiste attrapa une feuille de papier et Alexis reconnut les abaques de Henssge, ces étranges courbes qui permettaient d'opérer un rapide calcul pour déterminer l'heure de la mort. Lorsqu'il fut prêt, le docteur Levy reporta la température anale sur l'échelle de droite. Ensuite il appliqua quelques correctifs mineurs et traça une droite vers la température de la pièce. Alexis le vit tirer deux autres traits et hocher la tête.

– Morte il y a une vingtaine d'heures, ça correspond, de plus la rigidité cadavérique est à son maximum je pense.

Le légiste fit le tour du corps, pour estimer l'état général, puis il attrapa une paire de gants en latex.

– À l'ancienne, confirma Mikelis tout bas.

– Comment ça ? fit Alexis qui ne suivait pas.

– Pas de sous-gants anticoupures.

– Non, confirma Levy. Je trouve qu'on ne sent plus rien à la palpation avec ces trucs.

– Vous ne vous coupez jamais ? demanda le gendarme.

– Je vais user entre trois et quatre scalpels pendant l'autopsie, alors vous imaginez bien que j'en découpe des tissus ! Donc si, ça arrive. Une à deux fois par an je me coupe. Ça fait partie du métier. Mais comme ça, au moins, je sens où je mets les mains, comment sont les organes, et ça glisse moins qu'avec ces gants en maille.

Alexis échangea un regard étonné avec Mikelis qui, lui, resta de marbre.

Levy commença par passer un peigne dans les cheveux de la morte et récolta tout ce qu'il put dans un récipient en plastique qu'il disposa sur une paillasse non loin. Puis il découpa méticuleusement les sacs de papier qui entouraient les mains et entreprit de gratter sous les ongles pour faire tomber les particules dans un autre récipient.

Le légiste prit une main et l'examina. Seuls les poignets étaient meurtris et tachés de sang séché, et quelques-uns des ongles étaient cassés.

– Pas de sang sur les mains, commenta Alexis. Pourtant, elle n'avait plus ses liens quand il l'a égorgée.

– Si, il y en a un peu là, dit le médecin en montrant l'index droit de la victime.

– Ce n'est rien ça, elle devrait en avoir les mains recouvertes, pour se protéger le cou, pour retenir les flots...

– Il l'a tasée quand il a eu besoin de la tuer, déduisit Mikelis. Pour l'immobiliser. C'est ce qui explique qu'elle n'a pas pu se défendre, ni même porter ses mains à sa gorge.

Il parlait de sa voix grave, son regard si clair qu'il semblait ailleurs, des yeux d'un autre monde, qui auscultaient les morts, le passé, la violence. Richard Mikelis était dans cette pièce, à écouter les considérations médicales, mais son esprit était dans la villa de Louveciennes, la nuit précédente, à reconstituer point par point les meurtres.

Levy remontait les bras de la morte, pointant plusieurs ecchymoses qu'il détailla dans son micro avant d'aller écarter les cuisses de la victime pour inspecter ses parties génitales.

– A priori, pas de signe extérieur de violence sexuelle, on vérifiera ça tout à l'heure en disséquant le vagin. Aidez-moi à la retourner.

Les trois hommes empoignèrent la femme et la firent basculer sur le flanc, pour examiner son dos. Alexis l'avait déjà constaté sur des scènes de crime : le poids des cadavres était improbable. Comme si chaque kilo mort pesait le double du vivant.

De là où il se tenait, il n'eut qu'à pencher la tête pour distinguer l'étrange symbole entre les omoplates.

– Ça a été fait avec une lame fine, blessure très certainement post-mortem, pas d'effusion de sang, ni même de coulure, commenta le médecin.

Puis il détailla les marques de coupures près des vertèbres, fit des clichés, et ils remirent Mme Eymessice sur le dos.

– On dirait qu'il lui a planté des petits hameçons sur la surface de l'épiderme, résuma le légiste, à plusieurs reprises, avec début de brûlures.

– Marques de Taser ? demanda Alexis.

– Très probable.

Levy attrapa un scalpel et sans autre forme de recueillement ni la moindre hésitation en planta la lame dans la cuisse froide pour remonter en tirant sur le manche en acier. Une fine rigole pourpre s'ouvrit, avant que les doigts du légiste ne s'enfoncent à l'intérieur pour tirer sur les deux bords afin de transformer le sillon en une fente béante. Toute la chair de la cuisse était visible sous les scialytiques. D'abord une minuscule pellicule jaune, puis la pulpe aux tons plus ou moins rosés, voire rouge sombre.

– Pas de lésions internes au niveau des jambes, commenta le médecin dans son micro.

Il répéta l'opération au niveau des bras, puis débuta l'incision du torse en démarrant juste sous le menton, jusqu'au pubis.

Aucune goutte de sang ne coula, il n'y avait rien que la chair dans laquelle le légiste multiplia les coups de scalpel pour se frayer un chemin à travers les premières couches de peau.

Mikelis et Alexis assistèrent pendant plus d'une heure et demie à l'éventration progressive du corps, organe par organe, chacun passant à la découpe pour prélèvement. Le légiste vida le sang à la louche, raclant le fond de la cavité abdominale, avant de s'attaquer à la tête d'Émilie Eymessice qu'il ouvrit comme une tomate farcie, pour en ausculter la masse grise dans ses moindres détails. La morte avait le cuir chevelu rabattu à l'envers sur le visage, les cheveux lui masquant les traits comme s'il ne fallait pas la reconnaître pendant cette phase délicate où son cerveau qui avait contenu ses pensées, ses fantasmes, sa mémoire était découpé en fines lamelles.

Alexis commençait à avoir froid.

Le légiste n'avait rien trouvé de plus. On l'avait tasée, probablement au rez-de-chaussée où elle s'était débattue, avant de la tirer jusqu'à l'étage – où elle s'était arraché plusieurs ongles dans les marches – et de l'attacher au lit avec les Serflex. Là, le Fantôme avait dû partir vers la chambre de l'adolescente pour y accomplir sa sale besogne. Les hurlements de la fille avaient sorti la mère de sa léthargie, au prix de quelques millimètres de peau et de chair, elle avait dégagé ses mains de leurs entraves, avant que le tueur revienne, la tase à nouveau, pour pouvoir l'égorger en paix.

Enfin, il lui avait gravé leur signe de ralliement dans le dos, avait pris une photo, et s'était enfui en prenant soin de tout refermer derrière lui.

– Vous avez remarqué comme il n'a pas *signé* son véritable crime ? interpella Mikelis.

– Il grave le signe sur la mère et pas sur la fille ? fit Alexis.

– Exactement. C'est la fille qui l'intéresse, c'est sur elle qu'il se libère, qu'il jouit, c'est elle qu'il massacre selon ses fantasmes et pourtant, c'est sur la mère qu'il signe.

– Parce que la fille n'est pas digne de recevoir le symbole ?

– Je crois au contraire que c'est par pudeur. Il n'a pas envie de tout mélanger. La fille c'est à lui, c'est son jardin secret. Mais il doit tout de même s'affranchir de sa contrainte. Il doit graver le signe. Alors, il le fait sur un corps qui ne l'implique pas autant, qui ne montre pas ce qu'il est à l'intérieur. Il signe parce qu'il doit le faire, pas parce qu'il le veut.

– Il est... obligé ?

– Quelque chose dans ce genre, oui.

– Comment peut-on soumettre un tueur en série ?

Mikelis leva l'index devant lui.

– Trouvez cette réponse et vous trouverez qui ! Je suis certain qu'il ne le fait pas par conviction profonde, mais parce qu'il le doit. Et après ce triple homicide, il y a fort à parier qu'il aura pris goût à cette distinction : un double meurtre au moins, l'un pour pouvoir se libérer de ses pulsions, l'autre pour s'affranchir de son devoir. On les oblige à tuer, Alexis. Quelqu'un, quelque part, a trouvé un moyen de recruter des tueurs en série et de les soumettre à sa volonté.

– C'est aberrant.

Les prunelles glaciales du criminologue se plantèrent dans celles du jeune gendarme et une décharge le fit frissonner.

– C'est plus que ça, c'est théoriquement impossible. On ne peut façonner ou imposer un fantasme profond à autrui pour qu'il se l'approprie. Je pensais au départ que le Fantôme, à cause de sa maîtrise, était le moteur du duo, que c'était lui qui avait l'ascendant, qui organisait toute cette mise en scène, mais preuve en est qu'il est lui-même soumis à une volonté extérieure.

– Alors ce serait la Bête qui commande leur petit manège ?

– Non, il est trop impulsif. Ce n'est pas le genre.

– Un... troisième ? Le pédophile ?

– Les pédophiles ont rarement le profil de leaders, ce sont des complexés, des solitaires, vivant dans leur coin, loin des autres, loin des rassemblements. Il peut y avoir des exceptions, mais si c'était le cas, je crois qu'il aurait inondé le Web avec ses photos, pour qu'on sente sa présence, son pouvoir, sa mainmise sur le système. Or là, vos services n'ont trouvé que quelques clichés, très peu en somme. Comme si lui aussi agissait par devoir, pas par envie. Non, je crois qu'il y a un quatrième personnage dans la boucle. Le maître des marionnettes, celui qui tire les ficelles dans l'ombre. C'est pour lui qu'ils se rassemblent. C'est lui qui cherche l'union primitive autour de son ego, c'est lui qui les a réunis pour mettre leurs fantasmes morbides derrière le nom d'une cause commune. C'est lui qui recrute, qui les forme pour être si prudents.

Alexis regardait le corps d'Émilie Eymessice éclos devant lui telle une fleur abominable. Malgré tout le baume mentholé sous ses narines, il pouvait sentir le parfum rance de la mort, le début de la putréfaction.

Elle n'avait plus rien d'humain. Il n'y avait guère que ses jambes aux cuisses tranchées et ses bras ouverts pour lui donner une vague apparence humanoïde. Sa tête avait disparu sous son cuir chevelu récliné, le sommet de la boîte crânienne manquait, son abdomen était fendu, sa peau comme deux rabats béants dévoilait l'intérieur d'un sac humain vide et brillant dont la structure n'était plus faite que d'os, côtes, vertèbres, et tissus pourpres.

Il y avait en liberté des hommes qui prenaient plaisir à contempler ce spectacle, ce champ de terreur moissonné par leurs fantasmes les plus déments.

Le monde ne pouvait être un lieu noble tant qu'il abriterait pareilles créatures, songea Alexis.

Sur quoi le légiste claqua dans ses mains :

– Ne nous endormons pas, messieurs, il en reste deux, dont celle qui est dans le plus mauvais état.

19.

Il était très tôt ce matin-là, ou très tard, selon qu'on était debout depuis peu ou pas encore couché.

Alexis entra dans le bureau en se massant les tempes. Il était fatigué. Comme toujours. Des nuits interminables.

La pièce sentait le café et Alexis nota aussitôt qu'il y faisait très frais. Son drapeau des Giants pendait, décroché d'un côté, flottant dans le courant d'air. La fenêtre était entrouverte.

Ludivine était assise derrière son bureau.

Alexis se figea. Il vit immédiatement le sourire obscène qui lui déformait la gorge.

Une bouche terrifiante, énorme, aux lèvres maculées de carmin vif. Une bouche qui avait vomi des litres de sang sur le chemisier de la gendarme.

Ses grands yeux bleus étaient ouverts sur le néant. Ils fixaient un point disparu, visible seulement des morts.

Alexis se précipita sur elle et tous ses muscles se contractèrent en même temps dans un élan de panique.

Il voulut hurler mais aucun son ne sortit de sa bouche. Il l'attrapa et la colla contre lui. Ludivine était bouillante.

Plus chaude que la vie.

Alors il se jeta sur le téléphone pour appeler des secours. Aucune tonalité. Sans bien savoir pourquoi, il fonça à la fenêtre qu'il ouvrit en grand pour crier dans la cour et à nouveau aucun son ne sortit de sa gorge.

La rue était calme. Sans le moindre son. Il n'y avait plus aucune lumière allumée dans les tours au loin.

La ville tout entière était figée.

Une main se posa sur l'épaule du gendarme, qui sursauta.

Ludivine se tenait face à lui, debout. Le sang coulait encore par l'orifice atroce qui lui ouvrait le cou en deux.

– Arrête-les, dit-elle d'une voix poisseuse, noyée par le liquide. Arrête-les avant qu'ils nous tuent tous.

Il avait envie de hurler, mais il en était incapable.

Ludivine le serra de ses mains avec une force prodigieuse, et elle l'embrassa. Du sang se mit à couler dans sa bouche, et Alexis essaya de se débattre, mais la jeune femme avait une force exceptionnelle.

Sa langue se fraya un passage et se mit à grossir, encore et encore, jusqu'à remplir toute la bouche d'Alexis, jusqu'à l'étouffer.

Il essaya de la repousser, en vain.

Elle le pénétrait, totalement, elle l'envahissait.

Elle allait le tuer. Le faire imploser.

Alexis ouvrit les paupières d'un coup, le souffle court, le front moite.

Il était presque 9 heures.

Il reposa sa tête sur l'oreiller un bref instant. Épuisé.

Les cauchemars se répétaient inlassablement, nuit après nuit.

D'habitude le jeune gendarme se mettait devant sa console de jeux pour s'abrutir, pour jouer jusqu'à l'épuisement, jusqu'à s'effondrer sur son canapé pour ne pas avoir à affronter le vide de son lit, le vide de sa vie, au moment d'éteindre la lampe de chevet et de se plonger dans les ténèbres, face à lui-même, pour tenter de dormir. Mais cette nuit, il était rentré à 4 heures, après avoir assisté au découpage méticuleux de trois personnes. Il s'était étendu sur son matelas sans même se déshabiller complètement.

Une douche. Il avait besoin d'une douche. Et de vitamines. Pour tenir le coup. Pour rester lucide.

Soudain il eut envie de se faire une promesse. Une fois que tout ça serait terminé, il prendrait quinze jours de vacances et il partirait. Sur une île paradisiaque, quelque part dans l'océan Indien, pour oublier, pour se ressourcer. Pour tenter de trouver le sommeil. Il partirait avec une fille. Peu importe laquelle pour peu qu'elle soit jolie. Pour la sauter. Pour ne pas être seul le soir au moment d'éteindre la lumière.

Il sortait à peine de sa salle de bain lorsque son portable sonna.

– Alex, tu es où ?

La voix de Ludivine. Pendant un court instant, l'entendre lui fit du bien. Son cauchemar lui avait laissé une drôle d'impression.

– J'arrive, j'ai un peu tardé hier soir avec Mikel…

– On file dans l'Oise.

– Qu'est-ce qu'il y a ?

– Ils ont recommencé.

Le cœur d'Alexis s'arrêta un bref instant. Le monde demeura suspendu le temps que l'information accède à son cerveau, alors que le gendarme refusait de l'accepter.

– Ça va trop vite, dit-il. D'habitude on passe des jours ou des semaines à éplucher les rapports, à rassembler les pistes. Normalement on a le temps de remonter jusqu'à eux. Ils vont beaucoup trop vite, ils nous dépassent.

– Je sais. On ignore s'il y a des victimes, pour l'heure les gendarmes sur place n'ont trouvé que le dessin.

– Le **e* ?

– Oui, avec des bougies. Une sorte de… rituel ou je ne sais quoi. On file sur place avec Segnon, tu peux venir ?

– Je suis là dans cinq minutes, attendez-moi. Et Mikelis ?

– Segnon vient d'appeler à son hôtel, il est en route.

Ludivine conduisait. Presque une heure de route depuis Paris. Ils venaient de monter une petite côte et approchaient de Chantilly lorsqu'un panneau leur indiqua qu'il fallait bifurquer sur la droite, sur un chemin qui filait en pleine forêt. Ils roulèrent encore près d'un kilomètre sur une petite route ombragée, s'enfonçant de plus en plus profondément dans la végétation.

– Vous êtes sûrs que c'est un hôpital ? s'étonna Alexis. Isolé au milieu de la nature ?

– Affirmatif, répliqua Segnon. Le Bois-Larris, un centre de médecine et réadaptation pour enfants, géré par la Croix-Rouge.

– Pour enfants ? Ici ? Ils doivent être contents les gosses !

La voiture ralentit en approchant d'un domaine protégé par un haut mur de pierre. Derrière le portail en acier s'étendaient plusieurs bâtiments anciens de briques rouges aux toits escarpés et aux fines fenêtres noires. Une architecture de manoir anglo-normand, avec des dépendances, nombreuses, et la bâtisse principale qui surplombait l'ensemble, un peu plus loin.

– Continue, dit Segnon à Ludivine, il y a un accès direct un peu plus loin d'après ce qu'on m'a dit.

À quelques centaines de mètres, la route se terminait par un petit parking de terre séchée, face à un complexe plus moderne qui avait été rattaché au manoir au fil du temps. On devinait aisément deux ajouts, l'un relativement récent avec ses façades de tôle et de verre qui tranchaient sur le corps principal, l'autre vieux de plusieurs décennies.

Alexis n'aima pas cet endroit. Il n'avait jamais apprécié les hôpitaux, mais celui-ci, perdu dans la forêt, avec sa propriété ancienne, effrayante comme une maison hantée, ne lui inspirait rien de positif.

Un Trafic de la gendarmerie attendait devant la passerelle qui conduisait à l'entrée.

Des croassements de corbeaux accueillirent les trois enquêteurs dès qu'ils claquèrent leurs portières. Alexis en repéra deux, sur des branches au-dessus d'eux, gros comme des poules. Ils agitaient leurs petites têtes par saccades, pour mieux étudier le paysage.

Pour mieux chercher de la nourriture, oui ! Une charogne. Un cadavre.

Alexis inspira à pleins poumons pour se sortir ces idées noires de l'esprit.

Deux gendarmes de la brigade de Chantilly les saluèrent.

– La dégradation nous a été signalée ce matin vers 7 h 50, expliqua le premier. Nous nous sommes rendus sur place pour constater les dégâts et dresser un PV, et mon collègue a tout de suite reconnu le motif que vous recherchiez.

L'autre militaire, un petit homme roux, baissa la tête timidement.

– C'est à l'extérieur ? demanda Alexis.

– Oui, dans le parc, vous allez voir.

– Vous avez fouillé les environs ? s'enquit Ludivine.

– Oui, comme vous nous l'avez demandé par téléphone, nous avons aussitôt sondé tout le périmètre, il n'y a rien de particulier.

– Et dans les locaux ? demanda Alexis.

– Le personnel médical n'a rien remarqué.

Une voiture ralentit dans leur dos en approchant, et Richard Mikelis sortit de son véhicule de location pour suivre le petit attroupement sans dire un mot. Une jeune femme en blouse blanche vint les accueillir et les fit entrer, un peu mal à l'aise.

Ils traversèrent la partie moderne de l'hôpital, étrangement calme, avant de longer plusieurs salles de classe où les élèves écoutaient attentivement leurs professeurs.

– Vous traitez exclusivement des enfants ? demanda Alexis à l'infirmière.

– Oui. De trois à seize ans.

– Qu'est-ce qu'ils ont ?

– Nous sommes spécialisés dans le traitement des paralysies ou lésions cérébrales, les troubles orthopédiques et la rééducation des problèmes des fonctions cognitives.

– Et ils dorment là ?

– Nous sommes équipés pour.

– Combien en avez-vous ?

– Presque une centaine. Nous sommes quasiment à notre capacité maximale.

– Nous aurons besoin de la liste complète de vos patients, intervint Mikelis.

– Ah. Ce n'est pas protégé par le secret médical ?

– Nous ne voulons pas savoir pourquoi ils sont là, c'est différent.

Le ton de sa voix était impératif, et l'infirmière n'osa pas le contredire.

– Ainsi que les noms de tout le personnel qui travaille ici.

Elle hocha la tête comme une enfant obéissante devant son maître d'école.

Après être descendus de plusieurs étages, ils sortirent au grand air dans un parc et longèrent le manoir principal avant que l'infirmière se fige devant la porte d'entrée.

– Voilà.

De part et d'autre de la porte en bois, le même dessin recouvrait la pierre : **e*.

Un tracé assez net, d'environ cinquante centimètres de diamètre.

Rouge. Un rouge sombre qui avait peu coulé.

– Appelez les gars de l'identification criminelle, commanda Alexis dès qu'il vit les motifs.

– Tu crois que c'est du sang ? fit Ludivine.

– Et il aurait raison, rétorqua Mikelis aussitôt en désignant les deux grosses mouches qui s'affolaient en butinant le liquide. Un sang peu oxygéné. Peut-être assez vieux. Pourquoi pas celui de la fille de Louveciennes ?

– On va demander une comparaison ADN, approuva Alexis.

– Vous croyez vraiment que c'est du… sang ? demanda l'infirmière d'un air angoissé.

– À quelle heure vous avez découvert ces signes ? répondit Alexis.

– Euh… vers sept heures et quart. Nous étions pas mal occupés, alors il a fallu un peu de temps avant que nous prévenions les gendarmes. Et puis… c'est une dégradation mais ce n'est pas non plus comme si on avait cassé une fenêtre. C'est parce qu'une des professeurs a reconnu le même dessin que celui du fou qui avait poussé ces gens sous un train l'autre jour qu'on a appelé.

– Il n'y avait rien hier, vous êtes sûre ?

– Certaine. Nous passons souvent par ici. Il n'y avait rien en fin de journée. Ensuite les grilles sont fermées, et les enfants sont couchés, ça ne peut venir que de l'extérieur. Quelqu'un qui est passé par-dessus le mur.

– Des caméras de surveillance quelque part ? questionna Segnon.

– Non.

– Personne n'a rien vu de particulier ? intervint Ludivine.

L'infirmière, sollicitée de tous les côtés, répondit d'un signe de tête par la négative.

Ludivine la prit par le bras, avec un sourire amical qui se voulait le plus rassurant possible.

– Venez, nous allons voir ensemble comment récupérer les listes de noms que nous vous avons demandées.

Elle adressa un clin d'œil à Alexis.

Les hommes étaient seuls pour discuter.

Alexis fit un tour sur lui-même. L'accès au parc était aisé pour n'importe qui d'un peu déterminé.

– S'il n'y a pas de cadavre, alors pourquoi ils nous préviennent ? s'interrogea-t-il à voix haute.

– Ils marquent ce lieu, proposa Segnon.

– Dans quel but ? Faire leur marché ? Se prévenir entre eux ?

– Ce ne serait pas un signe si évident si c'était le cas, opposa Mikelis. Au contraire, ils voulaient qu'on le trouve. Une revendication ? Un marquage de territoire ? Une fausse piste pour nous éloigner de la vérité ? Peut-être que l'un d'entre eux est passé par cet endroit quand il était môme.

– Ils ne sont pas idiots, jamais ils ne s'amuseraient à nous signaler que c'est un endroit important à leurs yeux ! fit Alexis.

– Pourquoi pas ? insista le criminologue. Les tueurs aiment parfois qu'on sache d'où ils viennent, ce qu'ils ont traversé. Ils aiment tuer dans des endroits qui leur évoquent quelque chose, même si cela doit donner des indications sur leur personnalité. Un bon nombre d'entre eux aiment communiquer. C'est ce qu'a fait le Fantôme à Louveciennes, je vous rappelle.

– Ce serait trop facile s'il était passé par cet établissement, soupira Segnon.

– Il doit y avoir des milliers d'enfants dans les archives. Des milliers. Combien de chances de trouver le bon ?

– En affinant grâce au profil psychologique que vous avez dressé. On ne sélectionne que ceux qui ont aujourd'hui entre vingt-cinq et quarante ans pour être un peu plus large, et on vérifie s'ils ont des casiers judiciaires ! Ce serait déjà un bon début. Mais je ne crois pas que ça puisse être aussi aisé. Le Fantôme est un type malin. Il ne prendrait pas ce risque.

Mikelis fixait les deux dessins peints en rouge.

– Encore une fois, ne sous-estimez pas le pouvoir de la violence. Elle vous fait parfois commettre des actes insensés. Tout comme les fantasmes. Ils obéissent à des lois profondes, qui défient la logique, le bon sens. Cet endroit doit avoir une signification pour qu'ils viennent ainsi le marquer comme un territoire. Rappelez-vous le sens de ces signes. Ils veulent unir. Ils cherchent à rassembler.

– Alors quelqu'un dans le personnel pourrait les intéresser ? proposa Alexis.

– Peut-être. Mais ça manque de discrétion, ça serait surprenant. À l'heure qu'il est, et surtout après le coup d'éclat de Joseph Selima, ils se doutent que tout le monde connaît ce symbole. Cela ressemble plus à de la provocation. Et comme ils ne font rien au hasard, ils n'ont pas choisi ce lieu sans raison.

Mikelis se tourna alors vers les deux gendarmes locaux. Ils n'avaient pas perdu une miette de la conversation, les yeux grands ouverts.

– Cet endroit a toujours servi d'hôpital pour enfants ? Ça n'a jamais été une unité psychiatrique par hasard ?

– Je n'en sais rien, répondit le premier. Il faudrait deman…

Le roux l'interrompit :

– C'est sa fonction depuis les années 50. Avant ça il est resté inoccupé pendant près de dix ans.

– Tant que ça ? Un si bel endroit ? Et vous savez pourquoi ?

Le gendarme prit une profonde inspiration.

– À cause de ce qui s'y était passé.

Mikelis et Alexis se regardèrent, intrigués.

– C'est-à-dire ? insista le criminologue.

– C'est une partie de l'Histoire que les gens du coin n'évoqueront pas aisément. Tout le monde préfère l'oublier. La plupart des documents ont été détruits, comme partout où ça s'est produit, et les langues des anciens ne se délient pas facilement à ce sujet. Même sur Internet on en parle assez peu.

– Quoi donc ? voulut savoir Alexis.

– Pendant la guerre, des *Lebensborn* avaient été installés un peu partout en Europe, et il y en avait un seul dans toute la France. Vous êtes juste devant.

Mikelis recula d'un pas et leva les yeux vers le manoir. Son visage devint encore plus sombre qu'à l'accoutumée.

– C'est quoi un *Lebensborn* ? demanda Alexis.

Mikelis serra les dents avant de répondre, creusant ses joues :

– Le lieu de toutes les pires fornications et expériences, dit-il tout bas. C'était encore une rumeur jusque dans les années 70. Personne ne voulait croire que les *Lebensborn* avaient été réels. Voilà qui vient donner une tout autre dimension à l'acte de nos chers tueurs.

– Je ne comprends pas, qui faisait ça ?

– Les nazis, mon cher. C'était un établissement pour propager la race aryenne.

20.

Mikelis, Alexis, Ludivine et Segnon passèrent un moment autour d'un café chaud dans un pub, à parler de ce qu'avaient été les *Lebensborn* allemands. Des établissements où devait se reproduire la race aryenne, pour lui assurer de pouvoir dominer le monde pendant mille ans. Les soldats les plus méritants venaient y féconder des femmes des pays occupés, sélectionnées sur des critères précis, jugées idéales et pures. Elles servaient alors de mères porteuses, et les enfants étaient élevés dans le giron des SS, pour en faire de parfaites petites recrues.

Mais on prétendait également que des expériences bien plus sinistres avaient été tentées dans ces établissements médicalisés. Des tentatives, des essais. Des folies. Sur des jumeaux. Sur des triplés. Sur des animaux avec des humains. Des greffes contre-nature. Des amputations morbides. Des accouplements abjects.

Les femmes qui étaient entrées dans ces *Lebensborn* l'avaient rarement fait de leur plein gré. Beaucoup d'entre elles n'en étaient jamais ressorties, ou en tout cas pas indemnes.

Les nazis eux-mêmes avaient détruit la plupart des comptes rendus de leurs funestes expérimentations. Et, parmi les survivants de ces cliniques cauchemardesques, quasiment personne n'avait voulu se souvenir de ce qu'il y avait vu, voire subi. C'était comme une page de l'Histoire si atroce qu'elle ne méritait pas d'être écrite, pas même racontée. Il n'y avait pas eu de témoin. Pas de souvenir. Pas de note. Dès que les *Lebensborn* avaient été fermés après le départ des nazis, la population locale avait tiré un trait sur ces endroits. Pendant près de trente ans, il n'était resté que des rumeurs. Jusqu'à ce qu'on déterre ce qui ne devait pas l'être. Qu'on retrouve des preuves. Qu'on fouille les esprits reposés, et que quelques langues daignent se délier.

Aujourd'hui encore, toute la lumière sur ces établissements n'était pas faite, loin de là, et ils demeuraient dans l'ombre de l'Histoire comme des maisons hantées de souvenirs à ne pas remuer sans raison et sans précaution.

– Le Bois-Larris a été l'unique *Lebensborn* en France ? insista Alexis.

– Oui, confirma Mikelis. Ce n'est finalement pas un hasard si nos hommes sont venus peindre leur symbole sur ses murs cette nuit.

– Le Fantôme l'a fait, intervint Ludivine. La Bête est probablement encore en Pologne ou quelque part entre Cracovie et l'Est de la France. Ma main à couper que c'est le sang des Eymessice sur ce mur.

Les gendarmes avaient attendu que les techniciens en identification criminelle arrivent sur place pour effectuer les photos et prélèvements avant de partir.

– C'est plus que probable, fit Mikelis d'un air sombre.

– Pourquoi un *Lebensborn* ? demanda Segnon qui réfléchissait à voix haute. Ils épousent les théories nazies ?

– En tout cas, celles d'une race supérieure, corrigea Mikelis, ça semble correspondre à ce qu'ils font. Ils rassemblent les hommes les plus forts pour les unir sous l'étendard de la violence. Ils cherchent les hommes au-dessus des hommes, la crème, le sommet de la pyramide alimentaire, les vrais prédateurs.

– Cet endroit n'aurait aucun lien personnel avec eux ? fit Ludivine. C'est juste pour la symbolique ?

– Probablement. Mais quelle symbolique !

– Nous allons tout de même éplucher la liste de tout le personnel, commanda Alexis, et aussi celle des enfants qui sont passés là autrefois et qui auraient aujourd'hui entre vingt-cinq et quarante ans. On ne sait jamais. Tout le monde n'est pas au courant de l'histoire de cet hôpital. J'ignore comment ils l'ont apprise, sinon en y séjournant.

– Je pense que vous allez perdre votre temps, regretta Mikelis. C'est symbolique, et uniquement symbolique.

– Ils sont peut-être du coin, proposa Ludivine. Au moins le Fantôme.

– Ludivine a raison, fit Alexis. C'est même très probable. La première victime, Claire Noury, a été retrouvée dans le 77, mais elle vivait tout près d'ici, dans l'Oise. Le tueur l'a agressée chez elle avant d'emporter le corps pour s'en débarrasser plus loin. Probablement pour brouiller maladroitement les pistes. C'était sa première.

Mikelis confirma :

– Le premier crime est souvent le plus proche du tueur. Il n'est pas encore assez sûr de lui pour s'aventurer dans un environnement qu'il ne connaît pas. Il vit par ici, ou il y a grandi. Mais je doute qu'il soit directement rattaché à cet hôpital.

Alexis se leva.

– Rentrons, les rapports du légiste devraient être arrivés et nous avons quelques centaines de noms à éplucher. Le juge a envoyé ce matin même la commission rogatoire internationale à nos chers amis polonais. J'ai bon espoir qu'ils identifient le numéro de la Bête aujourd'hui. Je ne voudrais pas qu'on manque ça.

Ils retournèrent à leur bureau. C'était le cœur de toute enquête. Quelques mètres carrés où tout se jouait la plupart du temps. Les recoupements, les analyses, les déductions. Parfois même les interrogatoires.

Ils rentraient à la maison, et cela rassurait Alexis.

Cette forêt avec son manoir chargé d'histoire l'avait perturbé.

Segnon terminait de rentrer les données des rapports du légiste dans le logiciel Analyst Notebook, tandis que Ludivine et Alexis passaient en revue tout le personnel du Bois-Larris pour vérifier les antécédents judiciaires de chacun.

Alexis regardait son téléphone tous les quarts d'heure et demandait dans la foulée à Segnon s'il n'avait aucun message de Tomasz, son contact dans la police criminelle de Cracovie. À chaque fois le colosse le regardait d'un air désespéré et, pour lui faire plaisir, inspectait sa boîte mail avant de secouer la tête du même air désolé.

– Ils appelleront dès qu'ils auront du nouveau, ne cessait-il de répéter.

Tout l'après-midi les trois enquêteurs du groupe vérifièrent les casiers judiciaires des noms qui défilaient sous leurs yeux. Alexis monta à contrecœur faire son rapport au colonel Aprikan, pour s'empresser de se remettre devant son ordinateur.

Il sentait qu'ils n'étaient pas loin. L'étau se resserrait peu à peu. Ces tueurs n'étaient pas des machines. Ils commettaient des erreurs. Elles étaient là, sous leurs yeux quelque part, dans l'attente d'être découvertes.

Mikelis, lui, était installé dans une pièce à l'écart, avec tous les rapports accumulés depuis le début de l'affaire, et il passait en revue chaque page, ingurgitant une quantité hallucinante d'informations.

Il régnait un calme studieux sur tout l'étage. Il n'y avait que la rumeur lointaine de la rue, au-delà des fenêtres, pour leur rappeler que le monde existait encore.

La nuit tomba. Les corps s'ankylosèrent. Les nuques étaient rigides, les dos douloureux, les articulations craquaient. Les lignes se superposaient sous les yeux des gendarmes.

Peu avant 19 heures, Alexis interpella Segnon :

– On a entré dans Analyst Notebook tous les prestataires qui avaient travaillé récemment pour les deux premières victimes du Fantôme ?

– Oui, tous ceux dont on a trouvé une trace grâce aux factures payées, et j'ai même inclus ceux dont on a retrouvé les brochures sur les frigos ou dans les agendas.

– Et le logiciel n'a opéré aucun recoupement ?

– Zéro.

– Je vais demander les relevés de comptes des Eymessice pour faire la même chose. On ne sait jamais. Il y a forcément un lien quelque part.

– C'est pas le propre des tueurs en série justement ? Qu'ils choisissent des victimes sans connexion ? C'est ce qui les rend si difficiles à attraper, non ?

– Oui, mais le Fantôme a un mode opératoire récurrent dans sa façon de les approcher. Il entre chez eux. Il a un moyen de le faire sans abîmer la serrure. Les experts sont formels, elles n'ont pas été forcées.

Alexis se focalisait sur ce point. Le Fantôme était routinier dans cette approche. Peut-être ne choisissait-il pas ses victimes au hasard, mais seulement celles auxquelles il avait facilement accès.

Peu à peu la gendarmerie se vida de ses hommes et de ses femmes. La section de recherches avait droit au repos, elle aussi.

Segnon finit par prendre son blouson.

– J'en ai ma claque pour aujourd'hui, dit-il.

Ludivine lui emboîta le pas. Elle guetta la réaction d'Alexis puis secoua la tête :

– Tu t'impliques trop, Alex, lui reprocha-t-elle avec un sourire tendre. Diriger la cellule ne veut pas dire perdre ta vie à ne faire que ça.

– Je n'ai rien d'autre qui m'attende.

– Moi non plus.

– Tu as deux mecs, toi, tu as oublié ?

Elle haussa les épaules.

– Je rentre chez moi me faire un plateau télé, grogna-t-elle. Et ça va me faire du bien. Tu devrais lever le pied.

– Allez, filez, les chassa Alexis. Je reste encore un peu mais dans une heure grand max je suis sur mon canap' à bouffer une pizza.

Ludivine hésita puis elle se pencha par-dessus le bureau de son collègue pour lui déposer un baiser sur le front.

– Tu vas te cramer, lui dit-elle tout bas.

Lorsqu'il fut seul, Alexis se replongea dans les listes de noms qu'il avait saisis. Ils en avaient fait les trois quarts. Tous les enfants qui avaient séjourné au Bois-Larris et qui avaient aujourd'hui entre vingt-cinq et quarante ans. Aucun ne correspondait au profil établi par Mikelis, et seulement deux avaient un casier judiciaire, pour des conneries. Alexis commençait à comprendre qu'ils avaient perdu leur temps, comme l'avait pronostiqué le criminologue.

– Encore là ? fit la voix de celui-ci sur le seuil. Vous ne dormez jamais ?

– Je pourrais vous retourner le compliment.

– Je n'ai personne ici. Rien que des pages et des pages à lire. Ma femme et mes enfants sont restés dans les Alpes.

N'avoir personne. La phrase revenait sans cesse. Comme si exister impliquait d'être systématiquement deux. *Être seul pour vivre, deux pour construire.* Alexis en avait marre de l'entendre.

Pourtant au fond de lui, ces mots résonnaient. Un désir. Un vide.

– Ils vous manquent ? demanda-t-il pour éloigner la conversation de lui.

– Bien sûr.

Après un silence un peu gêné, Mikelis demanda :

– Et vous, vous n'en avez pas ?

– Non.

– Vous devriez vous y mettre. Sinon cette saloperie finira par avoir votre peau.

– La violence ?

– La violence. C'est comme une escarre, vous savez. Une fois que ça s'est installé sur vous, ça ne cesse de vous ronger. La famille, c'est le meilleur traitement.

– Au point de prendre sa retraite anticipée.

La réplique avait fusé trop vite au goût d'Alexis, il s'était montré un peu agressif, il baissa la tête :

– Pardon, dit-il.

– Non, vous avez raison. La famille remet les priorités à leur place. Entre se faire dévorer petit à petit par ce mal de la société et vivre plus serein près des siens, j'ai choisi. Tout homme sain devrait faire de même.

– Et qui ferait notre boulot ?

– Vous voulez être un martyr ?

– Il faut bien le faire.

– Alors ne donnez pas tout ce que vous avez à cette quête, sinon, lorsque viendra le moment de prendre votre retraite, vous n'aurez plus rien à vous, ni en vous, pour que ça en vaille la peine.

– C'est pour ça que vous êtes revenu ? Ça vous manquait tant que ça ?

Mikelis plongea son regard froid dans celui d'Alexis.

– Je mentirais en disant que ça n'est pas le cas. Vous et moi savons que la violence est comme une drogue. On vient reprendre un shoot, et on le regrette aussitôt. Mais c'est plus fort que soi, pas vrai ?

Le gendarme hocha la tête.

– Allez vous coucher, Alexis, le sommeil est encore la meilleure des défenses contre ce que vous traquez.

Il allait se détourner pour partir lorsque le jeune homme l'interpella :

– Et qu'est-ce qu'on traque exactement ?

Mikelis était tourné de trois quarts. Il inspira profondément.

– Ce qu'il y a en chacun de nous depuis l'aube des temps et qui nous a permis d'arriver là où l'humanité en est désormais. Cette chose que la civilisation nous a appris à contrôler, pour la faire taire au fil du temps. Jusqu'à l'oublier, loin tout au fond de nous.

Il jeta un bref coup d'œil à Alexis. Un rictus aux lèvres.

– La bestialité primitive, dit-il avant de s'éloigner. L'âme des prédateurs.

21.

Alexis pressa sur la sonnette une seconde fois.
La porte s'entrouvrit sur le visage surpris de Ludivine. Ses torsades blondes étaient détachées et flottaient devant son visage.

– Alex ? Qu'est-ce que tu fous là ? Les Polonais ont répondu ?

Il secoua la tête et prit son air de Droopy : bouche triste, regard désespéré et joues pendantes.

– Je peux squatter ton canap' avec toi ?

Les yeux bleus de la jeune femme le scrutèrent un instant.

– On va parler boulot ? s'enquit-elle.

– Je te jure que non.

La porte s'écarta.

— J'ai pas de Häagen-Dazs dans le congélo, désolée.

Alexis leva devant lui une boîte de chocolats.

– J'ai prévu les antidépresseurs.

– Je suis pas en tenue de service, je te préviens : je ne veux pas une vanne !

Ludivine avait un pantalon de pyjama rose avec les lettres PINK cousues sur la jambe, et une chemise de bûcheron en haut.

– Très sexy ! siffla le gendarme.

– C'est le bordel chez moi, fais pas attention. Je m'attendais pas à de la visite.

L'entrée était bien rangée selon les critères d'Alex, et en passant devant la cuisine, tout juste repéra-t-il un sac-poubelle au sol et de la vaisselle pas faite.

– Tu devrais voir chez moi, lâcha-t-il tout bas, pour lui-même.

Elle l'entraîna dans le salon, une petite pièce aux antipodes de son bureau froid et pas décoré : des affiches de vieux films des années 50 recouvraient une partie du papier peint terre de Sienne, et des étagères pleines de bibelots occupaient tout un pan de mur.

– J'ignorais que tu étais fan de films en noir et blanc.

– J'aime le jeu des acteurs de ces époques.

– Une vraie cinéphile, dis donc ! s'extasia Alexis en découvrant bon nombre d'ouvrages sur le cinéma entassés les uns à côté des autres. Tu n'en parles jamais !

– Pour quoi faire ?

– Je parle bien tout le temps des Giants, moi !

– Ah ça, le lundi matin, on sait tous s'ils ont gagné ou perdu la veille !

– Je vous fais partager…

– Justement, je n'ai pas trop envie de partager ce que j'aime. C'est à moi. C'est moi.

Alexis approuva, avec une pointe de regret cependant. Plus il apprenait à connaître sa partenaire, plus il l'appréciait. Elle était bien moins froide que ce qu'elle pouvait parfois laisser paraître.

Il enjamba un plateau repas posé sur la moquette et fit apparaître une bouteille de monbazillac de sous sa veste kaki, qu'il déposa sur la table basse.

– Tu as des verres à pied ?

– Tu veux nous saouler ?

– Nous redonner le sourire.

– On a besoin d'alcool pour ça ?

Il haussa les épaules.

– Tu regardais quoi ? demanda-t-il en se tournant vers la télévision.

– Une série américaine, sans intérêt.

– T'as pas l'impression parfois que plus on a de chaînes, moins il y a de trucs intéressants à la télé ? Comme si la quantité d'offres dédouanait les chaînes de faire de la qualité…

– Un peu réac là, non ?

Elle lui tendit un tire-bouchon et sortit deux verres qu'il remplit aux trois quarts.

– Je te préviens, bourrée je raconte toute ma vie ! plaisanta-t-elle.

– Bourré, je serai prêt à l'écouter.

Ils s'installèrent sur les plaids du sofa et burent la bouteille en moins d'une heure, tout en zappant et en discutant cinéma, sports et histoires d'amour passées.

Puis, lorsque les silences commencèrent à s'allonger entre deux phrases, Alexis prit la main de sa collègue, et il se pencha vers elle.

– Fais pas ça, murmura-t-elle.

Elle le regardait de ses grands yeux bleus, belle comme une adolescente timide.

– Dis-moi non et je file sans insister.

Alexis avait eu une pulsion de vie. Seul derrière son bureau, entouré par le récit de tous les crimes qu'ils décortiquaient, il avait eu une bouffée d'angoisse. Et un désir de vie, de chaleur humaine. Au-delà de ce qu'une superbe call-girl à huit cents euros la soirée pouvait lui offrir. Il avait besoin de partage. D'une illusion d'amour à laquelle croire.

Et la présence de Ludivine s'était imposée. En se rendant chez elle il n'avait pas envisagé de coucher avec elle, pas sa collègue, c'était impossible, seulement passer une bonne partie de la nuit ensemble, peut-être dormir sur son canapé… Se tenir la main. Tout se dire, et se lever au petit matin, fatigués mais complices.

Elle était là, sous son regard, si belle.

Ludivine avala sa salive et son petit nez se retroussa.

– Tu m'as fait boire pour pouvoir me sauter, pas vrai ?

– Non, pour me retenir de ne pas te sauter dessus dès mon arrivée, plaisanta-t-il tout en se demandant s'il n'y avait pas du vrai là-dedans.

– Tu fais chier, Alex.

Ce fut elle qui le saisit par la nuque et l'attira à ses lèvres.

Le premier baiser fut lent, sensuel et sucré.

Ils s'observèrent. À la bouche un sourire d'ados qui se savent sur le point de faire une connerie.

Et le second fut charnel, intense, sexuel.

Ils se frottèrent l'un contre l'autre, tirèrent sur leurs vêtements pour les jeter de l'autre côté de la pièce, leur salive se mélangeait, coulait, ils se mordillaient le cou, les épaules, les seins. Lorsque la main d'Alexis se glissa sous l'élastique du pantalon, il rouvrit les yeux, affichant un air amusé :

– Pas de culotte ? murmura-t-il.

– Je te l'ai dit, j'attendais pas de visite…, s'excusa-t-elle faussement en lui attrapant la tête pour le forcer à l'embrasser.

Elle lui mordit la lèvre et planta ses ongles dans son dos.

Leurs peaux se retrouvèrent l'une contre l'autre, enfiévrées, sensibles comme celles de nourrissons. Elle avait des seins volumineux, parfaitement ronds, chauds et durcis par la chair de poule.

Ils se cherchaient, s'excitaient, se couvraient de baisers suaves, s'enlaçaient fougueusement, les doigts jouant avec le sexe de l'autre pour faire monter l'envie, pour découvrir leurs corps, pour apprendre l'autre.

Bientôt Alexis pénétra en elle, libérant d'un coup de rein toute la tension sexuelle qui s'était accumulée au fil des minutes. Ils se collèrent, se repoussèrent, s'agitèrent, jusqu'à ce que Ludivine, d'un mouvement du bassin, le fasse basculer sur le flanc pour lui grimper dessus à son tour. Ils gémissaient, se caressaient, leurs humeurs en fusion, la sueur en guise de ciment, les doigts comme garde-fous de la réalité, pour se retenir l'un à l'autre, leurs hanches se percutant à tour de rôle, à mesure qu'ils changeaient de position, plus ou moins délicatement, puis sauvagement.

Lorsqu'ils furent tombés sur la moquette, Alexis retourna Ludivine sur le ventre et la prit de plus en plus fort ainsi, une main dans les cheveux, pour la plaquer au sol. Ils haletaient.

Son vagin était un fourreau délicat qui aiguisait la lame de l'orgasme, l'affûtant jusqu'à la chauffer d'impatience.

La chaleur montait au centre de leurs corps. Une boule diffuse qui tourbillonnait de plus en plus vite, créant des arcs électriques de plus en plus longs et intenses.

Ludivine serra les poings brusquement, et ses cris devinrent plus aigus, sa respiration plus saccadée, ses jambes se raidirent et sa bouche se déforma en une grimace d'abandon total.

Alexis était raide comme jamais, galvanisé par le plaisir de sa partenaire, la tête lui tournait d'euphorie et d'alcool, et tout l'univers autour de lui explosa d'un coup, brutalement, en jets puissants, le cosmos se répandit par le bout de son être, et il inonda la matrice du monde. Ce bref instant de désincarnation transfigurait l'homme. Alexis l'avait toujours su. L'extase était divine.

Dieu était dans la jouissance.

À n'en pas douter.

Alexis sentit une présence chaude au bout de son bras, de l'autre côté du lit. Il n'était pas chez lui. Il n'avait pas rêvé. C'était bien réel. Lui et Ludivine. Il releva la tête, ses paupières s'ouvrirent lentement.

Le décodeur de la télévision indiquait l'heure.

2 h 43.

Pourquoi se réveillait-il ? Était-ce encore un cauchemar ?

Il était encore un peu endormi, étourdi par les vapeurs du sommeil. Il y avait bien des images lointaines, une réminiscence d'émotions inquiétantes qui flottait à l'orée de sa conscience.

Oui, il avait fait un cauchemar. Malgré la présence de Ludivine.

Il se souvint de traces de sang. Beaucoup de sang.

Dans une maison.

Et soudain il revit la lune tomber par une grande baie vitrée sur un tableau. Peint avec des fluides humains.

Une œuvre de chair. Un camaïeu de pourpres, de vermillons, dont le sens n'appartenait qu'à son auteur.

Comme de l'*action painting*.

L'âme de Francis Bacon dans le corps de Jackson Pollock.

Chacun pouvait y voir l'intention qu'il souhaitait. Les couleurs et les mouvements qu'elles induisaient pour seuls guides. Un art non pas figuratif mais instinctif, qui faisait appel au cortex reptilien, qui prolongeait l'aspect le plus primitif de l'homme : ses gestes.

Soudain les yeux d'Alexis s'ouvrirent en grand.

C'était là, brusquement, au cœur de la nuit, comme une évidence.

Une explosion de lucidité inattendue.

Il avait fait plus que rêver ! Il avait compris !

Son inconscient avait pris le relais de sa conscience obsédée et ce que son esprit lucide n'avait pu faire, les tréfonds de ses propres zones d'ombre l'avaient élucidé.

Mettre du sens là où il n'en avait pas vu. À travers le sang.

Les empreintes du sang.

Les gestes primaires. De survie.

Alexis repoussa doucement la couette pour se lever. Il fallait qu'il en ait le cœur net. Maintenant.

Ils étaient tous passés à côté.

Dans la villa de Louveciennes.

C'était pourtant juste là, sous leurs yeux.

Depuis le début.

22.

Les scellés rouges captèrent le rayon blanc de la torche. Alexis posa la caisse qu'il était passé « emprunter » dans la camionnette de ses confrères à la gendarmerie juste avant de venir ici. Il sortit son couteau dont il déplia la lame pour trancher le marquage officiel. Il se débrouillerait dans la journée pour envoyer quelqu'un le refaire. La priorité pour l'heure était de vérifier sa théorie.

Il regarda sa montre. Trois heures et demie passées.

Ils ont tous raison, je suis dingue, s'amusa-t-il intérieurement. Au fond, il ressentait davantage d'excitation que de fatigue ou même de doute. Sa théorie faisait sens, il en était certain.

Il prit une bonne inspiration et poussa la porte.

La villa était d'un calme absolu. Pas une source de lumière, sinon celle de la lune qui filtrait par les différentes baies, pas un son.

Alexis referma derrière lui, la caisse à la main.

Ses yeux se familiarisèrent rapidement avec l'obscurité et il remarqua les taches brunes au sol, dans le halo de son petit éclairage, comme si c'était sa lampe qui devait le guider.

Quarante-huit heures plus tôt, toute une famille s'était fait massacrer ici, entre ces murs. C'était si frais qu'on pouvait presque entendre l'écho de leurs cris rebondir contre les parois.

Alexis remarqua tout de suite que l'odeur avait changé depuis la veille. À celle, âcre, du sang s'était substituée celle, étourdissante, des produits chimiques de l'identification criminelle. Toute la maison avait été badigeonnée pour trouver des empreintes, pour révéler d'éventuelles traces de sang nettoyées, et les effluves empestaient encore faute d'aération.

Le faisceau accrocha plusieurs cadres aux verres fendus, diffractant l'éclat lumineux comme s'il y avait d'un coup plusieurs lampes torches dans l'entrée.

Alexis vit soudain les silhouettes d'Émilie Eymessice, de Jean-Philippe son mari et d'Isabelle filer devant lui, diaphanes tels des spectres. Il les imaginait vivre ici, se parler, manger, regarder la télé, s'engueuler, rire ensemble. Pendant quelques secondes, il put presque les entendre. Ils étaient encore chez eux, ces murs renvoyaient la rémanence de leur présence à l'instar de miroirs du temps. Ils avaient construit cet endroit, l'avaient occupé, chargé d'émotions, de souvenirs.

Puis le flash – plus net celui-ci – de leurs corps éventrés sur des tables d'autopsie surgit.

Les images de la vie quotidienne laissèrent place à des hurlements de terreur et de souffrance, et à la vision d'Émilie, cette femme athlétique capable de se défendre, figée sur le sol, terrassée par les décharges d'un Taser. Dans son dos, il y avait une présence, dans l'ombre, un être sans visage. Un homme rempli du besoin de tuer ses proies chez elles, en s'introduisant sans un bruit, sans rien casser, comme s'il était invité, comme s'il faisait partie de la famille. Il venait ici pour prendre son temps.

Il sait qu'il ne sera pas dérangé. Ça signifie qu'il connaît assez ses victimes pour être au fait de leurs habitudes. Il sait si un petit ami risque de débarquer ou pas, combien il y a d'occupants. Il savait qu'il avait tout son temps, qu'aucun ado supplémentaire n'allait se pointer en pleine nuit. Il les étudie. Il les surveille !

À moins qu'il n'ait accès à des informations précises sur ses victimes en amont…

Non. Il connaît leur emploi du temps. Il a disséqué leurs habitudes. Il les épie.

Toute une famille ? Sans qu'ils s'en rendent compte ?

Alexis avait un doute. Surveiller les allées-venues impliquait du temps, beaucoup de temps. La rue était résidentielle, il ne pouvait être resté dehors dans sa voiture sans avoir fini par attirer l'attention. Et Alexis ne l'imaginait pas caché dans un arbre en bordure du jardin non plus, ce n'était pas raisonnable. Il y avait trop de voisins, pas assez de cachettes possibles. Non, pas ici.

Pour autant, il n'en démordait pas, le Fantôme venait chez ses victimes pour pouvoir les tuer en paix, pour avoir le temps d'en faire ce qu'il voulait. Au-delà du fantasme de posséder l'autre chez lui, il y avait un aspect *pratique* à ne pas négliger.

– T'es un malin, toi, dit-il tout bas en approchant de l'escalier. Tu nous donnes du fil à retordre.

Pour l'instant, il devait se recentrer sur ce qui l'avait amené jusqu'ici en pleine nuit.

Émilie Eymessice était une fervente lectrice de polars. Elle en consommait des tonnes comme en témoignaient sa table de chevet et ses bibliothèques bien chargées. Au point probablement de connaître toutes les ficelles de ces histoires. Au point d'avoir elle-même un esprit habitué aux pirouettes, aux retournements de situation. Un esprit avide d'idées, de surprises. Un esprit vif. Elle n'était pas aussi fascinée par ce type d'histoires sans avoir elle-même un raisonnement dynamique. Capable de comprendre vite. D'interagir avec l'information.

Avait-elle eu pour autant la force de demeurer lucide dans des circonstances aussi terrifiantes que celles qu'elle avait vécues dimanche soir ?

Toute la conviction d'Alexis reposait là-dessus.

Émilie Eymessice avait agi comme dans les romans qu'elle dévorait à longueur de temps. C'était le seul moyen d'expliquer le sang sur la descente de lit, loin de son corps. Le sang sur son index aussi.

Alexis grimpa à l'étage et pénétra dans la suite parentale.

Les draps étaient encore en place, avec leur immense motif sombre au centre. La lumière se posa dessus, sur ce rouge séché, cette empreinte d'une vie. Là avait vécu une femme. Là elle avait reposé son âme, là elle avait baisé, conçu ses enfants. Là était morte cette femme. Toute son histoire répandue sur de la percale satinée, son ADN à présent désagrégé parmi les fibres de coton.

Alexis pouvait entendre le sifflement de sa propre respiration.

Les échos des hurlements au rez-de-chaussée s'étaient dissipés.

Il approcha et constata que la descente de lit n'avait pas bougé. Les TIC avaient seulement fait un prélèvement du sang qui la tachait.

Émilie Eymessice était parvenue à arracher ses poignets aux liens en plastique qui la retenaient au cadre de son lit. Sa fille devait être en train de crier, de gémir pour qu'on l'épargne, peut-être même d'implorer qu'on l'achève. Cela avait dû être insupportable pour une mère. À devenir folle. Elle s'était ouvert les chevilles à forcer, pour tenter de se libérer totalement, pour voler au secours de sa fille.

En vain.

Les liens étaient trop serrés. Elle s'était peut-être retourné des ongles en tirant de toutes ses forces, elle avait assurément tout essayé, même de s'entailler jusqu'à l'os, prête à se découper le pied, jusqu'à réaliser l'évidence : elle ne pouvait rien faire pour Isabelle. Combien de temps avait-elle mis avant de comprendre qu'elles étaient condamnées ? Qu'il n'y avait pas d'échappatoire ?

Et quelle force de caractère il lui avait fallu pour envisager qu'elle devait laisser un indice derrière elle, pour qu'on arrête leur tueur ? L'assassin de sa famille. Qu'il paye. Un indice assez subtil pour que cette ordure ne le remarque pas, et pour que la police, elle, ne passe pas à côté.

Le gendarme souleva délicatement la descente de lit. L'essentiel du sang avait été bu par le tissu, il ne restait que de vagues marques brunes sur le sol. Rien de bien visible.

Lectrice avide de littérature policière.

Elle connaissait tous les trucs, toutes les méthodes.

Les produits et les procédures.

Tous et toutes passés en revue maintes et maintes fois dans la plupart des récits.

Jusqu'à imprimer sa mémoire.

Elle connaissait une encre invisible.

Émilie savait que le sang ne peut pas s'effacer complètement. Pas aux yeux des enquêteurs. Dans ses derniers instants de lucidité, avant de basculer dans la folie et de mourir, elle s'était penchée au bord de son lit, aussi loin que ses chevilles entravées le lui avaient permis, pour écrire sur le parquet.

Elle avait écrit ce qu'elle savait de son tueur.

Avant de remettre la descente de lit par-dessus. Pour que l'écriture disparaisse.

Ça semble absurde, fou même. Mais qui peut savoir ce que l'esprit d'une mère de famille peut inventer en pareil instant ?

Cette hypothèse expliquait le sang sur son index. Le sang sur la descente de lit.

Ça ne pouvait être que ça.

Alexis y croyait. Aussi improbable que cela pouvait paraître.

Émilie avait voulu faire payer à leur bourreau. Et son esprit rompu aux stratagèmes policiers avait fomenté ce plan.

Le gendarme ouvrit la caisse et sortit deux comprimés de Bluestar qu'il glissa dans un pulvérisateur avant de le secouer pour que les cachets se décomposent.

Le fer contenu dans le sang s'incrustait dans les matériaux qu'il imbibait, au point que même lavé, y compris avec du détergent, il restait toujours une trace de sa présence, même des années plus tard. Le Bluestar était un produit chimique capable de mettre en évidence ce fer.

Il commença à vaporiser le révélateur sur les lattes de bois. Il vida un quart de la bouteille avant que peu à peu un halo fluorescent n'apparaisse. Le Bluestar réagissait au contact du fer de l'hémoglobine en le faisant briller dans le noir, d'un bleu intense, profond.

Émilie avait écrit son message, et elle avait pris soin de reposer le tapis délicatement pour qu'il boive le sang, sans pour autant trop l'étaler.

Que ses lettres restent visibles *dans* le parquet.

Alexis recula d'un pas pour mieux distinguer les taches bleues fluorescentes qui brillaient de plus en plus.

Il éteignit sa lampe, se plongea dans l'obscurité.

Son cœur battait vite. Il sentit la pointe de la déception s'enfoncer dans sa chair.

Les traces bleues ne ressemblaient à rien.

Elles n'étaient que des arcs, des traînées, et des gouttelettes minuscules.

Alexis s'était emballé.

Le produit continuait de faire effet, projetant dans la nuit ces arabesques improbables, fascinantes, presque belles.

Les poils de son corps se hérissèrent d'un coup.

Des arrondis apparaissaient. Des traits. Difficiles à interpréter.

Et pourtant.

Peu à peu, ce qui ressemblait à une lettre se forma.

Ses contours étaient mal définis, dilués.

Toutefois Alexis reconnut un *a*. Il se mit à genoux pour décortiquer au plus près ce qu'il devinait.

Émilie, vous étiez un génie.

Une par une, le gendarme entreprit de les reconstituer, malgré le sang qui avait bavé partout à cause de la descente de lit.

Ce n'était pas un nom. Pas même une phrase.

Juste un mot.

Lorsque le gendarme se releva, il n'était pas sûr de bien comprendre.

Ils avaient déjà exploré cette piste et elle n'avait rien donné.

Pourtant, elle était là, juste sous ses yeux.

Le dernier mot d'une mère qui entendait sa fille se faire massacrer dans la pièce d'à côté.

Le mot d'une morte.

23.

Alexis laissa à peine le temps à la secrétaire de s'asseoir qu'il lui présenta sa carte de la gendarmerie.

Il était une vraie pile, incapable de se poser malgré le peu de sommeil. Il avait passé les dernières heures de la nuit à son bureau, à éplucher les fiches des victimes.

Pour s'assurer une fois pour toutes qu'il n'avait pas rêvé.

Pourtant, aucune des trois victimes du Fantôme n'avait la même compagnie de sécurité pour son alarme. Pour les deux premières, les gendarmes étaient même parvenus à retrouver le nom des installateurs, qui n'avaient aucun lien entre eux.

Émilie Eymessice avait toutefois usé de ses dernières forces pour adresser aux forces de l'ordre un message sans équivoque.

« Alarme ».

Pas un nom – le tueur n'en avait certainement pas donné –, pas une description, Émilie avait été à l'essentiel de ce qu'elle avait compris.

Le tueur était lié à son alarme.

Dès l'ouverture des sièges des trois compagnies, Alexis avait faxé une réquisition judiciaire afin d'obtenir en retour le listing de tout le personnel. Il n'avait même pas eu à faire intervenir le juge d'instruction, à menacer quiconque, les trois entreprises avaient joué le jeu sans hésitation, et avant 9 heures le gendarme avait étudié les trois fichiers pour constater qu'il n'y avait aucun nom en commun.

Il avait attrapé sa vieille veste militaire, son écharpe grise, et s'était précipité dehors.

Il n'avait pas envie de se retrouver face à ses collègues sans plus de billes dans les mains. Il avait fait un grand pas en avant cette nuit, mais tant qu'il ne saurait lui donner du sens, ça ne serait qu'une victoire en demi-teinte.

Et puis il y avait Ludivine, s'avouait-il.

Assumait-il ?

À bien y réfléchir, non seulement il avait joui comme un dieu, ce qui n'était pas gagné pour une première fois avec une fille – c'était encore meilleur que la victoire des Giants au Superbowl, ça voulait tout dire –, mais surtout elle avait un petit quelque chose qui lui chatouillait les entrailles. Au-delà du sexe. Il devinait une connexion possible entre leurs deux âmes.

Cliché ! Tu deviens de plus en plus midinette à force de rester seul !

Et pourtant, il avait aimé sentir sa présence dans le lit, contre lui. L'idée d'un matin tous les deux, la gueule froissée par la nuit, en chemise de nuit et pyjama, à se préparer leur café ensemble, avant de se relayer sous la douche, cette idée lui plaisait bien. Avec elle, il l'envisageait même avec une certaine impatience.

Oui, il l'assumait cette coucherie. Parce qu'il voulait la prolonger.

À vrai dire, c'était sa réaction à elle qu'il appréhendait.

Son indifférence lui creuserait le bide plus sûrement qu'un uppercut.

Pense pas à ça, pas maintenant, ce n'est pas le moment.

La secrétaire de la compagnie de sécurité devint blême en découvrant la carte du gendarme. Soit elle avait un problème avec l'autorité, soit on lui avait donné de telles consignes qu'elle en devenait mal à l'aise.

– J'enquête sur un triple homicide parmi vos clients, dit-il brutalement. La famille massacrée à Louveciennes, vous en avez certainement entendu parler, n'est-ce pas ? Est-ce que vous êtes à même de me renseigner ou il est préférable que je demande à voir un de vos patrons ?

– Euh... non, non je peux vous aider, enfin j'espère.

– OK, c'est donc vous qui gérez ce genre de trucs d'habitude.

La plupart des boîtes de sécurité avaient l'habitude d'être interrogées par les forces de l'ordre dès qu'il y avait le moindre vol dans une propriété, une entreprise ou un hangar qu'elles surveillaient, et certaines avaient même un employé spécialisé pour ces rencontres régulières. D'autres confiaient cette mission à un commercial, parfois à la standardiste, et acceptaient sans rechigner toute requête de la police sans exiger le moindre formulaire légal. Elles n'avaient pas de temps à perdre, et tout intérêt à bien se mettre avec les flics.

– J'ai déjà obtenu de vos services ce matin la liste du personnel, enchaîna Alexis, mais je n'ai pas eu le détail de leur ancienneté. Vous auriez ça quelque part ?

– Oui, je vais voir avec le DRH. Vous voulez quel type de personnel ? Les agents de sécurité ? Le personnel commercial ?

– Tous.

La secrétaire, une toute jeune femme métisse, tapota les touches de son central téléphonique.

– En priorité les gars qui vont sur le terrain, ajouta Alexis.

La secrétaire mit son appel en pause :

– Les installateurs ?

– Et aussi les types qui patrouillent. Vous avez ça, non ? Quand une alarme se déclenche, pour aller vérifier sur place ?

– Pour les interventions de particuliers nous sous-traitons.

– C'est-à-dire ?

– Nous gérons l'installation et l'aspect commercial avec les particuliers, mais pas le terrain. C'est une autre entreprise qui nous fournit le personnel. Même le central des déclenchements n'est pas à nous. C'est une pratique courante dans le milieu, vous savez. La plupart des business qui vendent des alarmes sont uniquement des services commerciaux et des techniciens d'installation. On ne gère pas directement l'aspect « pratique » ensuite, ce sont des entreprises spécialisées qui le font. Nous sommes une sorte de gestionnaire global.

Un frisson remonta l'échine d'Alexis.

– Vous avez le nom de cette boîte à qui vous sous-traitez ?

– Je vais vous trouver ça.

Pendant que ses doigts s'agitaient sur sa console téléphonique, Alexis s'écarta pour appeler les deux autres compagnies qui géraient les alarmes des deux premières victimes.

Quand il revint vers la jeune femme, elle lui tendit un morceau de papier :

– Je vous l'ai inscrit là, c'est l'entreprise Co…

– Core Sécurité, la coupa Alexis, vous êtes brillante !

Elle demeura bouche bée, la main avec sa carte griffonnée tendue devant elle, tandis que la porte d'entrée se refermait en coup de vent.

Le gendarme était déjà dehors.

Core Sécurité fournissait la plupart des compagnies spécialisées dans la vente et la pose d'alarmes, c'était elle aussi qui gérait les télésurveillances, les centres d'appels et même les interventions sur place via du personnel motorisé.

Core Sécurité avait presque le monopole du marché dans tout l'Ouest parisien. Jusque dans l'Oise.

Les trois compagnies d'alarmes par lesquelles passaient les victimes du Fantôme sous-traitaient toutes avec Core Sécurité.

Alexis obtint un rendez-vous avec un des responsables du personnel dès qu'il déclina sa fonction et les raisons de son appel. Pendant qu'il effectuait le trajet, Ludivine puis Segnon tentèrent de l'appeler sans qu'il décroche. Ce n'était pas le moment.

À l'arrêt devant un feu, il envoya un SMS à sa collègue : « Suis sur une piste. Parti faire une vérif. Je vous appelle ce midi. »

Au stop suivant, après maintes hésitations, il ajouta : « J'ai adoré notre nuit. Désolé d'être parti si vite. Ai-je le droit de me faire pardonner ce soir ? »

Elle répondit presque instantanément : « Faudra me draguer. »

Cette fois, il pianota sur son clavier tout en conduisant : « Je suis ton homme. »

Et il accéléra pour arriver plus vite.

Le responsable du personnel le reçut à l'écart, dans un bureau aseptisé au possible, et accepta sans sourciller de lui fournir les noms de tous les employés.

– Vous avez les clés de vos clients ? demanda le gendarme.

– De leur domicile ? S'ils acceptent de nous les fournir, oui, ça nous sert en cas d'intrusion et qu'ils sont absents un long moment, pour faire changer une fenêtre par exemple.

– Qui a accès à ces clés chez vous ?

– Nos agents d'intervention qui sont sur le terrain pour patrouiller, pourquoi ?

– Si je vous donne des dates et des lieux, vous pourriez me retrouver qui était de service ?

– Sans problème.

Alexis cita les jours et les villes des trois crimes du Fantôme. L'homme se connecta à un logiciel Intranet et en quelques clics débusqua les réponses demandées :

– Pour la première date, j'ai un nom : Jérôme Ridon, c'est lui qui était de permanence ce soir-là. Pour les deux autres, ce sont des secteurs plus denses, on avait deux patrouilles de sortie. Je vais vous imprimer les noms. En tout ça fait cinq personnes.

– Jamais le même employé qui revient ?

– Non.

Alexis était déçu. Il s'était peut-être emballé un peu vite.

– Ces cinq personnes, ce sont des hommes ?

– Oui.

– Ils ont des antécédents judiciaires ?

– Ah non, il faut un casier vierge pour entrer chez nous.

Le Fantôme pouvait être passé à travers les mailles de la justice, c'était un malin : même s'il s'était fait repérer adolescent, son casier avait pu être effacé à sa majorité, la procédure était courante, et il ne s'était plus fait reprendre par la suite.

– Et il n'y a que les patrouilleurs qui ont les clés de vos clients ces nuits-là ?

– En fait, ils ne les ont pas sur eux si c'est à ça que vous pensez. Elles sont conservées dans un local, il y en a un pour chaque secteur, une sorte de permanence. Vous croyez vraiment qu'un de mes gars pourrait avoir fait une connerie ? Il y a une plainte ?

Alexis ignora la question, trop obsédé par les déductions qui s'opéraient au fur et à mesure que les informations lui parvenaient :

– Peut-on imaginer qu'un de vos employés, qui ne soit pas de service, puisse accéder à ce local pendant la nuit ?

– Euh… ma foi, oui, oui, c'est possible. Ils connaissent tous les codes d'alarme, donc oui.

C'était la réponse à toutes leurs questions, Alexis le sentait, il y était presque.

– Et ces agents de patrouille, ils peuvent lire les dossiers des clients ?

– Les dossiers ? Non, nous n'en avons pas vraiment, nous ne sommes pas une agence commerciale, nous, tout ce qu'on a c'est le double des clés quand les clients ont bien voulu nous le confier, et on se charge de les appeler quand la télésurveillance détecte une intrusion.

– C'est informatique, cette télésurveillance ? Comment ça fonctionne ?

– Dès que vous mettez l'alarme chez vous l'information remonte par la ligne téléphonique jusqu'à notre centrale, et si jamais l'alarme se déclenche, l'ordinateur émet un bulletin d'alerte à l'opérateur d'astreinte, avec précision sur le type d'intrusion : fenêtre, porte ouverte ou détecteur de mouvements dans la maison, selon l'installation en place. Nous prévenons le client et s'il n'est pas chez lui, nous envoyons notre patrouille faire le tour des lieux. Nous ne sommes pas autorisés à pénétrer dans l'habitation, s'il y a un problème nous appelons la police.

– À quoi vous servent les clés alors ?

– À passer le portail quand il y a un jardin, et on les donne aux flics si nécessaire. De même pour effectuer les travaux de réparation urgents quand les propriétaires sont loin, en vacances par exemple.

– Attendez une minute... Vous dites que tout remonte vers une centrale. À chaque fois qu'un client branche l'alarme ou la coupe en rentrant chez lui, ça apparaît dans votre machine ?

– Oui, la moindre manipulation est enregistrée.

– Et archivée pendant combien de temps ?

Le responsable haussa les sourcils.

– J'en sais rien, plusieurs semaines, peut-être des mois. Pourquoi ?

– Ça signifie qu'on peut tout savoir des habitudes d'une famille par exemple ?

– Si on étudie toutes les mises en route et les arrêts, oui, j'imagine.

– Et tout le monde dans votre personnel peut consulter ces données ?

– Tout le monde, non, pas en théorie.

– Et en pratique ?

– Ça ne doit pas être très compliqué. Il suffit d'aller à la centrale, d'accéder à un dossier et de l'imprimer.

– Et vos patrouilleurs, ils connaissent le code pour désactiver l'alarme ?

– Non, ça non.

– Il n'est archivé nulle part ?

L'homme commençait à s'impatienter, la séance de questions tournait de plus en plus à l'interrogatoire.

– Si, il est sur la fiche informatisée des clients, au cas où, avec le mot de passe qu'ils ont fourni. Est-ce que je peux savoir ce que vous cherchez concrètement ?

– Un nom, voilà ce que je cherche.

Alexis réfléchissait à toute vitesse. Le Fantôme était un homme indépendant, il aimait être seul. Travailler de nuit, patrouiller dans son véhicule, entrer sur les propriétés de gens, c'était un métier parfait pour lui. Excitant. Il pouvait tout savoir de ses clients, et même, en s'organisant bien, connaître leurs habitudes, voire récupérer leurs clés pour s'introduire chez eux et désactiver lui-même l'alarme.

– Moi je veux bien vous aider, commença le responsable, mais il faut tout de même me dire pourquoi vous êtes...

– J'enquête sur cinq meurtres, ça vous va ?

Les deux hommes se toisèrent, Alexis avec beaucoup plus d'assurance que son interlocuteur.

– Des meurtres ?

– Vos patrouilleurs, vous les connaissez bien ? Si je vous dresse un profil, vous pourriez me dire lesquels sont susceptibles de mieux y correspondre ?

– Il y en a tout de même beaucoup, je ne les connais pas tous, et pas bien pour certains. C'est que nous couvrons une zone géographique très large, il y a d'autres antennes, ici c'est juste le siège.

L'homme soulevait un point qui démangeait Alexis depuis un moment. La seconde victime vivait et avait été retrouvée dans les Yvelines, pas très loin de Louveciennes, à moins d'une demi-heure de voiture, tandis que la première, elle, vivait au sud de l'Oise, à près d'une heure de distance.

– Est-ce qu'il y a des mutations internes ? demanda-t-il.

– À la demande de nos employés, parfois, oui.

– Est-ce que dans vos patrouilleurs il y en a un qui aurait travaillé dans le sud de l'Oise jusqu'à cet été, pour ensuite être affecté dans le coin de Saint-Germain-en-Laye ou Louveciennes ?

– De mémoire je ne saurais pas vous dire...

Alexis, dans un geste d'impatience, tendit la main vers l'ordinateur :

– Il ne peut pas vous aider, lui ?

– Si, si…

Le responsable avait perdu de sa superbe, peu à peu dépassé par les enjeux. Le terme « meurtre » l'avait déstabilisé. Quintuple meurtre.

Il secoua la tête.

– J'ai quelque chose. Victor Mags. Il a déménagé au mois de juin et demandé sa mutation. Il était pile poil dans les secteurs que vous venez de mentionner.

– Quel âge a-t-il ?

– Trente-trois ans.

– Vous le connaissez ?

– Je me souviens de lui. C'est moi qui l'ai recruté et j'ai fait sa dernière évaluation il y a trois mois justement.

– Comment est-il ? Introverti ?

– Plutôt… en fait, il est un peu spécial. Il ne dit rien, il observe beaucoup, et puis quand il parle, il en fait… comment dirais-je ? Un peu trop ?

– Et physiquement ?

– Assez grand, sportif…

– Musclé ?

– Oui, un adepte des salles de muscu certainement.

– Bel homme ?

– Pour autant que je puisse en juger.

– Marié ?

– Ça je l'ignore. C'est sa vie privée. Vous croyez qu'il pourrait être le… l'assassin que vous recherchez ? Victor ?

– Ça vous surprendrait ?

L'homme ouvrit la bouche pour répondre sur un air faussement indigné, puis s'arrêta dans son élan.

– À vrai dire, finit-il par dire, peut-être pas tant que ça. Il est… étrange. C'est son regard en fait. Il met mal à l'aise. Même quand il sourit, vous sentez que son regard est… froid. Tout le temps. Vide.

Alexis se leva.

– Il travaille aujourd'hui ?

Le responsable examina le planning informatique :

– Ce soir. Mais à cette heure il doit se reposer chez lui, je suppose.

– Vous avez son adresse ?

Tous les feux venaient de passer au vert. Alexis en était à présent sûr : il tenait leur homme.

Victor Mags était le Fantôme.

24.

La 206 banalisée d'Alexis ralentit lorsque le GPS lui indiqua qu'il était à moins d'un kilomètre de sa destination.

Il venait de traverser la forêt de Saint-Germain-en-Laye et approchait d'Achères-Grand Cormier, qui était, pour ce qu'il avait pu en apprendre sur le trajet, juste une gare perdue dans une immense zone de tri ferroviaire, cernée d'arbres. Il y avait à peine quelques maisons et une poignée d'immeubles minuscules pour justifier les rares arrêts de trains. Un lieu isolé, oublié par l'urbanisme, sans aucun commerce, une centaine d'habitants, pour l'essentiel des cheminots œuvrant dans la zone de tri, et une route nationale surplombant l'ensemble sur un pont en béton aussi laid qu'inattendu en pleine forêt.

Alexis voulait voir.

Contempler l'antre du Mal.

Jamais il n'avait été confronté à un tueur de cette sorte, et il ne se leurrait pas, c'était assez exceptionnel dans une vie de gendarme pour être la première et dernière fois. Il ne voulait pas que tout lui échappe. Et, en tant que responsable de l'affaire, surtout pas tout planter avec des déductions rapides.

Pourtant, au fond de lui, il le savait, Victor Mags était leur homme, tout s'emboîtait trop bien.

Mais il se méfiait des certitudes, de l'aveuglement.

Et plus que tout, il voulait le voir de ses propres yeux. Seulement le voir et *sentir*.

Alexis n'était pas non plus suicidaire ni pour sa personne ni pour sa carrière professionnelle, il était hors de question qu'il joue au cow-boy et tente une arrestation seul. Le Fantôme était dangereux. Probablement armé.

C'était au GIGN d'intervenir. Lui comme Ludivine et Segnon seraient en arrière, pour assister à l'opération, mais ils laisseraient faire les spécialistes.

Il ne venait jusqu'ici qu'en éclaireur en somme. Ne prendre aucun risque et lâcher la meute au bon endroit, sur le bon type.

Achères-Grand Cormier était fidèle à l'image qu'il s'en était faite : une boursouflure industrielle déserte au milieu de nulle part, coincée entre plusieurs kilomètres de nature, avec pour tout divertissement des prostituées sur les bas-côtés de la nationale, à l'entrée des chemins de promenade. Les filles attendaient le client, pour la plupart des routiers qui rendaient la route bruyante avec leurs passages incessants, assises sur des troncs renversés ou à l'abri derrière la végétation, seulement signalées par la présence d'un sac plastique plein de préservatifs suspendu à une branche. Ces étranges fruits, blancs pour la majeure partie, pendaient et tremblaient à chaque passage de camion, prêts à se détacher, comme s'ils étaient trop mûrs, un verger de plaisirs sordides.

Le Fantôme avait bien choisi son coin.

Des putes originaires de pays de l'Est pour l'essentiel, dont les macs ne seraient pas prompts à prévenir la police en cas de disparition. Victor Mags venait-il ici parfois se défouler ? Était-ce un terrain de jeu ?

Il avait déménagé au moment de son premier crime. Probablement effrayé, voulant s'éloigner de la zone où il avait « fauté ». Il connaissait le secteur, assez peu éloigné de l'hôpital du Bois-Larris, il avait eu besoin de prendre de la distance, de se rassurer.

Avait-il choisi Achères-Grand Cormier pour son isolement ? Un hameau de passage permanent, avec des filles faciles à enlever tout autour. Quand bien même les flics finiraient par s'intéresser à ces disparitions, combien de milliers de véhicules passaient chaque jour par cet accès ? Combien de trains de marchandises circulaient juste en dessous ? Avant qu'on remonte jusqu'à lui, le Fantôme aurait tout loisir de déménager une fois encore.

Alexis suivit les indications du GPS, quitta la nationale et s'engagea sur une petite route étroite prise en étau entre les voies de chemin de fer et la forêt.

Il longea plusieurs pavillons gris, tristes à mourir. Façades fissurées. Fenêtres sales. Minuscules jardins en friche. Linges étendus dans l'humidité et le froid sur des fils qui couraient face aux trains.

Pas âme qui vive en vue.

Pas même une voiture garée.

C'était à se demander si Grand Cormier n'était pas un hameau fantôme.

Le chemin continuait après les dernières habitations, les bas-côtés transformés en décharge, couverts de sacs-poubelle, de réfrigérateurs rouillés, de pièces de moteur, d'huisseries vermoulues.

Le GPS affirmait qu'il restait deux cents mètres avant la destination finale.

C'est alors qu'Alexis aperçut le toit d'une construction à l'écart du hameau. Il préféra ne pas ralentir en passant devant.

Le Fantôme habitait là, dans une bâtisse ancienne, à la peinture décatie, aux stores d'acier oxydés à moitié fermés, un plain-pied rehaussé sur un sous-sol semi-enterré.

Pour ce qu'il en distingua au passage, Alexis nota que le jardin était dans un état lamentable, envahi de ronces et de hautes herbes.

Il avait vu une voiture à l'arrière.

Il est là.

Alexis vérifia son téléphone portable. Le réseau était bon, aucun problème de ce côté-là.

Il poursuivit son chemin sur un demi-kilomètre et se gara au pied d'un bâtiment de la SNCF, un petit entrepôt non loin d'une tour d'aiguillage qui surplombait l'immense panorama des voies démultipliées de la zone de tri. Il remarqua au loin une silhouette qui marchait, un sac à la main, entre deux constructions brunes.

Il y avait bien un peu de vie ici tout de même.

Mais le Fantôme était tranquille. Personne pour l'embêter, pour l'épier. Il pouvait multiplier les allers et venues sans que quiconque ne le remarque.

Un train passa de l'autre côté de l'étendue, crachant son vacarme métallique.

Alexis ne voulait pas en rester là. Il n'était pas venu jusqu'ici pour repartir sans son trophée : la certitude que c'était bien lui. D'un regard il saurait.

Il y avait quelque chose du domaine de la légende là-dedans.

Le chasseur et le traqué qui se reconnaissent instantanément, sans dire un mot.

À moi de faire en sorte que lui *ne me voie pas !*

C'était primordial.

Le gendarme marcha pour se rapprocher de la maison de Victor Mags, et lorsqu'il fut tout près, il s'enfonça dans le sous-bois et progressa tout doucement pour, finalement, se trouver un poste d'observation à moins de dix mètres de l'antre du monstre. Il donnait sur le flanc de la maison, sur une petite porte et deux fenêtres opaques.

Un break Volvo était garé face à un garage en bois en très mauvais état.

Pendant une minute, Alexis se demanda ce qu'il faisait là. Seul. Planqué dans la forêt à guetter le repaire glauque de ce qui pouvait être un tueur en série.

Un homme capable de tuer cinq personnes, juste pour sa propre jouissance, pour exercer son pouvoir, pour jouer à Dieu, parce que la souffrance et la peur des autres étaient ses uniques sources d'orgasmes.

La forêt vivait tout autour de lui, elle bruissait du vent dans ses branches, des animaux qui se faufilaient, invisibles, et grouillait de tous les insectes qui en constituaient le tapis naturel. Un renard poussa un glapissement étouffé au loin. Alexis crut reconnaître le cri qu'il avait souvent entendu à la campagne, l'été, lorsqu'il était gamin.

Il fit tourner son iPhone dans sa poche. Il était nerveux.

Combien de temps allait-il rester ainsi ? Jusqu'à quelle heure se donnait-il avant de renoncer, de craquer ?

Le temps qu'il faudra. Juste pour le voir. Pour savoir.

Un autre train passa à bonne distance, suffisamment bruyant pour que le martèlement de ses roues recouvre tous les sons environnants.

Puis les bruits de la nature reprirent.

D'ici, on ne percevait même pas le trafic de la nationale. Trop loin, trop encadré par les arbres.

Le renard glapit à nouveau, plus proche sembla-t-il à Alexis, mais toujours aussi étouffé. Même les animaux prenaient leurs précautions pour s'exprimer ici.

L'iPhone se mit à sonner et Alexis sursauta avant de se précipiter dessus pour le mettre en mode silencieux.

Il leva la tête vers la maison. Pas un mouvement. Personne ne l'avait entendu.

Un SMS.

Ludivine.

« Qu'est-ce que tu fous ? »

Les doigts fusèrent sur le clavier :

« Préviens le colon, GIGN en alerte. J'ai peut-être du lourd. »

Quinze secondes plus tard Ludivine appelait. Alexis refusa la communication et expédia un nouveau SMS.

« Peux pas parler. »

« Qu'est-ce que tu fous ??? TU ES OÙ ? »

Alexis hésita. Il en avait trop dit, il ne pouvait plus attendre. Il envoya l'adresse où il se trouvait.

« Victor Mags. Je crois que c'est lui. »

« Tu es sur place ? »

« Oui. »

Alexis attendit plus de deux minutes la réponse de Ludivine.

« TU NE BOUGES PAS ! ON ARRIVE. »

Cette fois, il n'avait plus qu'à prier pour ne pas s'être entêté et aveuglé sur une fausse piste.

D'ici deux heures, une vingtaine de gendarmes en tenue d'intervention grouilleraient tout autour, un hélicoptère en repli, prêt à intervenir, et tout l'état-major de la gendarmerie serait prévenu, en alerte.

Il n'avait plus que deux heures à tenir.

Deux toutes petites heures.

25.

Alexis regarda sa montre. Il était tout engourdi, les extrémités glacées. Il veillait à l'abri de sa cachette depuis plus d'une heure à présent.

Le passage des trains résonnait comme le tic-tac d'une trotteuse irrégulière, monstrueuse. Ils l'aidaient à ne pas piquer du nez. Il n'avait presque pas dormi et il ne se souvenait plus à quand remontait sa dernière vraie nuit de sommeil.

Le renard s'était tu depuis un moment, et il n'y avait guère plus que des écureuils roux pour secouer quelques feuilles mortes en cherchant leurs dernières provisions d'hiver.

Alexis regarda encore sa montre comme si ça pouvait accélérer le défilement du temps. Maintenant qu'il avait prévenu la cavalerie, il lui tardait de les voir débarquer, et prendre le relais.

S'ils ne traînaient pas, les gars du GIGN seraient là d'ici une heure. Peut-être un peu moins. Ludivine le préviendrait dès qu'ils seraient tous en poste. Alexis pourrait alors quitter son observatoire et les rejoindre pour laisser l'interpellation s'effectuer.

Pour l'instant, il s'assurait que le suspect ne quittait pas son domicile.

Car il était bien là, cela ne faisait plus aucun doute. Alexis avait vu une lumière s'allumer plusieurs fois au niveau d'une lucarne du sous-sol.

Si je me suis gouré, si je me suis fait tout un film et que Victor Mags n'a rien à voir avec tout ça, je suis bon pour les contrôles d'alcoolémie jusqu'à la fin de ma carrière. Adieu la SR.

Il eut envie d'une cigarette. Sa première depuis cinq ans. Il avait arrêté après le cancer de son grand-père, une promesse faite à un mourant, le genre de serment impossible à rompre. Il s'était donné les moyens de réussir. Alexis était entier dans tout ce qu'il faisait, parfois excessif, sa manière à lui de s'engager, pleinement, intégralement, sans rien lâcher. Patchs et hypnose, la totale. Et cela avait fonctionné à merveille. La nicotine le dégoûtait à présent.

Mais en cet instant précis, il aurait tué pour tirer ne serait-ce qu'une latte sur une Marlboro.

Le renard se manifesta à nouveau.

Un glapissement un peu différent, à la fois proche et pourtant assourdi comme s'il était au fond de sa tanière, aussitôt couvert par le hurlement d'un train de marchandises qui filait à vive allure, comme pour fuir au plus vite cet endroit.

Alexis n'était pas spécialiste en animaux, et il se mit à douter que ce soit un renard. Après tout, ses maigres connaissances en la matière remontaient à des expériences lointaines d'adolescent. Plutôt une fouine ?

J'en suis réduit à ça, vraiment ? À m'interroger sur les cris des mammifères ?

Il n'était pas du genre à se prendre la tête inutilement.

Était-ce inconscient ? Que lui rappelaient ces cris ?

Il n'en pouvait plus, il avait besoin de se dégourdir les jambes.

Il se releva.

Au même moment la porte latérale, en face de lui, s'ouvrit sur la silhouette athlétique d'un homme de haute taille.

Alexis se figea.

La luminosité avait décru, il y avait toute la frondaison pour le dissimuler. Si l'homme ne scrutait pas attentivement la forêt à cet endroit, il pouvait passer sans voir le jeune gendarme.

Le cœur d'Alexis battait contre ses tempes.

Il avait la bouche sèche.

Victor Mags était brun, mal rasé. Des traits communs, mais une coupe de cheveux moderne : des épis savamment agencés, et un physique impressionnant qui le rendaient plutôt séduisant. Malgré le froid, il ne portait qu'un tee-shirt blanc sur son jean et des grosses chaussures de chantier.

Il passa entre Alexis et la maison et marcha à travers son jardin, d'une démarche traînante, pour aller chercher son courrier dans la boîte aux lettres. Ne trouvant rien, il sortit un paquet de cigarettes de sa poche arrière et s'en alluma une, tout en admirant la zone de tri qui s'étendait plus loin, face à sa propriété.

Il était passé trop vite, Alexis n'avait pu s'attarder sur lui, sur son regard, trop obsédé par l'idée d'être découvert.

Mags fumait tranquillement, laissant ses pensées vagabonder.

Qu'est-ce que tu fous, hein ? Tu viens de te réveiller ? Tu penses à ta nuit de boulot ? À ces rondes où tu pourras repérer tes futures victimes ? Qu'est-ce qu'il y a dans le crâne d'un tueur comme toi à cet instant ?

Victor Mags jeta son mégot à peine entamé et fit demi-tour.

Il passa à cinq mètres d'Alexis.

Et le gendarme ne vit pas ses yeux, mais ses mains.

Des doigts larges et longs.

Tout rouges.

Couverts d'une pellicule séchée.

Mags claqua la porte derrière lui.

Se pouvait-il que ce soit du sang ?

Au point qu'il en soit couvert jusqu'aux poignets ?

Alexis avala sa salive. Il ne savait plus quoi penser.

La situation lui échappait.

Le renard glapit encore. Toujours cet étrange cri à la fois proche et pourtant étouffé.

Et cette fois le gendarme comprit.

Ça vient de la maison !

Un glapissement qui n'en était pas tout à fait un.

Un cri.

La chair de poule recouvrit Alexis.

Il n'avait pas reconnu le cri d'un être humain ! C'était un hurlement, un appel, une suffocation ! Une femme, probablement bâillonnée, qui souffrait tant qu'elle gémissait à travers ses entraves, un son aigu, haché et déformé par les saccades de la douleur, par la terreur, jusqu'à ressembler au glapissement d'un animal.

Alexis respirait fort.

Il avait les mains tremblantes.

Il sortit son iPhone et fixa l'écran comme si les certitudes à ses doutes allaient s'y afficher. Puis il envoya un SMS à Ludivine : « Vous êtes où ??? Urgent !!! »

Pas de réponse.

Il recula de quelques mètres et appela, incapable d'attendre. Il tomba sur la messagerie. Il répéta l'opération avec Segnon pour le même résultat. Ils ne devaient plus être très loin.

– Oh putain… putain, murmura Alexis.

Il ne savait vraiment pas quoi faire.

S'il y avait une femme dans cette maison, en train de se faire torturer par cet enfoiré, il devait intervenir.

Non. C'est au GIGN de le faire. Ils sont en route !

Une petite voix nasillarde grinçait au fond de lui. Elle ne disait rien de compréhensible, seulement une plainte moqueuse. Sa conscience s'exprimait. Elle taraudait tout son être, toutes ses convictions.

Alexis doutait. Si cette femme mourait avant que la gendarmerie agisse, il ne pourrait jamais se le pardonner. Elle deviendrait son propre fantôme.

Je ne peux pas y aller !

Il était seul, uniquement équipé de son arme de service.

Le glapissement filtra à nouveau de la maison.

Et à nouveau un train au loin. Effrayant d'agressivité sonore.

C'était une telle évidence à présent qu'Alexis ne comprenait pas comment il n'avait pas saisi plus tôt.

Ses doigts se refermèrent sur la crosse de son Sig-Sauer Pro.

Qu'est-ce que je suis en train de faire ?

Ses jambes le guidaient vers la maison de Mags.

Il ne pouvait plus attendre.

Il était entré dans la gendarmerie pour ça. Pour sauver des vies.

Son cœur battait à tout rompre.

Alexis dégaina son pistolet.

Du 9 mm.

Quinze cartouches.

Jamais il n'avait autant prié pour qu'une si petite chose puisse faire autant de dégâts.

Sa vie et celle d'une inconnue étaient là, entre ses doigts.

Impossible de faire demi-tour.

Ses pieds l'amenèrent jusque devant la porte.

Et il entra.

26.

La maison sentait le renfermé, une odeur désagréable de poussière et de moisissure macérées.

Alexis était entré par la porte de la cuisine. Une petite table en formica – dont plusieurs éclats de vernis et de résine avaient sauté avec le temps – occupait le centre de la pièce. Dessus s'entassaient les reliquats d'un déjeuner au milieu de plusieurs journaux froissés. Alexis repéra immédiatement l'article qui avait intéressé le Fantôme.

« Black-out de la Gendarmerie nationale sur le triple homicide de Louveciennes. »

S'il fallait une preuve pour confirmer tout ce qui faisait clignoter Victor Mags comme le coupable idéal, elle venait de s'offrir à Alexis.

Aucune lampe n'était allumée dans la pièce et la luminosité d'une fin de journée d'automne suffisait à peine au jeune gendarme pour s'orienter, d'autant que la crasse sur les fenêtres la filtrait en partie.

Le sol était en parquet massif et ancien.

Mauvais point.

S'il grinçait à chaque pas, Alexis serait rapidement repéré.

Le Sig-Sauer semblait peser une tonne au bout de ses bras.

Il s'efforça de garder son calme, d'inspirer par le nez et d'expirer par la bouche. S'apaiser pour retrouver son sang-froid. La lucidité pour opérer les bons choix au bon moment.

Deux vies étaient en jeu, se répéta-t-il. Dont la sienne.

Il avança lentement, leva à peine le pied, et pria pour que les lattes ne couinent pas. Il parvint près de l'ouverture donnant sur un salon plongé dans une même semi-pénombre et pivota de droite à gauche, puis dans l'autre sens, braquant le canon de son arme sur tous les recoins suspects. Personne.

Il respirait fort. Incapable de se calmer.

Le salon était spartiate : un canapé en cuir fendu à plusieurs endroits, la mousse jaillissant par ces trous, recouvert d'une vieille couverture aux couleurs délavées datant probablement des années 70, un fauteuil dans le même état près d'une cheminée, table basse, étagères pleines de revues soigneusement classées pour que leurs tranches forment un alignement monochrome strict. Pas une photo, pas un tableau, rien pour habiller les murs. Aucun tapis ou bibelot pour donner un semblant d'âme au lieu.

Deux portes au fond desservaient le reste de l'habitation.

Où es-tu, enfoiré ? Où tu te planques ?

Alexis se souvint de la lucarne du sous-sol qui s'était éclairée plusieurs fois pendant sa surveillance.

Si ce malade était de ceux qui aiment se construire un repaire pour y enfermer leurs victimes, une prison pour les torturer et les violer en toute tranquillité, alors oui, il y avait tout à parier qu'il l'avait installée au sous-sol, loin des regards.

Le glapissement saccadé surgit brusquement, faisant sursauter Alexis. Il était bien plus proche désormais, et le gendarme put y déceler toute la souffrance du monde. Il n'y avait plus grand-chose d'humain dans ce râle, rien que la part animale pour s'exprimer. Ce que subissait cette pauvre femme était aux confins du supportable, au point de lui hacher la respiration pendant ses hurlements, de presque l'étouffer.

Et les plaintes provenaient de sous ses pieds sans aucun doute.

Alexis examina les environs à la recherche de ce qui ressemblerait à un accès vers la cave, puis retourna sur ses pas et repéra une porte minuscule qu'il avait d'abord prise pour celle d'un débarras.

Sa chaussure fit gémir le plancher.

Il se raidit, une goutte de sueur dégoulina le long de sa colonne vertébrale.

Au loin un nouveau train passait, presque rassurant : au-delà de ces murs, la vie ne s'était pas arrêtée.

La pointe du Sig-Sauer peinait à rester fixée sur la porte.

Alexis se rapprocha, puis tendit la main gauche vers la poignée.

Le battant s'ouvrit tout doucement, dévoilant un escalier étroit et pentu éclairé par une ampoule nue qui grésillait.

Alexis crut percevoir un halètement en bas, puis un gémissement assourdi.

Elle est là, en bas. Vivante.

Il peinait à se motiver pour s'engager dans les marches. Il avait le cœur rapide, cognant contre ses vêtements, il respirait mal, la sueur au front, les mains moites sur sa crosse, et les jambes flageolantes. Il n'était pas du tout sûr d'être capable d'agir. Même de parler, de déclarer sa fonction et de menacer Victor Mags avec l'assurance nécessaire pour le faire s'agenouiller. Pas sûr même de pouvoir garder ses moyens pour lui passer les menottes.

Alexis était terrorisé.

Serait-il apte à presser la détente s'il le fallait ?

Il n'en avait pas la force. Pas à cet instant.

Il jeta un coup d'œil vers l'extérieur, vers la rue désespérément déserte. Son téléphone n'avait pas vibré, Ludivine n'avait pas encore eu son message.

Cette femme est juste là, en bas, à mourir à petit feu. Si je n'y vais pas…

Sa gorge se noua.

Il repoussa l'émotion. Il refusa de craquer. Il inspira profondément, jusqu'à saturer ses poumons d'oxygène et sans plus réfléchir se força à poser un pied sur la première marche.

Puis la deuxième.

L'arme tendue vers le bas de l'escalier, la sécurité défaite, l'index le long du canon, paré à s'engager au moindre doute.

Alexis s'efforçait de maîtriser son souffle, d'être le moins bruyant possible. Il descendait, il y était presque.

Sa tête effleura l'ampoule nue, il devina la chaleur contre son crâne, et son ombre plongea devant lui, pour se répandre sur le sol de béton, tout en bas.

Il s'immobilisa.

Si Victor Mags était tourné vers l'accès à la cave, il ne pouvait avoir ignoré cette apparition.

Le gendarme déglutit avec peine et cala son regard dans la ligne de visée du Sig-Sauer.

Plus un bruit.

Il retenait sa respiration.

Puis, comme il ne se passait rien, Alexis se décida à terminer sa progression.

Les brûleurs d'une chaudière toute proche se mirent en action et l'embrasement du gaz surprit le gendarme au point qu'il glissa son index sous le pontet et pressa furtivement la détente. Par chance le mode double action exigeait une course du doigt plus longue pour déclencher le tir et Alexis put se contrôler avant de faire feu. Tout s'était joué à quelques grammes de pression, à un réflexe.

Oh merde ! tonna-t-il in petto.

Il y était presque. Ils étaient là, juste là, quelque part dans ce dédale en sous-sol, assez proches pour que la respiration difficile de la fille soit audible. Alexis la devinait.

Il ne pouvait plus attendre.

Il pivota et se coula aussitôt hors de l'escalier pour braquer son canon dans toutes les directions possibles de la pièce qu'il découvrait.

Hormis la chaudière neuve et un congélateur, il n'y avait rien.

Sauf une porte entrouverte en face de lui.

Le jeune homme fit quatre pas silencieux pour s'en rapprocher, les bras ankylosés plus par la nervosité que par le poids du pistolet.

Il se plaqua contre le mur. Il respirait à présent par le nez pour limiter au maximum le bruit de son souffle. Être dans l'action l'empêchait de se poser des questions, de perdre ses moyens. Il devait agir, sans s'arrêter.

Il se pencha un peu pour distinguer ce qu'il y avait au-delà de la porte.

Des rideaux de velours rouge qui tapissaient les parois comme dans un vieux cinéma, puis une table en fer. Des chaînes qui couraient depuis les pieds.

Une forme allongée dessus. Peau nue zébrée de sang.

Jambes écartées par un système de poulies suspendues au plafond. On avait immobilisé une femme dans une position d'examen gynécologique, en prenant soin de lui entraver les membres.

Pour ce qu'Alexis en distinguait, elle était brune, une vingtaine d'années, des tatouages sur les cuisses et sur le ventre, un bâillon lui barrant le bas du visage. Ses yeux n'étaient plus que deux petites fentes rougies par trop de larmes et de coups.

On l'avait entaillée un peu partout, des coupures fines, faites au rasoir assurément, qui perlaient toutes à chaque soubresaut de la pauvre femme.

Elle était encore vivante.

Puis Alexis remarqua l'équipement arrimé au mur derrière elle : scies de plusieurs tailles, pour découper tous types de matériaux, tournevis, scalpels, marteaux, cordages, spéculums de plusieurs dimensions, lubrifiants, godemichets de toutes formes, visseuse électrique, pince-étau, ciseaux, sécateurs, menottes, Super Glu, agrafeuse, gros clous, fil barbelé, fils électriques dénudés reliés à une batterie… Alexis ne pouvait en apercevoir qu'une partie de là où il se tenait. L'ensemble était soit disposé sur un établi en bois usé, soit fixé au-dessus à un clou sur une planche d'aggloméré sur laquelle on avait dessiné l'empreinte de chaque instrument pour savoir où le ranger après usage.

La seule vision de tout cet attirail parfaitement aligné, et la pensée de l'usage morbide et dégénéré qui en était fait donnèrent la nausée au gendarme.

S'il avait en ligne de mire l'essentiel de la captive de Victor

Mags, le tortionnaire, lui, demeurait invisible, probablement dans la partie de la salle cachée par la porte.

Il fallait agir. Ne plus attendre. D'un instant à l'autre le tueur pouvait surgir, ou achever sa prisonnière.

Alexis sentait la panique monter.

Il fallait la court-circuiter. Agir maintenant. Ne plus réfléchir.

Il donna un coup de pied dans le battant et bondit en tendant le Sig-Sauer à bout de bras.

Personne.

Alexis fut pris de vertiges. Il se tourna dans tous les sens.

Victor Mags était forcément là, quelque part.

Il n'y avait pas d'autre accès.

Alexis haletait.

Les murs ondulaient tout autour de lui.

Les rideaux de velours rouge sombre s'agitaient.

Il était dans l'antre du tueur. Dans la projection matérielle de son esprit démentiel.

La fille sur la table émit trois cris brefs en tentant de se relever et le sang coula de toutes ses blessures.

La pire était probablement celle qui déformait complètement son sexe suintant. Un cauchemar éveillé. Le gendarme était en plein délire.

Soudain, il comprit qu'elle essayait de lui dire quelque chose. Il vit que ses paupières tuméfiées se soulevaient tant bien que mal et que ses yeux lui indiquaient une direction.

Tout allait trop vite.

Alexis voulut faire volte-face et tirer sans réfléchir.

Il n'eut que le temps de deviner une masse qui jaillissait de derrière les rideaux.

Victor Mags apparut, vêtu d'un tablier en plastique transparent couvert de taches pourpres.

Un revolver au poing.

La lumière explosa en même temps que les tympans d'Alexis.

La première balle lui arracha l'épaule, faisant tomber son arme sur le béton et le renversant contre la table.

Il s'accrocha au bras de la fille qui criait à travers son bâillon.

Un son lointain, atténué par le sifflement du coup de feu.

La deuxième balle lui fit mal. Très mal.

Alexis perçut la douleur au niveau des reins. Comme un tison ardent planté dans ses entrailles. La chaleur brûlante irradia aussitôt le reste de son organisme, jusqu'à monter au cerveau pour embraser ses pensées.

Il réalisa seulement à cet instant qu'il hurlait.

Une troisième balle lui traversa la cuisse droite, le faisant tomber sur les fesses.

Victor Mags s'approcha pour poser le canon sur le front du gendarme.

Il n'arborait aucune expression. Ni colère, ni surprise, ni extase. Rien qu'un regard froid. Vide. Ses lèvres fermées, ses yeux clignant naturellement, comme s'il pelait simplement des légumes pour se préparer à dîner.

Il planta ses prunelles noires dans celles d'Alexis et d'une voix douce, sans haine, ni agressivité, lui dit :

– Fils de pute. Tu es chez moi.

Le gendarme avait l'impression d'être empalé en plusieurs parties de son corps. Une souffrance abrutissante. Il gémissait, bavait, clignait des yeux, en panique. L'effroi survint en découvrant le visage impassible de Victor Mags. La terreur de mourir. Aucune échappatoire. Alexis ne voulait pas de la mort. Il la refusait. Pas comme ça, pas ici. Il était prêt à tout, à implorer, à servir, à souffrir, à tout pour être épargné.

Mais Victor Mags n'éprouvait aucune émotion. Comme s'il était sur le point d'écraser un cafard qui avait osé entrer dans son garde-manger.

Nouveau flash de lumière intense. Nouvelle détonation.

Et le crâne d'Alexis se fendit en plusieurs parties, réduisant son cerveau en bouillie sous l'onde de choc, tandis que la balle ricochait sur le sol pour se perdre. Tout comme l'existence d'Alexis Timée.

Son dernier soupir ricocha dans ce sous-sol humide et sombre.

Son corps resta assis un instant, puis il se renversa.

Alors tout le sang se déversa.

27.

Le monospace fusait entre les véhicules de l'autoroute, sa sirène rugissante et ses gyrophares frénétiques. Ludivine se pencha à nouveau pour distinguer le compteur de vitesse.

Cent trente-sept kilomètres-heure.

Ils n'allaient pas assez vite à son goût, malgré la circulation dense, malgré les ralentissements, les virages.

– On est encore loin ? demanda-t-elle au pilote.

– Vingt, vingt-cinq minutes.

Son téléphone collé à l'oreille depuis le départ, elle faisait le point avec le groupe de Magali qui avait pris un autre chemin en partant plus tôt, pendant qu'elle et Segnon accompagnaient le colonel Aprikan pour rallier l'unité du GIGN désignée pour intervenir.

– Vous y êtes, Mag ?

– On vient de se garer à l'entrée du chemin. Je vois pas Alex et il répond pas au téléphone, t'as des nouvelles ?

– Non, mais…

Ludivine réalisa alors qu'elle n'avait pas raccroché depuis son départ et Segnon, dans la précipitation, avait laissé son portable à Paris.

– Je te rappelle, dit-elle en coupant la communication.

Un appel en absence s'afficha peu après.

Alex.

Puis un SMS : « Vous êtes où ??? Urgent !!! »

Il avait été expédié moins de vingt minutes plus tôt.

Ludivine pressa sur la touche pour lancer l'appel.

Personne ne décrocha et la messagerie se déclencha.

– Alex, je viens seulement d'avoir ton message. Reste en place, tu m'entends ? Mag, Franck et Ben sont là, ils te cherchent. Rappelle-nous.

Trois fois encore, elle tenta de joindre son collègue sans plus de réussite.

Lorsqu'ils arrivèrent à Achères-Grand Cormier, à l'entrée du chemin qui desservait la maison de Victor Mags, les trois monospaces pilèrent devant les deux voitures de la gendarmerie déjà stationnées.

– C'est à moins d'un kilomètre tout droit, fit Magali par la fenêtre ouverte de Segnon. On a bouclé l'accès.

– Alex est là ? questionna aussitôt Ludivine.

– Non. Tu ne l'as pas eu ?

– Putain, Alex, où est-ce que tu te planques ?

Le colonel Aprikan, sur le siège passager, fit des moulinets de la main pour signifier son agacement :

– Il nous fait sortir toute l'artillerie et il n'est même pas là pour s'en expliquer ?

– Je lui fais confiance, mon colonel, s'il a demandé le GIGN c'est qu'il est sûr de lui.

– Et je fais quoi, moi ? Je lance une opération sur un civil sans en savoir plus ? s'agaça l'officier.

Dès l'information donnée par Alexis, Ludivine et Segnon s'étaient dépêchés de récolter tout ce qu'ils pouvaient en quelques minutes sur le suspect en question :

– Victor Mags vit non loin des dernières victimes, il a déménagé cet été. Au moment du premier crime du Fantôme, il vivait tout près de Claire Noury, dans la région du Bois-Larris, et surtout, il est employé dans une entreprise de sécurité. Il est tout à fait possible que dans le cadre de ses fonctions il ait trouvé le moyen de faire un double des clés de chacune de ses proies. Le gars est un suspect sérieux, mon colonel.

– Au point de faire intervenir Satory[1] ? Je ne lance rien s'il ne vient pas prendre ses responsabilités. Et il a intérêt à faire vite !

– Il est là. Il est là, répéta Ludivine comme pour s'en convaincre.

Magali se pencha pour voir le colonel :

– On fait quoi en attendant ? Si le suspect sort de chez lui et nous tombe dessus ici, nous n'aurons plus l'avantage de la surprise et nous serons en pleine rue ! fit-elle en désignant les quelques maisons.

Aprikan se tourna vers Ludivine :

– Je vous donne trois minutes pour joindre Timée.

Ludivine bondit hors du véhicule et fit à nouveau sonner le téléphone de son partenaire. Cette fois, elle ne laissa aucun message et envoya un SMS : « Tu es où merde ??? On est en place ! On t'attend !!! »

Le délai imparti s'écoula et Aprikan aboya en direction de Ludivine :

– Remontez, Vancker !

La jeune femme se précipita vers son supérieur :

– Je le sens pas. Il se passe quelque chose. Alex devrait répondre.

– C'est pour ça qu'on y va. J'espère pour lui qu'on ne va pas se planter, sinon il faudra qu'il se trouve une autre occupation loin de la SR.

Les hommes du GIGN remontaient la rue en file indienne, protégés par les deux monospaces banalisés qui roulaient au pas.

Ils étaient tous lourdement équipés, casque à visière, gilet pare-balles, genouillères, munitions en surplus, fusil d'assaut MP-5 devant eux, arme de poing dans le holster. Les deux

1. Quartier général du GIGN.

groupes avançaient prêts à mener une guerre sans merci s'il le fallait.

Ludivine et Segnon suivaient à bonne distance, refusant catégoriquement de rester en retrait avec les autres. Ils avaient enfilé eux aussi leurs gilets griffés des lettres blanches GENDARMERIE dans le dos et trottaient quinze mètres derrière les deux unités d'intervention, Sig-Sauer à la main, conscients qu'ils n'étaient là que pour observer, en aucun cas pour agir.

Les talons en gomme du commando produisaient un martèlement mat, un orchestre de percussions étouffées se rapprochant de plus en plus du domicile de Victor Mags.

Tout était dans le timing, Ludivine le savait. Il était inutile d'être soixante, avec des lance-roquettes, il suffisait de débarquer coordonnés, d'investir les lieux rapidement, et surtout, de laisser faire les gars juste devant elle. Avec Segnon, ils n'étaient là que pour suivre au plus près l'action, pour identifier Alexis s'ils le croisaient, et notifier son arrestation à leur suspect une fois qu'il serait neutralisé.

L'officier en charge du groupe du GIGN avait d'abord refusé l'intervention, pas tant que toutes les précautions ne seraient pas prises, en commençant par couper la circulation des trains. Aprikan avait pris sur lui, sous l'insistance de Ludivine, au nom de la disparition d'Alexis, de l'urgence, et ils avaient lancé l'interpellation dès qu'un véhicule médicalisé des pompiers était arrivé sur place, par précaution.

Une question obsédait Ludivine pour l'heure : savoir ce qu'Alexis fichait. Elle n'aimait pas ça. Ce n'était pas son genre d'agir de la sorte. Son portable sonnait, ce n'était pas un problème de batterie. Elle ne pouvait s'empêcher d'envisager le pire.

La première escouade était toute proche de la maison, le toit devenait visible entre les branchages.

Un des leurs avait fait un repérage en passant devant en voiture, cinq minutes plus tôt, comme un promeneur égaré, pendant qu'un autre examinait la bâtisse depuis la forêt pour en déterminer les points d'accès.

L'approche avait été progressive, mais les derniers mètres furent engloutis en un instant. Tout s'accéléra brusquement.

Le temps qu'elle analyse la situation, Ludivine vit le premier groupe jaillir sur la porte d'entrée, bouclier et bélier en avant, tandis que le second se séparait en deux pour couvrir les autres façades de la maison tout en restant à bonne distance, mais tous disposés en arc de cercle à cent vingt degrés de manière à éviter de se retrouver face à face et risquer ainsi un « tir ami ».

Stores en acier rouillé ouverts. Fenêtres sales. Pas de lumière à l'intérieur.

Ils n'avaient aucune certitude que Victor Mags soit chez lui.

Les deux enquêteurs de la SR s'accroupirent derrière la palissade tordue, ne laissant dépasser que le sommet de leurs crânes pour assister à l'opération.

L'homme au bouclier guidait ses troupes.

Il y eut soudain un claquement sec, et une gerbe d'étincelles illumina très brièvement le bouclier noir.

Ludivine réalisa que c'était un tir de fusil automatique.

– Coups de feu ! hurla l'un des membres du GIGN en même temps.

Avant qu'ils puissent se réorganiser, une rafale crépita depuis la maison, faisant exploser la porte-fenêtre de la façade principale et projetant des débris végétaux ainsi que de la terre tout autour du groupe qui venait droit sur la porte d'entrée.

Une balle entra juste au-dessus de la genouillère d'un des militaires, qui trébucha immédiatement. Un autre fut transpercé à l'aine, et un troisième fut criblé en pleine poitrine, où le gilet stoppa les projectiles en émettant un son mat.

L'homme au bouclier pivota pour protéger au mieux ses collègues blessés avec son rectangle en céramique d'alumine renforcée. La seconde rafale tapa en plein dedans.

La riposte fut instantanée.

Dès qu'il eut un contact visuel clair avec le tireur, s'assurant qu'il ne tenait aucun otage pour le protéger, un des membres du GIGN ouvrit le feu à son tour. Trois balles de MP-5.

Une toucha la cuisse.

Victor Mags se retint à un meuble et releva son pistolet mitrailleur en direction du tireur.

L'homme n'avait aucun bouclier balistique pour le protéger. Ni son binôme qui fit le même calcul rapide.

Arme. Forcené. Canon dans leur axe. Blessures. Mort possible.

Ils pressèrent leur détente en même temps, juste avant que Victor Mags en fasse autant.

Six balles fusèrent dans les airs, quatre le touchèrent : deux le fauchèrent au niveau du bassin, une troisième au ventre et la dernière juste entre le cœur et le poumon.

Cette fois, Mags s'effondra, arrachant au passage la couverture de son canapé qui lui tomba dessus tel un suaire.

Le premier groupe évacuait en urgence tandis que les deux militaires qui venaient d'abattre le tueur se précipitaient vers la maison.

Rien ne se passait comme prévu. Des hommes au sol, le suspect probablement mort. En dépit de toute règle élémentaire de sécurité Ludivine décida d'agir. Elle sauta par-dessus la petite palissade et fonça derrière les deux militaires en tenue tactique.

– Ludivine ! Non ! clama Segnon.

En un instant, ils passaient par la baie vitrée éventrée, canon de leur MP-5 pointé vers le corps de Mags. La couverture se souleva, et les deux hommes, aussitôt imités par Ludivine, posèrent un genou à terre en criant :

– Ne bougez plus !

– Stop ou je tire !

Moins d'une seconde plus tard, une nouvelle détonation claquait. Cette fois, le tueur retomba.

Ludivine ne lâchait pas du bout de son canon le corps sous la couverture.

Un des militaires tira un coup sec pour le dégager.

La dernière balle l'avait cueilli au cou, un petit geyser de sang pulsait au rythme des battements du cœur.

– Merde !

L'agent de sécurité clignait des yeux, hagard, la bouche ouverte.

Le militaire donna un coup de pied dans un revolver que tenait encore le tueur et se pencha pour compresser la plaie avec ses gants.

Ludivine comprit que Mags avait relevé son arme dans sa propre direction. Pour se suicider.

– Médecin ! aboya le militaire à son chevet. Faites venir le médecin !

Son binôme se tenait en retrait, l'arme levée, toujours prêt à agir. Il ne cessait de la braquer vers les portes fermées et la cuisine dont il ne pouvait distinguer si elle était vide ou pas.

Deux autres membres du GIGN entrèrent pour foncer dans cette direction, suivis par deux autres qui prirent en charge de « nettoyer » les autres salles du rez-de-chaussée.

Ludivine leur emboîta le pas. Constatant que la chambre était vide, tout comme la salle de bain, elle fonça vers la cuisine avant d'être retenue par un des militaires :

– N'allez pas si vite, les gars pourraient vous prendre pour une cible hostile. Laissez-nous passer.

Ils l'écartèrent et investirent les escaliers qui conduisaient au sous-sol après avoir parlé avec leurs collègues, en bas.

Lorsque la jeune gendarme parvint dans la cave, un des commandos leva la main vers elle :

– C'est *clear*. Par contre, il y a deux macchabs là-derrière. C'est tout frais.

Ludivine ferma les yeux un court instant.

Pas ça.

Elle entra dans la chambre de torture de Victor Mags.

Les tentures de velours rouge dansaient encore du passage du GIGN.

Une femme nue, les jambes dans des étriers en chaînes, gisait sur une table. Un trou au niveau de la tempe, la moitié du crâne arrachée de l'autre côté.

Et à ses pieds, il y avait Alexis.

Du moins ce qu'il en restait.

DEUXIÈME PARTIE

ELLE

28.

Ludivine était assise à l'arrière du monospace, portière ouverte, jambes à l'extérieur, emmitouflée dans une couverture.

Segnon lui apporta un gobelet en plastique fumant :

– Tiens, un thé chaud.

Les doigts de la jeune femme se resserrèrent tout autour, machinalement.

Des véhicules de la gendarmerie, des camions de pompiers, des voitures de politiciens locaux et même du préfet formaient un amas autour d'un poste de travail improvisé sous une tente blanche. Une cinquantaine de personnes s'agitaient, indignées, concernées, en colère ou au contraire impassibles. Au loin, un cordon barrait l'accès aux badauds et surtout aux journalistes dont deux hélicoptères survolaient la zone en arc de cercle depuis près d'une heure pour obtenir des images à diffuser sur les chaînes d'information continue.

Les experts allaient se succéder toute la nuit pour ausculter la maison de Victor Mags.

Segnon resta là sans parler, à regarder sa partenaire qui avait les yeux perdus dans le vague.

– J'ai entendu le préfet dire qu'il fallait présenter Alex comme un héros, finit-il par rapporter. Il veut mettre l'accent sur le dangereux criminel qui a été neutralisé.

La bouche de Ludivine se déforma, avec son menton, et les larmes l'aveuglèrent.

La main de Segnon se posa sur ses cheveux en pagaille.

– Ça a été très vite, tu sais. Il n'a pas eu le temps de s'en rendre compte.

Cette fois les sanglots furent trop puissants pour être contenus, et Ludivine s'effondra dans sa paume ouverte.

Elle n'en pouvait plus de pleurer. D'éprouver ce déchirement dans les entrailles. Sur une promesse. La promesse du vide à venir. De l'absence définitive. Irrévocable.

Elle avait beau s'interdire de faire défiler ses souvenirs d'Alexis, c'était comme de refuser de voir un film tout en étant au milieu d'un cinéma avec des écarteurs sur les yeux. La vie s'imposait à elle.

Et inlassablement, elle se terminait sur cette nuit l'un contre l'autre. Sa chaleur, le goût de sa peau, l'odeur de son corps.

Ludivine eut besoin de dix minutes pour reprendre ses esprits, pour taire cette nouvelle vague d'émotions. Après quoi elle désigna la tente où les huiles s'étaient rassemblées.

– Je ne veux pas qu'ils nous retirent l'enquête, dit-elle à Segnon.

Celui-ci inspira profondément par le nez en haussant les sourcils.

– Ils ne le feront pas. Et Aprikan est derrière nous.

– Je ne veux pas qu'on perde de temps avec les interrogatoires administratifs, avec la paperasse, on a autre chose à foutre !

– L'IGGN[1] n'est pas là pour nous enfoncer, Lulu, tu sais très bien qu'ils vont tout faire au contraire pour nous aider à clarifier la situation, surtout vis-à-vis des médias. Le colonel va les gérer. Le Puzzle squad ne va pas être démantelé, on a encore trop à faire, ne t'inquiète pas de ça.

Elle secoua la tête, déterminée.

– Ils ont trouvé qui est la fille ? demanda-t-elle.

1. Inspection générale de la Gendarmerie nationale : conduit les investigations internes de la gendarmerie.

– Apparemment, il pourrait s'agir d'une pute. Il y en a pas mal dans le coin. Mais les flics de Poissy qui passent les contrôler de temps en temps affirment qu'elles ne parlent pas, ce sera dur de l'identifier, et encore plus de savoir si d'autres ont disparu récemment.

– Pourquoi il est entré ? demanda soudain Ludivine d'une voix atone.

Segnon soupira.

– Alex est... était prudent. C'était pas le genre à faire le con. S'il y est allé, c'est qu'il n'avait pas le choix. Soit il s'est fait choper par Victor Mags, soit il a vu la fille et il est intervenu pour essayer de la sauver.

Le colosse avait du mal à s'exprimer, il n'arrêtait pas d'avaler sa salive comme pour empêcher quelque chose de remonter.

– À première vue, il n'aurait même pas fait usage de son arme, dit Ludivine tout bas.

Segnon s'accroupit face à sa collègue.

– C'est allé très vite, je te dis. Il a pas souffert.

Elle prit une grande bouffée d'oxygène pour s'empêcher d'être à nouveau envahie par l'émotion.

Soudain, la silhouette fine et noueuse du colonel Aprikan s'approcha. La jeune femme s'empressa de sécher ses joues, et se releva pour se donner une contenance.

– Victor Mags est décédé à l'hôpital de Poissy, c'est désormais officiel, dit-il aussitôt. Je voulais que vous soyiez parmi les premiers à le savoir.

Ludivine acquiesça, sans savoir si elle devait s'en féliciter ou regretter de ne pouvoir assister au jugement du tueur.

– Et comment vont les deux collègues du GIGN qui ont été évacués ?

– Le premier est stable, pour le second on l'ignore, il est sur le billard pour l'instant.

– Le préfet vous est tombé dessus ? interrogea Segnon.

– Non, au contraire, il est derrière nous. En tout cas pour le moment. Les TIC viennent de trouver un bout de terre fraîchement retournée dans le jardin. Assez grand pour ressembler à une tombe. On s'attend à tout. La pelleteuse va venir pour creuser ça dès cette nuit. Ce salopard a sept morts sur les bras et le compteur tourne encore on dirait. Donc le préfet est plutôt satisfait qu'on lui soit tombés dessus avant que la liste puisse s'allonger encore.

– Mon colonel, j'imagine que vous pourriez nous écarter de l'enquête à cause de ce qui vient de se passer, affirma Ludivine avec conviction, mais je refuse de rester là sans rien faire. Personne ne connaît toute l'affaire aussi bien que Segnon et moi, personne ne...

Le colonel la coupa d'un geste catégorique :

– Je ne ferai rien de la sorte, Vancker. Pas tant que l'IGGN ne me l'imposera pas et ce n'est pas le genre de la maison. Entre gendarmes on se serre les coudes. J'ai trop besoin de vous. Commencez par trouver comment Alexis est arrivé sur le dos de Victor Mags, il faut qu'on puisse justifier ça très rapidement pour notre dossier, et pour la presse. Remontez sa piste.

Il pivota vers Segnon :

– Que donne la piste polonaise pour l'autre tueur ?

– Nous avons eu les flics de là-bas en début d'après-midi. Le téléphone que nous avions correspond à une carte prépayée. Ils enquêtent là-dessus, mais personne ne se fait trop d'illusions, c'est sûrement un achat en cash dans une grande surface, intraçable.

– Ils ont les moyens techniques de localiser les appels ? De savoir où il était quand Victor Mags l'a appelé depuis la villa de Louveciennes ?

– Oui, bien sûr. Mon contact m'a dit que le relais activé était celui qui était le plus proche du lieu où le crime avait été commis là-bas. Une zone industrielle, avec pas mal de circulation de poids lourds. On pense que c'est un chauffeur routier. Ça expliquerait qu'il tue à proximité d'une autoroute à chaque fois. Il fait la liaison France-Pologne.

– Continuez à creuser dans cette direction. Et s'il le faut, dites-le-moi et je vous expédie sur place, le juge est aux petits soins avec nous, j'aurai une commission rogatoire internationale en trois minutes. La police allemande n'a pas répondu à vos circulaires d'information ?

– Via leur police fédérale qui fait la liaison avec Interpol, si, ce midi. Ils n'ont rien qui puisse ressembler à nos crimes, mais de leur propre aveu, l'info locale a pu ne pas remonter jusqu'aux services qui centralisent tout. Ils sont en ce moment même en train de relancer tous les services de police de leurs Länder. J'ai aussi sonné le clairon auprès d'Interpol, une piqûre de rappel ne fait jamais de mal.

– Bougez-les. Si vous ne le faites pas, ça peut prendre des plombes.

Les petits yeux d'Aprikan se posèrent sur Ludivine. Il l'observa une dizaine de secondes.

– Rentrez, dit-il. Allez vous reposer. Prenez la journée de demain, les autres membres de la cellule continueront. Vous en avez besoin.

– Ce ne sera pas nécessaire, répliqua-t-elle.

Aprikan fit la moue, dubitatif. Puis il céda :

– Comme vous voudrez, mais ne vous cramez pas. Je vais avoir besoin de vous.

– Et Mikelis ? demanda Ludivine.

– Eh bien quoi ?

– Maintenant que nous sommes dans l'œil du cyclone, que tout le monde va s'intéresser de près à ce que nous faisons et comment nous le faisons, est-ce que vous le renvoyez chez lui ?

– Et puis quoi encore ? Qui me reprochera de faire appel au meilleur expert criminologue du pays ? Il reste. Nous allons avoir besoin de lui plus que jamais. Je veux que nous mettions un nom sur ce détraqué qui tue à tout-va en France et en Pologne. Je veux que nous l'arrêtions avant qu'il recommence, dans la foulée de Victor Mags.

Ludivine était rassurée. Un poids en moins dans le sac de plomb qu'était sa poitrine. Elle ne comptait pas lâcher l'enquête. Bien au contraire, elle allait s'y investir comme jamais. Comprendre ce qui avait conduit Alexis jusqu'à Victor Mags, jusqu'à cette rue sordide, jusque dans cette cave humide où il avait perdu la vie. Et au final, elle mettrait hors d'état de nuire la Bête.

Parce qu'il y avait un lien entre les deux tueurs. Une union qu'elle devait briser.

Segnon récupéra ses affaires et proposa de la ramener.

Ils roulèrent en silence, incapables d'ouvrir la bouche après tout ce qu'ils venaient de vivre. L'un comme l'autre savaient que le plus dur était encore à venir. Poser sa tête sur l'oreiller, voir toutes ces images défiler.

Alexis gisant sur le béton froid, le visage blanc, les yeux ouverts, sans aucune lumière, sans plus de vie pour les faire pétiller. L'arrière de son crâne manquant, et tout son sang répandu comme une terrible auréole mortuaire.

Les lampadaires jaunes de l'A14 défilaient à toute vitesse, hypnotisants.

Il était minuit passé quand le téléphone de Segnon sonna, il le prit en murmurant le nom de sa femme.

– C'est un numéro international, s'étonna-t-il.

– La Pologne ?

– Non, c'est pas l'indicatif. Je crois que c'est celui des Pays-Bas.

Il décrocha et écouta religieusement.

Lorsqu'il se tourna vers Ludivine, il semblait étourdi par la nouvelle.

– C'était Europol. Ma relance de ce midi à Interpol les a réveillés. Ils ont quelque chose pour nous.

– Un autre meurtre en Pologne ?

– En Écosse. Plusieurs.

– Merde.

Segnon serra les mains sur le volant, le cuir crissa sous la pression.

– Et aussi en Espagne. Toutes les victimes portent le même symbole. Un *e* précédé d'un astérisque.

29.

Ils étaient à peine sortis de l'aéroport d'Edimbourg que la brume accueillit Ludivine, Segnon et Richard Mikelis. Un inspecteur de police répondant au nom de Baines les guida jusqu'à une Ford grise, surmontée d'une barre gyrophare et taguée aux couleurs criardes des forces de l'ordre du Royaume-Uni. Les trois Français s'entassèrent à l'arrière, Ludivine coincée entre les deux armoires à glace, pendant que Baines montait à l'avant et donnait l'ordre au policier en uniforme de se mettre en route.

– Je suis désolé, dit l'inspecteur avec un accent qui lui faisait décomposer chaque mot syllabe par syllabe, nous avons un peu de route, mais nous nous arrêterons pour que vous puissiez détendre vos jambes.

– Le crime a eu lieu dans les Highlands, c'est ça ? demanda Segnon.

– Dans l'ouest de l'Aberdeenshire, une région sauvage, connue pour le château de Balmoral, la résidence d'été de Sa Majesté la Reine.

– Il y a deux victimes si j'ai bien compris ?

– Oui, un couple de randonneurs. Ils faisaient probablement de l'auto-stop.

– Vous les avez trouvés mardi matin ? intervint Ludivine.

– Tout à fait. Ils ont été tués dans la soirée de dimanche d'après le... comment dites-vous déjà ?

– Légiste.

– Oui, c'est ça. Abattus de plusieurs balles chacun.

Ludivine regarda Segnon.

– Dimanche soir, répéta-t-elle tout bas. Comme pour la Pologne et pour Louveciennes. Ils se sont coordonnés.

Abattus par balle. Les mots résonnèrent à nouveau dans l'esprit de la gendarme. Le cadavre d'Alexis flottait aux frontières de sa pensée malgré tous ses efforts pour l'imperméabiliser. Ludivine ne voulait pas se laisser submerger. Ne pas s'effondrer à nouveau. Pas maintenant. Pas devant tout le monde. Elle voulait tenir, faire comme Segnon : tout garder, pleurer à l'intérieur.

– J'ai lu le fichier que vous m'avez envoyé, dit l'inspecteur Baines. Vous croyez vraiment qu'il s'agit d'un groupe ?

Ludivine sauta sur l'occasion de penser à autre chose, elle répondit du tac au tac, alors même que Segnon avait la bouche ouverte :

– Nous le craignons. Vous avez fait remonter l'information à tous les services de police d'Angleterre ? Il n'y a que les trois meurtres que vous nous avez communiqués, pas d'autre crime avec le même dessin ?

– Nous avons sensibilisé toutes les polices du Royaume, Miss, et rien d'autre n'est remonté. Les deux auto-stoppeurs, et cette fille, assassinée fin septembre près d'Inverness. Ce sont les trois seuls cas. Et c'est déjà bien assez si vous voulez mon avis.

Baines avait la lèvre supérieure anormalement proéminente, ce qui transformait légèrement toutes les consonances sifflantes en chuintantes. L'homme avait la quarantaine bien entamée, cheveux courts autrefois châtain clair tirant à présent sur le gris, un nez camus, une peau aux pores larges et couverte de grains de beauté et des yeux gris-vert. Ludivine remarqua aussi l'intérieur de son index et majeur droit jauni par l'excès de tabac.

Baines se retourna, soudain mal à l'aise :

– Vous ne vouliez pas vous arrêter pour vous rafraîchir au moins ? Je suis désolé, nous avons été pris de court et l'organisation est…

– Ne vous inquiétez pas, le coupa Mikelis, nous sommes très bien. Plus vite nous irons sur la scène de crime, mieux ce sera.

Le voyage s'était organisé dans la précipitation. En une journée, le juge d'instruction avait accompli des prouesses pour contacter la justice écossaise et tout arranger en quelques heures suite au coup de téléphone d'Europol. Le lendemain, les gendarmes avaient sauté dans le premier vol pour Edimbourg, celui de 7 h 10, emportant le strict minimum, et avec la bénédiction d'Aprikan. Le dernier crime en Écosse était tout frais. Cinq jours à peine. Il ne fallait pas tarder. Dans la salle d'embarquement, Segnon avait passé trois quarts d'heure au téléphone avec la police espagnole pour se faire envoyer tout ce qu'ils avaient sur les victimes tatouées d'un **e*. Elles étaient au moins trois pour l'instant. La dernière en date remontait au mois de septembre. Les gendarmes avaient décollé en comprenant qu'ils étaient embarqués dans une affaire qui les dépassait de plus en plus. Avec un besoin pressant de trouver des réponses. Ils étaient les seuls à avoir lié tous les meurtres, à avoir neutralisé un des assassins, mais l'épidémie se propageait à grande vitesse.

Une pandémie de violence.

La voiture filait à présent sur un immense pont suspendu dans la brume, comme si le monde n'existait plus. Le ronronnement du moteur et la chaleur de l'habitacle bercèrent Ludivine qui n'avait pas fermé l'œil de la nuit, elle lutta au début et sombra avant même qu'ils aient atteint l'autre berge.

Des collines brunes se télescopaient à perte de vue, couvertes de hautes herbes jaunies par l'humidité, entrecoupées par des ruisseaux et des marécages, et l'unique route qui passait par là était si étroite que deux véhicules ne pouvaient se croiser.

Ludivine remonta la fermeture de sa doudoune pour se protéger du froid et désigna le ruban jaune enroulé autour de piquets plantés un peu rapidement et qui déjà se tordaient dans le vent.

– Vous n'avez laissé personne pour garder le périmètre ?

– La zone a déjà été entièrement fouillée, plusieurs fois, par nos… nos experts, je crois que c'est le bon mot. De toute manière personne ne passe par là.

– Qu'est-ce que vous savez sur les deux victimes ? demanda Mikelis sans se départir de son air sombre.

– Des touristes du Yorkshire, vingt-deux et vingt-quatre ans. En couple. Ils revenaient du Loch Ness et campaient à travers les Highlands pour descendre vers le sud. Des gens pas méfiants, ils vivaient dans un petit village. Plusieurs témoins les ont vus faire du stop ces derniers jours dans le secteur. On ne sait pas s'ils se sont écartés de la route principale pour trouver un endroit pour planter leur tente ou si c'est leur assassin qui les a conduits jusqu'ici.

– Des indices sur place ? s'enquit Segnon.

– Traces de pneus, empreintes de chaussures, et un bout d'emballage de préservatif.

– La fille a été violée ?

Baines fit une grimace un peu gênée et cracha la fumée de sa cigarette par les narines.

– Oui. Mais son compagnon aussi. Et ce n'est pas tout : il y avait également une plaquette de médicament vide. Du Viagra.

– Il a besoin de ça pour se stimuler ? s'étonna Ludivine. Ça pourrait être un violeur déjà tombé et castré chimiquement qui cherche tous les moyens possibles pour parvenir à ses fins ?

La jeune femme attendait une approbation de Mikelis, qui secoua la tête :

– La castration chimique n'est active qu'en Angleterre et au pays de Galles, pas ici. Et encore, c'est sur la base du volontariat et cela ne permet aucune remise de peine, donc je ne crois pas qu'un violeur obsessionnel soit prêt à s'y soumettre. Au contraire, je dirais plutôt que le Viagra est l'outil d'un pervers qui a pour ambition de faire durer au maximum son plaisir.

– Rien d'autre ? insista Segnon à l'attention de Baines.

– Les laboratoires sont sur le coup pour tous les échantillons, ils procèdent en urgence, mais ça prend un peu de temps quand même.

– Il a utilisé une arme à feu pour les abattre, vous disiez ? interrogea Mikelis. Comment s'y est-il pris ?

– On pense qu'il a d'abord tué la fille, une balle dans le front. On l'a retrouvée juste là, jambes écartées, toute nue, avec le dessin bizarre fait au couteau sur son ventre. L'homme était plus loin, quatre balles dans le dos au niveau du cœur. Il était là-bas, dans les buissons, en partie dissimulé par ses vêtements, par son manteau en fait. Il avait été rhabillé, mais c'était évident que c'était par le tueur.

– La fille était ici, près de la route, vous dites ? se fit confirmer Mikelis.

– Oui.

– Sur le dos ? Le sexe en évidence ?

– Oui.

– Alors que l'homme était dans les fourrés en contrebas, face contre terre ?

– En effet. Pourquoi ?

– La plupart des criminels abandonnent leur scène de crime comme le reflet de leur état d'esprit *après* coup. Il voulait donc qu'on voie la fille, il en était fier. Par contre, pour l'homme, ça le perturbait davantage, il assumait moins. Il ne voulait pas voir son visage alors il l'a couvert, tout comme le corps qu'il a rhabillé. Il n'assume pas le viol sur l'homme.

– Un homosexuel refoulé ?

– Ça ou beaucoup d'autres choses, il ne faut pas aller trop vite pour l'instant. Vous avez les rapports des autopsies ?

– Ils devaient arriver ce matin même. Le temps que nous allions aux bureaux de la police d'Inverness, je pense que nous devrions les obtenir.

– Vous pourrez nous sortir tout ce que vous avez sur le premier crime aussi ? intervint Ludivine.

– Bien sûr. Elle, c'est différent. Une junkie abattue dans un tunnel piéton dans un mauvais quartier de la ville. Une balle en pleine tête aussi.

– Violée ? fit Mikelis.

– Pantalon et culotte en bas des chevilles mais d'après le légiste il n'y a pas eu pénétration, ou en tout cas pas suffisamment pour laisser des traces. Le dessin bizarre avec la lettre *e* était taillé sur sa cuisse droite, au couteau.

– Il n'est pas parvenu à ses fins pour cette première fois alors il s'est motivé avec du Viagra pour son second passage à l'acte ? proposa Ludivine en cherchant à nouveau l'assentiment de Mikelis.

Le criminologue se contenta d'un vague grognement. Il avait autre chose en tête mais la gendarme savait qu'il ne parlerait qu'une fois certain de son hypothèse, une fois qu'il aurait analysé tout le dossier.

Ils reprirent la voiture et roulèrent jusqu'à un petit village où ils s'arrêtèrent pour déjeuner dans un pub rustique, avant de reprendre la route jusqu'à Inverness. Pendant cette courte halte, Ludivine s'était enfermée aux toilettes pendant dix minutes pour pleurer toutes les larmes possibles, pour s'assécher, espérant se donner un peu de répit. Tenir jusqu'à la prochaine pause, écarter Alexis de ses pensées jusqu'à ce qu'elle soit à nouveau seule.

La brume s'était levée depuis Edimbourg, cependant le plafond nuageux demeurait bas, et le sommet des monts les plus élevés disparaissait dans cette couche parfois étouffante.

De l'Écosse, les trois Français ne virent que des collines grises et marron, d'étroites vallées boisées abritant des châteaux anciens dont seuls les sommets des tours et donjons étaient visibles depuis la route. Puis le paysage retomba presque d'un coup, comme si un géant avait tiré brusquement sur la nappe froissée du monde, pour en aplanir les bords, juste avant la mer : ils arrivaient dans la banlieue d'Inverness, petite ville du Nord du pays, habituée à la bruine, aux vents marins, et aux touristes venus visiter le Loch Ness tout proche.

Quand ils s'installèrent enfin dans le bureau mis à la disposition de Baines et ses invités, les dossiers étaient déjà prêts, parfaitement posés les uns à côté des autres, avec les deux rapports d'autopsie tout juste imprimés. Baines s'empressa d'en faire des photocopies qu'il distribua aux trois Français et tous se plongèrent dans la lecture tandis que de grosses gouttes s'écrasaient sur les fenêtres.

Mikelis, lui, survola l'ensemble. Il feuilleta les pochettes cartonnées au nom de Magdalena Willis, la première victime, puis revint aux autopsies.

– Matière fécale sur le sexe de Morris Longston ? lut à voix haute Ludivine.

– L'auto-stoppeur, oui, confirma Baines. Apparemment. Le... légiste a fait un échantillon pour la DNA.

– L'ADN, corrigea Ludivine. Si c'est le couple qui s'éclatait à sa manière, ça ne nous avancera pas beaucoup mais...

Mikelis secoua la tête.

– Je ne crois pas. Elle n'a aucune marque de rapport sexuel anal selon le rapport. Aucune.

– Ouch, fit Segnon. Ça se complique. On a affaire à un tordu ?

– Je crois que le Viagra n'était pas pour le tueur, ajouta Mikelis. Mais pour le garçon. Pour le motiver.

– Le motiver ? dit Ludivine d'un air dégoûté.

– Notre tueur a essayé de violer la fille, parce que c'est ce qui se fait normalement quand on est un homme. Du moins dans son esprit. Mais il n'a pas réussi. Déjà avec la première victime, Magdalena Willis, il n'y est pas parvenu, mais il a voulu nous le faire croire en laissant sa culotte baissée. Il s'en est pris à un couple parce que ça l'arrangeait. La fille pour donner le change, alors que c'est le mec qui l'intéressait. Il l'a gavé de Viagra pour l'obliger à le sodomiser, lui. Je pense qu'il menaçait la fille pendant ce temps, elle a plusieurs traces rondes sur le visage, dont deux brûlures. Le tueur a dû tirer pour les impressionner et a collé le canon chaud sur ses joues juste après.

– Ensuite c'est lui qui a violé l'homme, avant de l'abattre, résuma Ludivine.

– Quelque chose dans ce goût. Il tue les femmes simplement, une balle en plein cerveau. Pour l'homme par contre, c'est différent, il s'acharne, plusieurs tirs, et tous au niveau du cœur. Il y a quelque chose de plus personnel là-dedans, dans son rapport aux mâles.

– Mais il a gravé le symbole sur la fille, pour montrer à ses camarades son travail, en tout cas celui pour lequel il veut être reconnu, compléta Ludivine.

Mikelis lui jeta un regard admiratif.

– Exactement. Il veut garder une apparence « normale » auprès de ses compagnons de mort.

– Vous êtes sûrs qu'ils sont liés ? interrogea Baines qui suivait l'échange avec une grande attention. Je veux dire : notre tueur ici et vos deux meurtriers en France ?

– Le *e* avec l'astérisque n'est pas une coïncidence ! intervint Segnon. Et ils ont tous frappé le même soir, dimanche. Bien sûr qu'ils sont liés !

– Ils communiquent entre eux, ajouta Mikelis. Inspecteur Baines, vous avez le fichier détaillé de tous les appels effectués avec les portables des victimes ?

– Bien entendu. Nous l'avons déjà étudié. Le voici.

– Et aucun appel vers l'étranger ?

– Non, aucun, j'ai vérifié tout à l'heure.

Segnon soupira, agacé.

– Font chier à être aussi prudents. Il a forcément dû les appeler, mais peut-être d'une cabine ou avec une carte SIM prépayée.

– Je ne suis pas sûr, dit le criminologue. Il a bien fallu qu'ils fassent connaissance avant ça, qu'ils se recrutent mutuellement. Et par les temps qui courent, on ne fait pas ça par téléphone.

– Internet. Ils s'échangent des emails ? déduisit Baines.

– Ou via un forum, proposa Mikelis. Segnon, c'est une piste que vous avez exploitée ?

– Bien sûr, mais tapez *e sur Google et vous verrez ! C'est trop vague, ça renvoie à tout et n'importe quoi. Si on ne connaît pas l'adresse exacte du site, on ne trouvera jamais.

– De toute manière, compléta Ludivine, s'ils sont malins, c'est un forum hébergé à l'étranger, dans un pays moins regardant que nous sur le plan légal. Il sera impossible d'obtenir la moindre aide pour identifier les participants.

Le téléphone sonna et Baines se leva dès qu'il entendit son interlocuteur lui parler.

– Parmi les affaires des deux auto-stoppeurs nos experts ont trouvé une empreinte ADN sur des poils qui ne sont pas ceux des victimes, et cet ADN vient de donner un nom très intéressant, dit-il après avoir raccroché. Logan Balfour. Un type avec un passé judiciaire long comme le bras.

L'inspecteur pianota sur son ordinateur portable et la fiche de Balfour apparut.

– Il est sorti de prison en avril dernier, lut-il.

– Il y était pour quoi ? demanda Ludivine.

– Braquage. Balfour est un pro des attaques de banques. C'est sa deuxième, soupçonné dans trois autres affaires.

– Vous avez l'ADN d'un braqueur dans vos fichiers ? nota avec surprise Ludivine.

– Oui, confirma Baines avec une pointe de fierté, notre base de données d'ADN est l'une des plus vastes au monde, l'Écosse est parmi les précurseurs dans ce domaine. Nous sommes autorisés à prélever l'ADN pour quasiment tout type de crime.

Il allait se déconnecter quand Mikelis l'arrêta :

– Attendez ! Je voudrais voir ses autres condamnations. Violences. Usurpation d'identité. Vol en réunion. Association de malfaiteurs… Bref, tout l'attirail du petit criminel en puissance.

– Et ça continue ! s'étonna Ludivine.

– Nos services ont une adresse possible, leur indiqua l'enquêteur écossais en se levant. Je suis désolé, je ne peux vous emmener avec moi. Je vous propose de vous faire déposer à votre hôtel, je vous tiens au courant dès que nous…

– Si ça ne vous dérange pas, nous préférerions rester là, coupa Mikelis. Avec un de vos hommes dont vous n'aurez pas besoin.

Baines parut surpris.

– Ah. Bien, si vous préférez. Si je suis retenu tard par l'arrestation, j'enverrai quelqu'un pour s'occuper de vous. Je vous laisse tous les dossiers. *Enjoy !*

Dès qu'il fut parti, Ludivine ouvrit les bras devant elle :

– Vous avez quoi en tête ?

– Nous ne servirons à rien à l'hôtel, sinon à vous entendre pleurer. Autant creuser encore un peu dans notre coin.

La jeune femme ravala sa fierté, humiliée d'être à ce point lisible. Segnon prit la relève :

– Si c'est notre gars, à quoi bon ? Les flics d'ici vont le cuisiner, et avec un peu de chance il nous permettra de faire le lien avec Victor Mags, voire carrément avec la Bête !

Mikelis se passa la main sur le front puis sur le crâne.

– Balfour n'est pas le tueur.

Il avait prononcé ces mots avec une telle assurance que Ludivine et Segnon surent qu'il leur cachait quelque chose.

Son regard les transperçait.

Un regard qui mit les deux gendarmes mal à l'aise.

Ludivine ne sut si c'était à cause d'une trop grande intensité, écrasante, ou à cause de sa capacité à lire dans la tête des gens, avant qu'elle réalise que ça allait bien au-delà.

Ses yeux étaient vides.

Alexis avait eu raison de faire appel à ses compétences car Mikelis ne pensait pas comme un flic. En aucun cas. Mais il était d'autant plus difficile à suivre. Impossible à contenir.

Il pensait comme un tueur.

Il en avait le regard.

30.

Mikelis ferma la porte pour les isoler du reste du commissariat.

– Écoutez, Balfour a le profil d'un gros dur, d'un criminel endurci, d'un vrai bandit, mais pas du psychopathe introverti qui tue dans son coin pour assouvir ses fantasmes. Aucune condamnation pour violence sexuelle, aucun attentat à la pudeur, pas d'attouchement, rien qui en fasse celui qu'on recherche. C'est un délinquant notoire, pas un tueur en série.

– Il peut y avoir une exception, contra Ludivine.

– En effet. Mais au cas où, j'aimerais autant que nous n'abandonnions pas d'autres pistes.

Mikelis semblait sûr de lui, comme s'il gardait quelques cartes dans sa manche.

– Comme ?

– La prison. Le tueur qui sévit en Écosse est assez méticuleux pour ne pas laisser de témoin, il a une méthodologie similaire à la celle de la Bête. Il ne laisse que ce qu'il ne peut effacer : marques de pneus et de chaussures, c'est tout. Pourquoi laisserait-il une trace d'ADN ?

– Il a mal nettoyé derrière lui ? Il ne s'agit que de quelques poils…

– Il ne laisse aucune empreinte de doigt, donc il porte des gants, il fait attention, ce qui est idiot si c'est pour abandonner son ADN ! Ce genre de violeur méticuleux pense à se raser complètement le pubis pour éviter justement d'avoir à nettoyer sa scène de crime des poils. Il n'est pas si malin que ça…

Ludivine voyait bien que Mikelis était perturbé, il n'adhérait pas à l'hypothèse d'un agresseur précautionneux sur autant de points et approximatif sur d'autres.

– Alors c'est le hasard ? Les deux auto-stoppeurs ont croisé Logan Balfour *avant* de tomber sur leur assassin ? Un peu gros, non ?

La gendarme n'y croyait pas une seconde.

– Sauf si c'est un coup monté, répliqua le criminologue.

Le silence tomba sur la pièce. Laissant la pluie cogner contre les carreaux.

– Balfour sort de prison, il a pu y rencontrer le tueur, un homme renfermé, qui servait de femme là-bas, si vous voyez ce que je veux dire. Le tueur a appris à connaître Balfour. Une brute. Un leurre parfait. Pendant son incarcération, il aura eu tout loisir de récolter des poils de Balfour, pour plus tard. Et avec les deux auto-stoppeurs est venu le moment de le faire payer.

Ludivine désigna la porte :

– Pourquoi vous avez laissé Baines partir l'arrêter alors ?

– Parce que je n'ai que mes déductions, elles valent moins qu'une preuve matérielle comme celle qu'ils ont retrouvée. Mais vous, vous me faites confiance, n'est-ce pas ?

– Vous avez dit que sa méthode est similaire à celle de la Bête, dit Segnon. Vous pensez qu'ils se refilent des tuyaux ?

– Possible.

– Pourtant, lui, ici, a laissé de l'ADN. Avec les poils et sur la queue du mort, on va en récupérer ! Grosse connerie !

– Je vous parie que l'ADN sur le sexe est différent de celui des poils pubiens. Le premier est celui du vrai tueur.

Ludivine enchaîna :

– Si les flics ici se sont précipités sur les poils, il y a des chances qu'ils laissent tomber l'autre empreinte génétique ou que ça prenne plus de temps, ce n'est plus une priorité…

– En tout cas, c'est une erreur du tueur, continua Mikelis, s'il a laissé son ADN sur le sexe de sa victime, alors c'est un aveu de son fantasme. C'est trop important pour lui pour qu'il s'en empêche. C'est là son point faible. Son vice caché. Ce qu'il ne semble pas assumer. Je parie que ses camarades de jeu ne connaissent pas cette facette de ses pulsions. C'est sa faille. C'est par là qu'il faut l'attraper.

– Vous voulez explorer les milieux homosexuels d'Inverness ? fit Ludivine avec peu d'enthousiasme. C'est un boulot de terrain, ce n'est pas à nous de le faire, on n'obtiendra rien ! On n'a même pas la compétence judiciaire pour ça!

– Non. Pour commencer, nous allons passer un coup de téléphone à la prison où Balfour a résidé ces dernières années.

– Pour avoir la liste des prisonniers qu'il a côtoyés, devina Segnon.

– Entre autres, mais avant tout pour savoir s'ils ont gardé la fiche à son nom, avec la taille de son uniforme de prisonnier et surtout celle de ses chaussures.

– À cause des empreintes de pas trouvées sur la scène de crime, s'exclama Ludivine. Excellente idée !

Avec l'assistance d'un officier que Baines avait mis à leur disposition, les trois Français parvinrent à joindre l'administration pénitentiaire d'Edimbourg où avait séjourné Balfour. À la grande déception de Mikelis, on les informa que les détenus ne portaient pas d'uniforme standardisé, et qu'il n'y avait par conséquent aucune trace des tailles. Puis la secrétaire eut un éclair de génie et proposa de les rappeler un peu plus tard. Une heure s'écoula avant qu'elle leur explique, triomphante, qu'elle était passée au service de la lingerie de la prison. Chaque détenu pouvait remplir un sac par jour pour faire laver son linge. C'était par là aussi qu'ils pouvaient acheter des vêtements propres, ainsi que des chaussures qui leur étaient livrées par l'intermédiaire des sacs à linge. En examinant les bons de commande, elle avait trouvé une demande de Logan Balfour en décembre dernier, pour une pointure neuf et demi.

Mikelis se pencha vers les dossiers qui s'entassaient sur la table. Il fouilla rapidement avant de retrouver une feuille qu'il froissa devant lui :

– Les traces de pas sur la scène de crime révèlent qu'en plus de celles des deux victimes, il y avait une troisième personne de pointure huit ! s'exclama Mikelis. Ce n'est pas Logan Balfour !

Il saisit le combiné des mains de l'officier écossais et dans un anglais parfait demanda :

– Madame, est-ce que vous pourriez me trouver quelqu'un qui connaît bien ce détenu ?

– Qu'est-ce que vous voulez savoir ?

– Le genre d'homme que c'est.

– Impulsif.

– Vous savez qui il est ?

– C'est moi qui tape tous les rapports de comportement, de délation entre détenus, qui trie les notes du personnel, bref, si vous voulez savoir quelque chose à propos de Balfour, autant me le demander ! Un gars dans son genre, on ne l'oublie pas !

– Agressif ?

– Oh oui ! Mais malin ! Il a toujours su se débrouiller pour ne pas faire sauter ses remises de peine. Quand il y avait une bagarre, il y avait toujours quelqu'un pour se dénoncer à la place de Balfour. Il faisait peur. Il était très respecté.

– Et ses rapports avec l'autorité pénitentiaire ?

– Un malin je vous dis. Il savait dire ce qu'on attendait de lui, mais personne n'était dupe : ce n'était que pour sortir plus vite. Il déteste le milieu carcéral, il déteste l'autorité, c'est un irrécupérable si vous voulez mon avis.

– Merci, madame.

– C'est tout ?

– C'est déjà bien assez.

Mikelis raccrocha brutalement et décrocha aussitôt le téléphone pour le tendre à l'officier de police :

– Contactez Baines, dites-lui que c'est un piège.

– Pardon ?

– Dépêchez-vous ! Balfour ne retournera jamais en prison. C'est un sociopathe qui a probablement déjà recommencé à braquer. Il avait déjà ses plans avant même de sortir, j'en mettrais ma main à couper. Le tueur le savait. Il savait aussi que la prochaine fois Balfour serait prêt à tout pour ne pas retourner derrière les barreaux. C'est pour ça qu'il l'a choisi, lui.

– Vous semblez bien sûr de vous, monsieur, juste après une conversation téléphonique, s'étonna l'officier.

– Parce que c'est une évidence. Le vrai tueur ne peut se permettre que Balfour parle. Qu'il comprenne qu'il a lui-même été piégé et qu'il finisse par passer en revue tous les détenus qu'il a fréquentés.

Mikelis posa la main sur le badge du policier.

– Appelez tout de suite, vos amis vont se faire descendre.

Le flic serra les mâchoires, pas à l'aise qu'un civil français lui donne des ordres. Mais l'homme semblait si sûr de lui et parlait avec un ton si impérieux qu'il ne souffrait pas de contradiction. L'officier hésita, puis prit le combiné.

De toute façon, tout le monde était déjà en place, c'était probablement trop tard.

31.

L'assaut avait déjà commencé. Le tuyau fourni par un indic était le bon, Logan Balfour était bien à l'adresse renseignée. Par chance, il était en train de somnoler devant la télé quand la police écossaise envahit l'appartement et son temps de réaction en fut largement diminué. Logan se précipita sur son arme, mais il ne put tirer qu'un coup dans le mur avant que sa tête explose sous la crosse d'un fusil.

Le soir même, l'inspecteur Baines, après avoir attentivement écouté Mikelis lui faire le récit de leurs déductions, fit faxer tous les noms des détenus susceptibles d'avoir fréquenté Balfour, puis il réquisitionna tous les hommes disponibles pour étudier les casiers judiciaires de ces prisonniers.

À 22 heures, traversé par un éclair de lucidité, il repensa au bon de commande dans la lingerie de la prison et fit envoyer deux policiers sur place pour éplucher ces registres avec pour mission de noter tous les prisonniers ayant acheté des chaussures de pointure huit.

Balfour était à l'hôpital, avec une commotion cérébrale et peut-être même une fracture du crâne. Il ne fallait pas compter sur lui avant au moins quarante-huit heures.

Les deux gendarmes et Mikelis aidèrent au mieux en regroupant les profils intéressants qui sortaient de l'imprimante dès qu'un détenu avait la moindre condamnation d'ordre sexuel ou pour mœurs.

Le criminologue se focalisa rapidement sur un homme en particulier : Elliot Monroe.

Il avait partagé la cellule de Balfour pendant les six derniers mois, en compagnie de quatre autres détenus. Monroe était en prison pour fraude à l'assurance, après avoir incendié un local commercial. Le feu s'était propagé à un immeuble d'habitation et avait mis en danger la vie de plusieurs familles. Deux pompiers avaient été gravement blessés lors de l'intervention. Avant cela, il était en sursis pour violation d'une propriété où il avait été retrouvé dans le garage d'un couple, sans qu'il ait pu être prouvé qu'il avait volé quoi que ce soit. Son casier cumulait ainsi les délits : conduite en état d'ivresse à plusieurs reprises, conduite sans permis, harcèlement contre un homme qu'il accusait d'avoir détruit sa boîte aux lettres, dégradation de biens privés, et il avait été contrôlé en compagnie de prostituées par trois fois. Dont une fois avec un homme.

Monroe était un filou, rien de dramatique en soi, mais il se considérait clairement au-dessus des lois, et était capable de coups tordus.

De tous les noms qui défilèrent dans la soirée, Monroe était de loin celui qui interpellait le plus Mikelis. Aussi, lorsqu'ils se retrouvèrent tous au commissariat le lendemain matin, après quelques heures de repos, il ne fut pas surpris de voir son nom surgir dans la liste des prisonniers ayant commandé des chaussures de taille huit.

– C'est lui, dit-il.

– Elliot Monroe ? demanda Baines. Parce qu'il chausse du huit et qu'il était dans la même cellule que Balfour ? C'est un peu maigre, non ?

– Je vous parie que ce type servait de défouloir à ses cinq compagnons de cellule. Et je mettrais ma main à couper que s'il y a d'autres crimes à venir, vous finirez par découvrir des indices conduisant à chacun d'entre eux. Monroe lie l'utile à l'agréable. Il se venge. Parce qu'il est un peu maigrichon, probablement pas très viril, il leur a servi de femme de substitution. Ils l'ont traité comme un moins que rien. Pour un psychopathe, si c'en est un, ça a dû être dur à digérer. C'est pour ça qu'il est passé à l'acte en sortant de prison. Il avait besoin d'exprimer sa rage, sa frustration. Il avait besoin de se sentir puissant. D'exister.

Mikelis fixait chacun des flics dans la pièce. La plupart ne parlaient pas un mot de français, pourtant ils cessèrent leur activité pour écouter ce personnage étrange, aussi fascinant qu'intrigant.

– Le rite de la sodomie pendant le meurtre des auto-stoppeurs, c'est parce qu'il se cherche. Il n'est pas parvenu à violer Magdalena Willis, il n'a pas réussi. Le sang, le fait qu'elle soit morte, l'adrénaline, la peur, l'excitation mentale, tout ça l'a dépassé. Par contre, quand il est repassé à l'acte, il voulait aller jusqu'au bout. Alors il a tenté autre chose. Il a recommencé avec la fille, sans que ça l'excite autant qu'il l'avait imaginé. Et il a sodomisé son compagnon avant de se rendre compte que quelque chose n'allait pas. C'est là qu'il a inversé les rôles. Pour rejouer ce qu'il avait vécu en prison, mais cette fois c'était lui qui choisissait. Et surtout, à la toute fin, il pouvait punir les coupables. Si vous voulez mon avis, c'est un instable, il aime avoir mal autant que faire mal. Il se déteste autant qu'il s'aime. Et il ne maîtrise pas encore ses pulsions criminelles parce qu'il cherche à transformer en excitation sexuelle ce qui n'est chez lui qu'une excitation mentale, un sentiment d'omnipotence, il se prend pour Dieu pendant quelques heures. Il n'arrivera pas à jouir physiquement. Ça va le rendre hystérique, il recommencera encore et encore, parce qu'il veut être puissant, et que sa virilité est remise en question, lui qui a tant de problèmes avec ça. Ce sera insupportable. Il va être de plus en plus violent. Il déversera sa rage sur ses victimes, attendez-vous à ce qu'elles soient de plus en plus amochées.

Le criminologue avait les tempes palpitantes, les yeux grands ouverts, il respirait plus fort qu'à l'accoutumée. Il vivait son récit. Il était dans la peau du tueur. Dans sa tête.

Plus personne ne bougeait. Quand il se tut, tous le fixaient, effrayés.

Baines s'enfonça dans sa chaise.

– C'est pour ça que nous allons rendre une petite visite à Elliot Monroe, monsieur Mikelis. Vous m'avez convaincu.

– Vous n'avez rien pour l'inculper. Je ne crois pas que les lois soient à ce point différentes en Écosse que vous puissiez l'enfermer sur de simples présomptions.

Baines leva une feuille devant lui.

– Je viens de recevoir ça à l'instant de notre agence des licences de permis et véhicules, c'est la voiture enregistrée au nom d'Elliot Monroe. Le modèle pourrait correspondre aux traces de pneus retrouvées sur la deuxième scène de crime. Je n'ai pas encore de quoi l'inculper, mais assez pour l'interroger et fouiller son domicile.

– Si vous voulez le faire craquer n'y allez pas en force, pas avec lui. Il se renfermerait. Donnez-lui l'impression d'être écouté. C'est un animal perdu. S'il croit qu'on peut le comprendre, qu'on peut l'aider, et surtout s'il a l'impression qu'il n'a pas d'autre choix, il parlera peut-être. Mettez des piles et des piles de dossiers autour de vous, qu'il ait le sentiment que vous savez tout, que vous avez des tonnes d'informations qu'il ignore lui-même. Puis flattez son ego, allez dans son sens, sans toutefois qu'il mène la danse. Il doit sentir qu'il n'a plus le contrôle, mais qu'il pourrait le reprendre en se confiant, en vous avouant tout ce que vous rêvez d'entendre. Il aura assez confiance pour le faire, et n'aura pas peur d'être jugé. Il saura qu'il a un public pour le comprendre et mesurer l'étendue de ses problèmes, autant que pour apprécier son génie.

Baines se tourna vers Ludivine et Segnon.

– Je n'aimerais pas mettre votre ami en colère, avoua-t-il avec un demi-sourire. Cette fois, je préfère vous avoir sous la main, venez, nous allons éprouver la théorie de M. Mikelis.

Il attrapa sa veste, coinça une cigarette au coin de sa bouche et ouvrit le clapet de son téléphone portable.

– Nous allons arrêter un tueur en série, dit-il à présent tout sourire.

32.

La rue était étroite, encadrée par de petites maisons en briques rouges, dans l'ouest d'Inverness. Quelques vitrines de restaurants pas chers, fast-foods exotiques, cybercafés, coiffeurs… Tout ce qu'il fallait pour faire tourner un quartier résidentiel calme et anonyme.

Elliot n'était pas chez lui à l'arrivée des forces de police, sa logeuse les renvoya vers son travail, dans un pressing.

Ludivine pouvait en distinguer la devanture bleue écaillée depuis l'arrière du véhicule où elle attendait en compagnie de Segnon et Mikelis.

Elle serra les poings pour s'empêcher de porter ses ongles à sa bouche. Elle avait fait déjà bien assez de dégâts comme ça la veille au soir, seule dans sa chambre d'hôtel minable, à attendre en vain que l'épuisement vienne l'emporter vers le sommeil.

Elle avait une sale gueule, se dit-elle pour la dixième fois de la matinée, en apercevant son reflet dans le rétroviseur intérieur. Paupières gonflées et rougies, teint blafard, cheveux noués en vrac au-dessus de la nuque. L'attente lui était insupportable car elle lui imposait de rester face à ses pensées, à sa peine. Segnon n'était pas d'humeur à parler et Mikelis refusait toute tentative de discussion.

Les minutes passaient à la vitesse des heures, transformant le temps en douleur.

Quand Elliot Monroe apparut enfin, encadré par trois policiers, Ludivine reprit vie subitement. Elle se pencha pour le regarder.

Il était d'une assez petite corpulence, brun, coupe courte, plutôt fluet. Un physique banal, sans grâce ni charme, un visage qu'on ne remarque pas, qu'on ne retient pas, sinon pour son regard fuyant.

Baines en personne lui appuya sur la tête pour le faire asseoir à l'arrière du véhicule garé juste devant celui des Français. L'inspecteur jubilait. Il se frotta les mains et fixa une longue minute son prisonnier à travers la vitre, un rictus de triomphe aux lèvres.

Monroe était l'arrestation de sa vie. Le cas qu'il n'en finirait pas de raconter à ses enfants et petits-enfants, à ses compagnons de bar le soir dans les pubs, et pour lequel on n'aurait de cesse de lui taper dans le dos pour le féliciter.

Une arrestation sans histoire, sans opposition, à l'arrière d'un pressing, sous les racks de costumes et robes suspendus, dans la chaleur moite des rouleaux à repasser industriels, de l'odeur d'assouplissant. Un tueur en série aussi craintif face à des policiers déferlant brusquement sur lui qu'effrayant pour ses victimes qu'il avait terrorisées dans l'intimité de ses pulsions meurtrières.

La réalité était là, simple et décevante. Une réalité d'un mètre soixante-cinq, ne sachant où poser les pieds, la tête enfoncée entre les épaules, les mains menottées devant lui.

Difficile de croire qu'autant de mal pouvait être contenu dans un corps si frêle, si peu élégant et assuré.

– Je sais à quoi vous pensez, devina alors Mikelis. Mais ne vous méprenez pas, il y a tellement de frustrations, d'ego et de malignité dans ce petit être qu'il devient un tout autre personnage quand il libère sa rage. Sa vie n'a été qu'un tel remugle de fantasmes rabâchés et de désirs sordides qu'il existe deux êtres en lui. Celui que vous voyez là, maintenant, penaud et ridicule, et celui qu'il croit être, celui qu'il libère parfois, un individu cruel, puissant, sans émotion, animé seulement par le bouillon de ses pensées les plus néfastes. Et quand son ombre surgit, croyez-moi, personne ne peut avoir pitié de lui, car lui n'en éprouve aucune. Dans ces moments-là, il *est* la violence.

L'inspecteur Baines se tourna vers eux et leva le pouce en signe de victoire.

Après Victor Mags, Elliot Monroe tombait. Pour tous dans la voiture, il ne faisait aucun doute qu'il était le tueur de l'Écosse.

Il n'en restait plus que deux.

À cet instant, lorsque le moteur démarra pour les conduire à l'interrogatoire de Monroe, Ludivine se prit à espérer que ce qui avait ressemblé à une épidémie de violence allait finalement s'endiguer avant la propagation redoutée.

Ce n'étaient que des hommes. Malades. Mal construits depuis leur jeune âge. Ils s'étaient rassemblés pour se rassurer. Pour avoir le sentiment d'exister. Pour, l'espace de quelques heures à discuter ensemble, se croire normaux, entre eux.

C'était là toute la clé de cette histoire, comprit la jeune femme. Ils cherchaient d'autres êtres semblables à eux dans leurs obsessions, pour partager, se sentir entourés, se donner l'illusion d'une normalité.

Il fallait remonter jusqu'à la Bête avant qu'il trouve un être aussi fragile ou déséquilibré que lui à convertir à sa cause perverse, avant qu'il en entraîne un autre qui, à son tour, pourrait à terme recruter.

Agir avant qu'ils soient trop nombreux. Organisés.

Avant qu'ils menacent l'équilibre du monde.

Ludivine secoua la tête, elle était épuisée. Elle divaguait. Il n'y aurait jamais assez d'individus suffisamment tordus pour former une force nouvelle, pour bouleverser la morale de la société telle que les gens normaux l'avaient édictée au fil des siècles.

Jamais.

La voiture s'élança d'un coup.

Dans la rue les badauds étaient sortis pour assister au spectacle. Il y en avait de tous les âges, tous les sexes, toutes les curiosités. Des regards outrés, inquiets, dubitatifs et même parfois joyeux.

Et, Ludivine le nota, un certain nombre qui demeuraient vides.

Sans vie. Sans espoir. Sans équilibre.

Baines avait suivi les conseils de Richard Mikelis. Il avait interrogé Elliot Monroe dans une pièce pleine de dossiers au nom du suspect, écrit en gros, où figuraient le numéro de sa plaque d'immatriculation ou celui de détenu à la HM Prison of Edinburgh. Il y avait aussi des pochettes avec l'en-tête du laboratoire médico-légal, de la police scientifique, au nom des victimes et tout ce qui pouvait l'impressionner… Baines lui-même entra avec un classeur cartonné plein à ras bord de feuilles qu'il déposa juste devant lui.

Les installations locales ne permettaient pas de suivre les débats sans être vu. Il n'y avait pas de vitre sans tain, pas de système de vidéo rediffusée dans une salle mitoyenne, rien d'autre que l'inspecteur Baines et son collègue de la police d'Inverness, Peter Hollaister, pour sortir du petit bureau de temps en temps et faire leur rapport aux autres.

Monroe était taciturne. Il nia les crimes dont on l'accusait et, à mesure que Hollaister lui demandait ses alibis, que Baines tentait de se rendre sympathique en affirmant le comprendre, il s'enferma dans le silence.

Lors d'une de ses pauses, l'inspecteur s'approcha de Mikelis, un gobelet de café fumant dans une main, son éternelle cigarette dans l'autre.

– J'espère que nos gars vont trouver des preuves chez lui parce qu'il ne parlera pas, dit-il en grimaçant.

– Laissez-moi quelques heures en tête à tête avec lui et j'y parviendrai.

Baines leva les yeux au ciel :

– Vous êtes bien sûr de vous !

– J'ai de l'expérience, c'est tout. Je connais ce type d'individus, je sais parler leur langage.

– Même si je le voulais, vous n'avez pas autorité ici, légalement ça pourrait tout foutre en l'air. C'est impossible.

– Vous êtes en contact avec vos hommes chez lui ? demanda Ludivine.

– On me tient au courant. Pour l'instant, ils mettent sous scellés tout ce qui pourrait nous intéresser. Son téléphone portable et son ordinateur sont déjà là.

– Son ordinateur ? Vous le décortiquez ? s'enquit Segnon qui s'y connaissait en informatique.

Baines fit signe aux Français de le suivre.

– Venez, faisons mijoter Monroe encore un peu, je serais curieux de savoir ce que ses possessions vont bien pouvoir nous raconter de lui.

« Les choses que tu as l'habitude de posséder, finissent par te posséder », songea Ludivine en repensant au livre de Chuck Palahniuk. On y était. L'homme capable de faire parler l'inerte, de donner vie et sens à ce qui n'en a pas. Les choses se retournant contre celui qui les détient.

Baines les entraîna à l'étage dans un petit bureau où deux policiers en uniforme travaillaient au milieu de plusieurs unités centrales. Il échangea quelques mots avec ses confrères et l'un d'eux désigna l'ordinateur portable sur lequel il était en train de s'affairer. L'appareil était relié par un câble à l'écran de l'officier de police.

– L'historique de navigation est vide, expliqua l'inspecteur, mais Malcolm est parvenu à fouiller le disque dur, enfin, ce qui n'a pas été écrasé, et il a extrait les données effacées.

Segnon se pencha vers l'ordinateur.

– En informatique, il est difficile de détruire définitivement des données, dit-il tout en lisant ce qui défilait sous ses yeux.

– Vous pensez donc qu'ils se sont coordonnés pour tous tuer le dimanche soir, rappela Baines. Nous allons regarder les sites que Monroe a fréquentés entre dimanche soir et aujourd'hui. Il est forcément retourné raconter ses petits exploits à ses camarades depuis !

– Il traîne souvent sur des sites porno, constata Segnon.

– *This one*, dit Baines en posant son doigt sur un nom.

Il s'agissait d'un site consulté dans la nuit du dimanche au lundi, à 5 h 43.

– Seeds in Us, lut Ludivine. « Les graines en nous ». On dirait un forum.

– C'est exactement ce que c'est, lut Segnon en voyant la page s'afficher.

Couleurs sombres, présentation sobre, Seeds in Us n'avait rien d'attirant en soi. Le forum de discussion était classé en différentes sections : accidents, crimes, violence domestique, torture, animaux… En quelques clics, tous purent constater que les internautes du monde entier s'y échangeaient des vidéos sordides de faits divers, très dures, des photos de mutilations, des extraits d'accidents et même des exécutions d'otages en Tchétchénie ou dans ce qui ressemblait à l'Afghanistan ou l'Iran.

Le site était à la fois en français et en anglais, et les commentaires des utilisateurs employaient les deux langues avec une nette préférence pour la seconde.

– On dirait le site célèbre pour ce genre de photos dégueu… Rotten ! se souvint Ludivine.

– Berceau de toutes les perversités, soupira Segnon. Sauf que Rotten est connu, celui-ci a l'air beaucoup plus confidentiel. Monroe est venu là juste après ses crimes pour se taper une petite image ou deux de trucs gore, ou vous croyez qu'il a posté ses propres photos ?

– Je serais étonné que des photos de meurtre soient restées visibles sans que ça se sache rapidement, confia Mikelis.

Malcolm et Baines se parlèrent et l'inspecteur expliqua :

– Apparemment, il y a un accès privé à une autre partie du forum. Mon collègue est sur le coup pour passer au travers, ça peut prendre un peu de temps, mais c'est un vrai génie de l'informatique. Nous sommes vernis de l'avoir avec nous. Malcolm est même parfois sollicité par le FBI dans des affaires qui lient nos deux pays ! Un crack, ce garçon !

Les enquêteurs redescendirent et croisèrent dans le couloir Elliot Monroe, tenu par un officier de police qui le reconduisait à sa cellule. Ludivine se retrouva juste face à lui alors qu'il avançait d'une démarche traînante, obligé de se rapprocher de la gendarme pour passer dans le corridor étroit où s'alignaient des armoires en fer débordantes de paperasses.

Il ne la vit pas tout de suite, le regard posé sur le lino, le visage fermé.

Ludivine sentit une boule de chaleur exploser brusquement en elle. Une envie de violence. Une pulsion de vengeance.

Elliot Monroe connaissait Victor Mags. Ils avaient probablement discuté. Échangé des idées. Ils faisaient partie du même groupe.

**e.*

Il était responsable aussi de la mort d'Alex.

La gendarme serra les poings. La colère montait dangereusement.

Les deux cercles noirs qui servaient de pupilles à Monroe se levèrent, attirés par celle qui le dévisageait.

Juste au moment où il passait près d'elle, elle put sentir son eau de Cologne, distinguer son pouls battre à la jugulaire.

Il la fixa, sans aucune émotion, sans vie.

Et il baissa aussitôt le regard.

Elliot Monroe était un lâche. Il suffisait de lui en imposer un peu pour qu'il se défile. Sans ses armes, sans ses préparatifs, sans ses victimes entravées, il s'écrasait.

La main de Segnon se posa sur l'épaule de Ludivine.

– Viens.

– Ce salaud a fréquenté l'assassin d'Alex.

– Je sais. Allez, on bouge, reste pas là, ça sert à rien.

Le gendarme dut tirer la jeune femme pour qu'elle lâche la silhouette penaude des yeux et accepte de le suivre.

– Nous allons refiler le nom du site à Mag, pour qu'ils creusent de leur côté, insista Segnon sentant qu'il lui fallait capter l'attention de sa collègue.

Il fit claquer ses doigts devant elle.

– Tu m'écoutes ?

– Oui... pardon.

Il lui expliqua ce qu'il comptait faire, mais Ludivine n'écoutait plus.

Ce qu'il y avait dans la tête d'Elliot Monroe était construit de la même matière noire que ce qui remplissait celle de Victor Mags, de la Bête et même du tueur espagnol. Tout comme celle du pédophile. Et de Joseph Selima. Ils s'étaient rassemblés autour d'un symbole. Ils ne partageaient pas de fantasmes en commun, car les fantasmes sont comme les fantômes : ils n'obsèdent et hantent que celui qui leur donne naissance. En revanche, ils se retrouvaient derrière une idéologie. L'union pour la prédation. Des chasseurs convaincus que leur supériorité leur donnait un droit de mort sur une société à laquelle ils n'avaient pas à se soumettre. Des psychopathes rassemblés au nom de leur puissance. Ils s'unissaient à travers toute l'Europe pour être plus forts.

Leur symbole n'était pas qu'un signe de ralliement, c'était un marquage. Ils posaient leur drapeau sur les territoires conquis. Sur ces êtres inférieurs. Ce bétail.

Le Bois-Larris, songea aussitôt Ludivine.

L'hôpital n'avait abrité aucun de leurs crimes.

Ils ont voulu dire quelque chose avec cet endroit. Clamer au monde que c'est à eux. À cause des expérimentations des nazis ?

Qu'est-ce qui pouvait bien les intéresser dans un hôpital pour enfants ?

Ludivine porta la main à sa bouche.

Segnon s'interrompit dans son discours.

– Eh bien, qu'est-ce qui t'arrive ?

– Les enfants..., murmura Ludivine. Ils veulent conquérir les enfants... Les rallier à leur cause !

– De quoi tu parles ?

– Ils veulent endoctriner les mômes du Bois-Larris ! s'exclama-t-elle avec plus d'assurance.

Segnon demeurait coi, sourcils relevés.

– Si tu veux inculquer tes valeurs à des enfants, continua-t-elle, tu t'y prends comment ?

– Par… l'éducation ?

– Et le Bois-Larris est aussi une école ! Ce sont les profs, Segnon ! Les profs sont dans le coup !

Elle repoussa son collègue et se précipita vers le téléphone du bureau.

33.

Ludivine faisait les cent pas dans la pièce.

Elle avait appelé le groupe de Magali pour faire dresser la liste de tous les professeurs et créer une fiche sur chacun d'eux, pour vérifier s'ils avaient un casier judiciaire pouvant les connecter avec Victor Mags en prison, pour détecter d'éventuels liens.

Segnon avait du mal à croire à cette théorie :

– Pourquoi Victor Mags aurait-il été taguer leur symbole là-bas au risque d'attirer notre attention sur l'établissement s'il est si important que ça ? C'est idiot ! Mags n'était pas un imbécile.

– Ludivine n'a peut-être pas tort, intervint Mikelis. Les pervers agissent parfois contre le bon sens, lorsque leurs pulsions le leur dictent. Comme d'éjaculer sans préservatif dans leur victime alors qu'ils savent qu'aujourd'hui, avec l'ADN, on peut les identifier. C'est plus fort qu'eux ! Ça fait partie intégrante de leur « signature », c'est leur comportement qui obéit à leur fantasme. C'est un acte que les hommes peuvent comprendre. N'avez-vous jamais ressenti une pulsion sexuelle terrible au point de vouloir une femme plus que tout ? Au-delà du raisonnable ? Jusqu'à l'obsession ? Et tant pis si vous êtes déjà en couple ! Tant pis si vous savez que c'est un pot de miel dans lequel il ne faut surtout pas tremper ses doigts !

– Pardon ?

– Réfléchissez, vous savez très bien de quoi je parle ! Est-ce que ça ne vous est jamais arrivé ? Ce désir brûlant qui vous taraude jusqu'au bout du corps ?

– Si, certainement, admit Segnon.

– Certains hommes y résistent mieux que d'autres. Certains craquent, d'autres pas. C'est un aveuglement momentané dont il est difficile de se sortir sans y céder. Nos tueurs sont ainsi. Dépassés par leurs pulsions. Ils craquent. Tant pis s'il ne le fallait pas. C'est peut-être ce qu'a fait l'un d'entre eux en allant au Bois-Larris. Il s'est laissé envahir par un besoin ardent de marquer son territoire, dans un excès de confiance, pour défier la société, parce qu'il se sent invulnérable, ou peut-être aussi pour se rassurer, parce que cet endroit est un sanctuaire pour lui, qui sait ?

– Ils ne marquent que leurs conquêtes, ajouta Ludivine. Il n'y avait pas de mort au Bois-Larris, c'est forcément autre chose !

Mikelis se tourna vers la gendarme.

– Vous avez longuement parlé à votre collègue de Paris tout à l'heure. Du nouveau ?

– La pelleteuse a découvert un nouveau cadavre dans le jardin de Victor Mags. Ils pensent que c'est une autre prostituée. Le corps est dans un sale état. Apparemment, Mags s'était inventé un petit rituel pour avoir son jouet sexuel à disposition entre deux meurtres à l'extérieur.

– Qu'il brûle en enfer, souffla Segnon.

– Ce n'est pas tout : les deux groupes à Paris ont trouvé comment Alex était remonté jusqu'à lui. Les compagnies d'alarmes passent par le même prestataire pour la sécurité sur le terrain. Mags était un de ces hommes. C'est comme ça qu'il avait repéré ses proies, qu'il avait été prendre le double de leurs clés, qu'il connaissait leur code d'alarme et même leurs habitudes en épluchant le relevé des mises en route et des arrêts.

– Un tueur très organisé, nota Segnon en acquiesçant à l'attention de Mikelis.

– Ils le sont tous, rappela ce dernier. Même la Bête, malgré sa bestialité.

Le gendarme tiqua :

– Je ne comprends toujours pas cette histoire de mâchoire... Comment c'est possible d'être difforme à ce point sans se faire remarquer ?

– Aucun hôpital ou dentiste n'est revenu vers nous avec des informations à ce sujet, rapporta Ludivine. Il faut croire qu'il n'a pas de dossier en France.

– Et j'ai fait suivre aux Polonais, au cas où, ajouta Segnon, rien de leur côté non plus pour l'instant. Franchement, vous ne trouvez pas ça dingue, vous ?

Un silence gêné tomba sur le petit bureau.

– Moi je l'appelle le Loup-Garou quand je suis tout seul ! avoua le gendarme. Parce que c'est exactement ce qu'il est ! Un homme qui se transforme en hybride au moment de tuer ! Et vous savez quoi ? Quand il ne se contente pas de mordre, il transmet son virus à d'autres tueurs !

Le colosse parvint à arracher un semblant de sourire à Mikelis.

Ludivine n'avait pas le cœur à rire, et surtout elle réalisa que son partenaire était on ne peut plus sérieux.

– T'emballe pas, Segnon, dit-elle. C'est juste un connard fait de chair et de sang, comme toi et moi.

– Sauf que sa bouche à lui est grande trois fois comme la tienne, et qu'il s'en sert pour déchiqueter des êtres humains ! Il me fout les boules, à moi, ce con !

L'inspecteur Baines passa la tête dans l'entrebâillement de la porte :

– Malcolm a craqué l'accès privé de Seeds in Us ! s'exclama-t-il. Toutes les conversations d'Elliot Monroe ont été effacées, toutes sauf la dernière, vous devriez monter, ça va vous intéresser.

Baines, qui empestait le tabac froid, tapota l'écran du policier informaticien.

– Le site est hébergé en Ouzbékistan, on ne peut rien faire. Et apparemment, il a été déplacé plusieurs fois. La date la plus ancienne pour cette version est avril 2012, il y a six mois, mais Seeds in Us est plus vieux, il change d'hébergement régulièrement. Celui qui est derrière n'a pas envie qu'on remonte jusqu'à lui, ni qu'on le fasse fermer.

– Elliot Monroe le fréquentait souvent ? demanda Ludivine.

– Dans l'historique que nous sommes parvenus à restaurer nous ne pouvons pas remonter très loin, mais on constate que c'était un de ses sites préférés avec les pornos. Les pornos gay très souvent.

– À quoi ça ressemble cette partie sécurisée du site ? questionna Segnon.

– C'est une sorte de salon privé pour les membres seulement. Les meilleurs membres. Ils peuvent se parler par chat ou simple message de forum. Elliot Monroe y était enregistré sous le pseudonyme He-Man.

– Quelle ironie, grinça Mikelis.

Segnon haussa les épaules :

– Ça veut dire quoi ?

– « Macho ».

– C'est aussi le nom originel d'un dessin animé de notre enfance, se souvint Ludivine. En français ça s'appelait *Les Maîtres de l'univers*, ou quelque chose dans ce genre, et He-Man c'est le nom anglais du personnage principal : Musclor. C'est te dire à quel point Elliot Monroe a un problème avec sa propre image et sa virilité.

– Il parlait avec qui ? demanda Mikelis.

Le visage de Baines s'ouvrit à l'annonce de ce qu'il gardait comme une carte maîtresse de ses révélations :

– Son interlocuteur s'appelle *e.

– Bien sûr, fit Ludivine. De quoi parlent-ils ?

– Apparemment les deux se sont entretenus plusieurs fois, ils semblent se connaître. Ce sont des habitués, regardez sur leurs profils le nombre de messages.

Malcolm tourna son écran pour que les gendarmes puissent

mieux voir : chaque utilisateur du forum était défini par un pseudonyme sous lequel apparaissait le nombre de messages qu'il avait postés depuis son inscription ainsi que la date de celle-ci. He-Man en avait écrit deux cent quarante-sept.

Segnon siffla d'admiration.

– Il s'est mis sur ce forum le 12 juillet de cette année. Ça fait presque trois messages par jour.

– Et pour *e ? s'enquit Ludivine.

– Six mille sept cent quatre-vingt-trois messages en… putain, lâcha Segnon, en quatre ans. Le mec est un ancien. Probablement un modérateur, il a suivi le site à travers toutes ses versions.

– « Modérateurs », ce sont ceux qui dirigent le forum, c'est ça ?

– Oui. Il a eu le temps d'en contaminer, des esprits fragiles !

– Et les deux ont discuté de quoi ?

– Tout a été effacé, regretta Baines. Les conversations du salon privé sont régulièrement détruites. Il n'en reste que quelques-unes et, pour chacune, il faut le mot de passe de l'utilisateur. Pour Elliot Monroe, il n'y a que celle-ci.

Baines demanda à Malcolm d'afficher le dernier sujet et quatre messages apparurent en anglais.

« He-Man a écrit : J'ai fait ma part. »

Une photo s'affichait : celle d'une jeune femme, nue, le sexe en évidence, le symbole de leur union gravé au couteau sur le ventre, en lettres de sang. Elle avait la tête enfoncée en arrière dans un trou, ne laissant que quelques touffes de cheveux roux s'accrocher dans les hautes herbes. La photo avait été prise de nuit, le flash faisant ressortir la pâleur de sa peau et écrasant toute profondeur de champ.

Tous reconnurent l'auto-stoppeuse de vingt-deux ans.

« *e a écrit : Ce n'est pas ta part. C'est ton œuvre. Ne parle pas comme si tu agissais pour nous. Tu agis pour toi. Tu t'es coordonné avec tes frères pour adresser au monde le message qu'il doit recevoir. Notre heure approche. Sois fier. Tu n'es plus seul. Tu ne seras plus jamais seul. »

« He-Man a écrit : Je suis fier ! Je vais recommencer ! Je veux continuer ! Quand nous verrons-nous ? »

« *e a écrit : Sois patient. Notre communauté se construit peu à peu, sur le temps. Car il en faut pour changer le monde. Pour faire bouger les mentalités. En attendant, tiens-toi prêt, tes frères sont lâchés, ils agiront encore, bientôt. Fais-en autant. Sois prudent. Souviens-toi de nos conseils, et guette mes mots pour que nos actions s'ordonnent. Nous ne sommes plus isolés. Nous ne sommes plus seuls. »

Segnon prit une profonde inspiration.

– C'est exactement ce que nous craignions : ils se rassemblent. Ce *e recrute.

– Il les forme même, ajouta Mikelis. Il parle comme un leader. Il parle de ses conseils. Ces tueurs partagent leurs trucs, ils cherchent à se rendre meilleurs à chaque fois.

Ludivine désigna l'écran de l'index :

– Il y a moyen de lire tous les messages postés par ce type ?

– Oui, confirma Baines, mais mon collègue va devoir percer tous les codes un par un.

– Nous allons demander à nos équipes à Paris d'intervenir sur le site également, pour gagner du temps.

Soudain Malcolm recula dans son siège, l'air contrarié.

L'écran était noir.

Il cliqua, appuya sur plusieurs touches en même temps et son diagnostic ne tarda pas à tomber.

Baines se pencha, livide.

– Le site vient de disparaître !

– C'est possible ça ? paniqua Ludivine en regardant Segnon. Je croyais qu'en informatique rien ne pouvait s'effacer définitivement ?

– Si tu as le disque dur sous la main, mais là c'est du virtuel ! Ils font ce qu'ils veulent !

– Est-ce que c'est un virus ?

Le gendarme secoua la tête.

– Non, c'est une commande volontaire. Quelqu'un a remarqué notre présence et a tout coupé.

– Merde ! pesta Ludivine. On ne peut plus y accéder ? D'aucune manière ?

Segnon secoua la tête.

– Malcolm a fait des captures d'écran mais ça ne nous servira à rien si on ne peut plus accéder au site, s'énerva Baines.

– Il y a plus problématique encore, conclut Mikelis. Ça veut dire qu'ils savent que nous sommes là, sur leur dos.

Il croisa les bras sur son torse puissant. Il avait le regard noir.

– Le dialogue est ouvert, ajouta-t-il. Désormais, il faut s'attendre à tout car la violence est leur langage.

34.

Le soleil tomba rapidement. À quatre heures de l'après-midi les nuages bas l'engloutirent et la nuit s'allongea sur l'Écosse sans transition, sans crépuscule.

Ludivine, Segnon et Mikelis étaient attablés dans un box en cuir et en bois vernis, à l'arrière d'un pub où une musique pop comblait les silences des conversations des quelques clients.

Elliot Monroe n'avait pas parlé. Il s'était recroquevillé dans sa coquille, loin, dans son enveloppe d'homme frêle et quelconque. Le tueur était submergé par la peur. Enfoncé loin dans sa tanière, à l'abri des regards.

Ludivine avait fait plusieurs points par téléphone avec Aprikan puis avec Magali. Pour l'instant il n'y avait rien de notable dans les biographies des enseignants du Bois-Larris. En revanche, la vie de Victor Mags révélait davantage de détails captivants.

L'homme avait grandi dans un hameau au nom prémonitoire : Pestilence, cinq maisons perdues dans le Lot-et-Garonne. Jusqu'à ses dix-neuf ans, Magali et son équipe n'avaient rien trouvé, en revanche son nom apparaissait ensuite dans plusieurs affaires de vol, cambriolage et même une agression sexuelle près d'un lac en été. Jamais la culpabilité de Mags n'avait pu être prouvée. Pendant plus de dix ans, il avait travaillé dans une scierie près de son hameau. Il était venu s'installer en région parisienne en avril de cette même année, pour finalement déménager en juin vers Achères-Grand Cormier. Il avait la bougeotte. À peine quittait-il le giron familial qu'il passait à l'acte, s'obligeant à partir vite. Magali avait trouvé étrange qu'il ait attendu d'avoir trente-trois ans pour fuir son trou perdu. Elle soupçonnait qu'il soit déjà passé à l'acte à plusieurs reprises dans sa région, au point de devoir décamper. Elle avait contacté les collègues de la SR de Toulouse pour qu'ils vérifient parmi les meurtres de femmes du coin depuis dix ans si un ou plusieurs avaient des similitudes dans le passage à l'acte. L'un des « détails » qui formaient la signature de Victor Mags était l'étranglement de la victime avec ses propres sous-vêtements. Il l'avait fait pour Claire Noury, Nadia Sadan et Isabelle Eymessice. Les trois victimes qui avaient compté à ses yeux.

Le colonel Aprikan avait appelé peu après. Les experts informatiques de la section de recherches avaient trouvé dans l'historique effacé de l'ordinateur de Victor Mags la trace du même site que celui visité par Elliot Monroe : Seeds in Us. Mais celui-ci était fermé. Plus personne ne pouvait y accéder.

– Monroe a été recruté cet été, résuma Mikelis, une pinte de bière à la main. Son premier meurtre est balbutiant, en pleine ville, une cible facile : une junkie qui traînait là... Il tente de la violer, de mettre en scène son crime, pour plaire à ses nouveaux amis. C'est son épreuve du feu. Il l'a passée, il a réussi. Du coup son pygmalion décide de l'inclure dans la boucle. Il lui commande de tuer dimanche soir, en même temps que Victor Mags et que la Bête en Pologne.

– Pourquoi le quatrième tueur en Espagne n'est-il pas passé à l'acte ? demanda Ludivine.

Mikelis leva la main pour souligner que c'était là une bonne question.

– Il l'a fait, proposa Segnon qui connaissait le mieux l'affaire espagnole pour l'avoir lue entièrement. C'est juste qu'on n'a pas encore retrouvé de corps. Le tueur espagnol sévit dans une région montagneuse, la sierra de Guadarrama, au nord-ouest de

Madrid. Lui, il chasse ses proies. Il les kidnappe en ville, et on les retrouve mortes dans la montagne, les pieds et les mains en sang. Il les traque pendant des heures avant de les abattre au fusil.

– *Les Chasses du comte Zaroff*, dit Ludivine en se souvenant du célèbre film en noir et blanc.

– C'est exactement ça.

– On a toute la doc sur cette affaire en Espagne ? insista la gendarme. De toutes les pistes, c'est celle qu'on a le moins exploitée !

– Parce que c'est celle où il y a le moins d'indices, expliqua son collègue. Les flics sur place sont au courant de mes requêtes, ils nous préviendront à la moindre nouveauté. L'enquête dure depuis cet été et l'état dans lequel on retrouve les victimes est un véritable frein : elles sont découvertes par des promeneurs ou des gardes-chasses longtemps après leur mort, en état de putréfaction avancée.

– Mode opératoire très différent des autres, remarqua Mikelis.

– Oui, mais le **e* est bien inscrit sur leur peau, sur le front ou sur le torse pour l'une d'elles. Taillé au couteau. Il y a quatre morts qui semblent liées, mais seulement trois ont le signe, et encore, sur deux il a fallu des radios du crâne pour remarquer l'os entaillé par la pointe du couteau. Le quatrième cadavre était en trop mauvaise condition pour qu'on remarque quoi que ce soit et même la balle l'ayant tué n'a pas été récupérée. Il pourrait tout aussi bien ne rien avoir à faire avec notre assassin.

– Jusqu'à l'os ? Il n'y est pas allé de main morte, lâcha Ludivine.

– Donc, reprit Mikelis, il est possible qu'il ait tué dimanche soir aussi, comme ses petits camarades.

– Fort probable, confirma Segnon. Attendons de voir ce que la police trouvera dans les jours à venir. Ils ont multiplié les patrouilles dans la sierra, mais c'est un territoire escarpé et long de quatre-vingts kilomètres.

– De quand date le premier crime là-bas ?

– Juillet, je crois.

Le criminologue pencha la tête en arrière pour réfléchir.

– Ce qui laisse Victor Mags comme le premier à être passé à l'acte, dit-il.

– Vous pensez que c'est lui le *e du forum ? demanda Ludivine.

– Possible. Il y avait des livres chez lui ?

– Je ne sais pas, pourquoi ?

– *e est un idéologue. Il a une culture dans ce domaine, il lit certainement beaucoup. Je ne dis pas qu'un garçon ayant vécu toute sa vie dans un hameau au fin fond du Lot-et-Garonne ne peut pas en être capable, mais une personnalité comme la sienne ça se construit, il s'est façonné une pensée, des modèles. Il a forcément beaucoup lu sur le sujet. Il faudra interroger les équipes qui ont décortiqué sa maison, scruter les photos prises sur place.

Ludivine s'emballa :

– Si Victor Mags est leur leader, sa perte va peut-être les déstabiliser pour un moment. Ils n'agiront plus avant de reprendre leurs esprits.

– Ils n'ont pas tardé à découvrir notre présence sur leur site, rappela Segnon.

– Il faut que Monroe crache le morceau. Qu'il parle, qu'il donne au moins un nom.

– Il n'en connaît probablement aucun, fit Mikelis aussitôt. Rappelez-vous son dernier échange, lundi matin, avec *e ! Il avait hâte de le voir. Je crois que le seul lien entre Monroe et les autres c'est ce site qui vient de nous glisser entre les doigts.

Ludivine reposa sa tasse de chocolat chaud, à moitié vide :

– Alors ça nous renvoie vers Victor Mags. Si la Bête et le Zaroff espagnol sont déstabilisés par la perte de leur leader, on peut espérer un petit répit avant qu'ils recommencent. Ils vont se faire discrets, trouver un nouveau moyen de se contacter. Il faut que Baines mette la ligne de Monroe sur écoute et qu'il veille sur sa messagerie Internet.

– Baines est déjà sur le coup, il me l'a dit, confia Mikelis.

La jeune femme contempla le cercle marron zébré de crème blanche qui fumait devant elle, dans la tasse. Ses pensées étaient indisciplinées. Elles partaient dans toutes les directions. D'un tueur à l'autre, d'un visage à l'autre. Elle était épuisée.

Alexis.

Son corps en train d'onduler au-dessus d'elle. Ses traits figés par l'extase.

Sa tête en partie arrachée sous l'impact du coup de feu. L'auréole de sang autour de lui.

Son portable se mit à vibrer. Le nom d'Aprikan s'affichait sur l'écran. Il ne lui laissa pas le temps de parler :

– Faites vos sacs, dit-il d'une voix atone, vous partez pour Cracovie.

Ludivine comprit tout de suite. Elle ferma les yeux.

– Il a recommencé ?

– Oui. Ce matin même. Et cette fois il est allé encore plus loin. Le juge d'instruction a déjà contacté ses homologues sur place. Les flics là-bas vous attendent dès demain. Je viens d'avoir Europol, le siège à La Haye, vous pouvez attendre une coopération totale de tous les services de police concernés. C'est gros. Ça vient de prendre de l'ampleur. Ne merdez pas, Vancker. Ça repose sur vos épaules maintenant.

35.

Ludivine se réveilla en sueur, le visage collé contre le hublot glacé.

Elle manquait d'oxygène.

L'espace autour d'elle était écrasé, trop confiné. L'habitacle de l'Airbus ne faisait que recycler le même air étouffant, Ludivine le sentait, il ne suffisait plus à ses poumons. La carrure de Segnon à ses côtés l'emprisonnait encore plus contre la paroi. Le siège baissé de son voisin de devant la menaçait comme si tous les murs se rapprochaient en même temps.

Elle suffoquait.

Elle défit sa ceinture et escalada son collègue surpris, puis Mikelis, avant de marcher dans l'allée centrale en s'agrippant aux dossiers des fauteuils. La perspective du couloir dégagé traçait une ligne droite jusqu'à l'arrière de l'appareil. Un sillon clair, un espace ouvert.

Elle respirait.

Une hôtesse se précipita pour lui ordonner de retourner s'asseoir à cause des turbulences, mais Ludivine lui adressa un regard si noir qu'elle gagna une minute.

Elle reprit ses esprits peu à peu, balayant les lambeaux de cauchemars, maîtrisant sa crise de claustrophobie passagère.

Une journée interminable qui ne semblait pas se terminer. De l'hôtel à Inverness, au commissariat pour faire un dernier point avec l'inspecteur Baines, puis la route qui n'en finissait jamais à travers les Highlands jusqu'à l'aéroport d'Edimbourg... Enregistrement, trois heures de vol. Et rien que des silences infinis au milieu de tout ça pour penser. Pour se souvenir. Pour étouffer les sanglots.

Alexis était mort depuis quatre jours et il semblait à Ludivine qu'elle pleurait depuis des semaines. Son âme était à bout.

Ils atterrirent à l'aéroport Jean-Paul II de Cracovie à 21 h 30, après presque trois heures de vol, et furent accueillis par un policier en uniforme qui les conduisit jusque dans un hôtel moderne, aseptisé mais confortable.

Ludivine avait l'impression d'un déjà-vu lassant après l'épisode de l'Écosse, il faisait nuit, froid, et elle se sentait désespérément mal, à l'autre bout de l'Europe et sans Xanax ou Temesta pour s'abrutir dans des brumes médicamenteuses. Lorsqu'elle déposa son sac dans sa chambre, le lit blanc impeccablement fait, les rideaux rouges, la télé allumée pour lui souhaiter la bienvenue, l'odeur du désodorisant, tout ça lui donna une furieuse envie de fuir.

Entre rester la tête enfoncée dans l'oreiller pour pleurer et aller se dissoudre la conscience au bar, son choix fut rapide. Elle n'avait plus de larmes, il fallait qu'elle se réhydrate.

Elle en était à sa deuxième bière et sa troisième vodka-pomme lorsque Segnon la rejoignit.

– Toi aussi ? dit-il tout bas.

Elle acquiesça.

– Ma femme et mes gosses me manquent, avoua-t-il, le regard triste.

– Alex me manque, répondit-elle du tac au tac.

Segnon lui frotta le dos affectueusement.

Ils burent ensemble, sans vraiment parler, chacun percevait l'état d'esprit de l'autre. La mort de leur collègue et ami les dévastait. Segnon avait sa famille pour se réconforter, mais du coup, son absence ici n'en était que plus cruelle, et Ludivine, elle, était profondément seule, à Paris comme à Inverness, comme à Cracovie.

Ils se saoulèrent, se tinrent la main, et titubèrent jusqu'à leur chambre pour s'endormir sans réfléchir. C'était là leur unique rêve.

La mine de sel de Wieliczka se situait à une grosse demi-heure de voiture de Cracovie. L'entrée était barrée par les forces de police, et une horde de touristes frustrés se mêlait aux cars de la télé et aux journalistes venus de tout le pays pour tenter d'obtenir une image ou un témoignage des rares personnes qui pouvaient y pénétrer ou en sortir. La voiture aux vitres fumées se fraya un chemin en roulant au pas et après avoir montré patte blanche s'engagea vers le bâtiment principal. Celui-ci était plutôt moderne pour un endroit si ancien et si réputé, fraîchement repeint, surmonté d'une immense tour en acier, typique des mines, qui contrôlait les ascenseurs.

Tomasz Gryczkowiak servait de guide aux trois Français, il était le contact Interpol et Europol sur place, officier du KGP, Komenda Glowna Policji, les instances dirigeantes de la police polonaise. Homme élégant en costume, approchant la quarantaine, cheveux courts, lunettes de soleil sur le bout du nez, il parlait un anglais excellent.

Dès qu'ils pénétrèrent dans le hall d'entrée, Tomasz les présenta à un individu au physique de bûcheron : mains immenses, épaules larges, crâne presque rasé de ses cheveux gris, nez écrasé et ventre proéminent.

– L'inspecteur Jurek est en charge de l'investigation, il travaille pour notre Centralne Biuro Sledcze qui est un peu votre Police judiciaire si je ne me trompe pas.

Ludivine le salua et enchaîna aussitôt :

– C'est vous qui êtes aussi en charge des meurtres précédents ?

– Jurek ne parle pas anglais, intervint Tomasz. Je ferai la traduction si nécessaire, mais vous pouvez aussi me demander, je connais bien les dossiers, depuis votre note à Interpol je m'y suis intéressé de très près. Et pour vous répondre, oui, l'inspecteur Jurek est aussi sur l'enquête de Kidaska, la prostituée retrouvée avec le dessin étrange que vous recherchez.

– Des avancées sur ce dossier ?

– Pas grand-chose. Nous vous présenterons tout en détail cet après-midi à nos bureaux. Le tueur est méticuleux, il ne laisse pas de témoin, il évite toutes les zones avec des caméras, c'est un malin.

– La victime comportait des traces de morsures, c'est ça ?

– Oui, nombreuses. Et des morceaux de chair manquants. Comme si une bête sauvage l'avait partiellement dévorée. Ce que nos spécialistes réfutent. Ça ne ressemble pas à une attaque animale, même post-mortem.

– Le dessin, **e*, était taillé sur sa peau, c'est comme ça que vous avez fait le lien avec notre requête, n'est-ce pas ?

– Tout à fait. Tout comme pour le crime qui a eu lieu entre ces murs.

– Nous avons sauté dans le premier avion, nous ne savons presque rien de ce nouvel homicide. À voir le monde devant la mine, toute la Pologne est sur le coup ?

– C'est que vous êtes dans un lieu très... prisé et aussi un lieu pieux.

Ludivine se tourna pour vérifier les photos et accessoires touristiques tous tournés sur l'aspect minier de Wieliczka.

– Je croyais que nous étions dans une mine de sel.

– Il y a aussi une église sous nos pieds. Une des plus respectées et célèbres de notre nation.

– Et le crime a eu lieu à l'intérieur de cette église ?

– À vrai dire, il s'agit plus d'une profanation.

– Il n'y a pas de cadavre ?

– Si, hélas, si. Ce que je veux dire c'est qu'il y a eu un crime dans la mine et une profanation dans l'église.

– Il n'y a pas qu'une seule victime ?

– Il y en a deux. Mais la première a servi de... répétition. Pour s'entraîner.

Ludivine et Mikelis échangèrent un regard étonné.

– S'entraîner à quoi ? demanda le criminologue.

– Je crois qu'il est préférable que vous descendiez, il n'y a aucun mot pour décrire ça.

La gendarme inclina la tête, surprise :

– Vous voulez dire que les corps sont encore en bas ? Ça fait combien de temps, quarante-huit heures que vous les avez trouvés, non ?

– Les corps sont avec notre équipe médico-légale, à l'hôpital. Mais le... reste est encore ici, oui. À ma demande. Puisque Europol nous a demandé une coopération totale, j'ai pensé que vous deviez voir ça en l'état.

– Le reste ? répéta Mikelis.

Tomasz se mordit l'intérieur des lèvres.

Et il leur fit un geste de la main pour les inviter à le suivre en direction des profondeurs de Wieliczka.

36.

Une adolescente un peu rêveuse.

Voilà ce qu'avait été Ludivine. Sportive et lunaire. Et elle avait beaucoup lu. Dont *Le Seigneur des anneaux* de Tolkien, comme beaucoup de jeunes de son âge.

Elle avait été marquée par les passages dans la mine des nains, la fameuse Moria, une cité sous la montagne, avec ses halls gigantesques, ses escaliers partout, ses passerelles, ses ponts et son art chtonien sans pareil.

Et pendant presque vingt ans, elle avait cru que tout ça n'était que littérature.

Avant de mettre les pieds à Wieliczka.

Trois cents kilomètres de galeries s'étendaient sur neuf niveaux, un réseau complexe de tunnels aux murs consolidés par des étais de bois blanc, de « chambres » parfois vertigineuses taillées dans la roche et le sel, marbrés de veines blanches, cette précieuse sueur de Gaïa, cristallisée par des millénaires de compression minérale.

Ludivine suivait Tomasz, marche après marche. Ils en descendirent plus de trois cent cinquante presque d'un seul tenant, avant d'arpenter des cavernes creusées et sculptées intégralement par la main de l'homme pendant plus de sept cents ans. Ils franchirent un autre escalier et traversèrent la chambre Michalowice, une formidable salle voûtée de trente-cinq mètres de haut, qui se terminait par une improbable façade de chevalements blancs gigantesques, semblable à un château fort féerique et mystérieux, comme si la cathédrale Notre-Dame de Paris avait été recomposée avec des madriers et des poutres par cent neuf mètres de profondeur.

Un ingénieux dispositif d'éclairage illuminait la pierre par en dessous, depuis des corniches haut perchées, ou par des renfoncements, créant un jeu d'ombres et de lumières qui renforçait la beauté et l'extraordinaire mystère des souterrains.

Tomasz les guidait sans hésitation, parfaitement coutumier des lieux, et plus surprenant encore : ils ne croisèrent personne. Les mines étaient vides, abandonnées au silence, aux clairs-obscurs, et au sang.

– Il n'y a pas plus de vos collègues de police ? s'étonna Ludivine tandis qu'ils marchaient dans un autre corridor étançonné.

– Toutes les expertises scientifiques sont déjà faites, et comme je vous l'ai dit, j'ai demandé à ce qu'on ne touche pas à l'église. Je voulais que vous puissiez voir, pour nous aider à comprendre ce qui s'est joué ici. Et pour vous aider dans votre enquête, en France et ailleurs. La Haye a mis une certaine… *pression* à mes supérieurs pour que je vous assiste au mieux. Et mes supérieurs aiment faire plaisir à La Haye. On ne monte pas en grade sans une bonne dose de politique.

Venant de lui, qui arpentait la mine dans un costume *slim fit*, avec ses lunettes de soleil glissées dans la poche avant de sa veste, cette remarque en devenait presque comique.

Lorsqu'ils pénétrèrent dans la chapelle Sainte-Cunégonde, Ludivine en eut le souffle coupé.

L'immense salle tout en longueur et en hauteur brillait à leurs pieds, en contrebas d'un escalier, scintillante sous les lustres façonnés en cristaux de sel, entièrement taillée par la main de l'homme dans un bloc de sel colossal. Ses murs blancs tirant sur le brun étaient sculptés de scènes bibliques, de bas-reliefs délicats, habités de saints dans des alcôves, et tout au fond, dans la lumière spectrale, le maître-autel absorbait toute l'attention avec sa statue de sainte Cunégonde tout en cristal aux brasillements d'argent.

Là encore, à la grande surprise de Ludivine, il n'y avait personne.

Tomasz les entraîna en bas et ralentit à l'approche d'un renfoncement.

Jusqu'alors, la jeune femme n'avait rien noté de singulier, elle ne voyait pas où pouvait se trouver la trace de la Bête et elle s'attendait de plus en plus à ne découvrir qu'un nouveau tag de leur symbole et rien d'autre.

Leurs talons claquaient contre les tomettes de sel qui ornaient le sol et résonnaient dans tout l'espace. Il faisait frais, et Ludivine tira sur son col pour y enfoncer son menton. Elle n'était pas à l'aise. Ne pas savoir exactement ce qui les attendait la dérangeait.

Lorsque Tomasz leva le bras pour désigner la niche, la gendarme se figea d'un coup.

Il y avait deux scènes superposées l'une au-dessus de l'autre.

En bas le Christ allongé dans son sépulcre, et en haut le Christ debout, entouré de rayons divins.

– C'est la chapelle de la Résurrection du Seigneur, leur indiqua leur guide d'une voix déférente et blessée.

Car le Christ debout était recouvert d'un habit profane.

La statue d'environ un mètre de haut était enveloppée dans un manteau de peau.

Un costume luisant, émaillé de grains de beauté, de quelques poils hirsutes, et dont la frange de chair avait laissé couler quelques sillons de sang.

Tomasz se signa, et Jurek fit de même bien qu'il semblât s'y soumettre à contrecœur.

Ludivine ne remarqua le signe qu'après s'être rapprochée de l'alcôve. Un **e* finement ciselé sur la peau, juste assez profondément pour que les vaisseaux soient sectionnés et colorent les lignes sans pour autant déformer le derme. Juste à l'emplacement du cœur du Christ.

– Nous sommes un pays très respectueux, très croyant. Ceci est une provocation choquante, souligna Tomasz.

– Et l'œuvre d'un esprit torturé, commenta Mikelis.

– En effet. Il ne s'est pas attaqué à cette arcade pour rien. La Résurrection, c'est l'essence même de la foi chrétienne.

Mikelis jeta un œil rapide aux autres motifs gravés dans l'église. La Cène, la fuite en Égypte, la Vierge, tous les thèmes fondamentaux de la religion chrétienne y figuraient.

– Symboliquement, la Résurrection représente pour les croyants la victoire du Bien sur le Mal, de l'espoir, rappela Mikelis.

– C'est ce que nous nous sommes dit, fit Tomasz en désignant Jurek. Que celui qui a commis ce geste a un compte à régler avec les notions de bien et de mal. Il veut, d'une certaine manière, vêtir le Christ de *sa* nouvelle peau. L'assujettir à sa volonté.

– C'est une mue, confirma Mikelis. Ils veulent faire changer le monde. Redéfinir ce qui est bien et ce qui est mal.

Segnon, qui ne comprenait pas l'anglais, s'était contenté de tout décortiquer du regard.

– C'est pas un acte sacrilège, dit-il, pas aux yeux de la Bête, il n'a pas voulu profaner cette église, au contraire, c'est un acte de respect. Il a revêtu le Christ de ses nouveaux habits, et surtout (Segnon pointa son doigt vers le symbole **e*) il lui a posé leur doctrine sur le cœur. Tout ce qu'il veut c'est conquérir le cœur du Seigneur. Il demande de la pitié. De la compréhension.

Ludivine acquiesça dans le silence des profondeurs.

Tous fixaient la représentation désormais macabre de la Résurrection. On s'était appliqué à percer des trous dans le manteau de peau pour y laisser passer les bras. Des gouttes de sang avaient coulé sur les pieds du Christ.

– Il y a des caméras dans la mine ? demanda la jeune femme.

– Seulement au point d'accès, mais elles ne tournent pas la nuit, elles ne servent qu'en journée pour s'assurer que tout va bien avec les visiteurs. Quant à celles qui sont en surface, elles ne sont pas très utiles. L'homme est entré par l'arrière, on ne le voit qu'un court instant.

– Vous avez des images de lui ?

– Environ dix secondes, et il est masqué. On ne le distingue pas.

– Je veux voir ces bandes, s'exclama Ludivine.

– Si vous voulez… Je vous en ferai même une copie.

– Et ensuite ? Pas de système d'alarme ?

– Si, mais il est vieux, ça a été un jeu d'enfant pour lui de le court-circuiter.

– Et il n'y a pas de gardien la nuit ?

– Il y a un veilleur, mais qui ne descend pas, il est juste dans son poste de sécurité au cas où. Et il n'a rien vu, rien entendu.

Ludivine regardait le petit Christ.

– Vous avez parlé de corps tout à l'heure, rappela Mikelis. Combien ?

– Deux.

– Tués sur place ?

– Oui.

– Vous avez les victimes sur la bande de vidéosurveillance ?

– Non, le tueur a coupé la caméra avant d'entrer.

– Et ça n'a pas alerté le veilleur de nuit ?

– Encore une fois, c'est un vieux système de sécurité, surtout destiné à dissuader les jeunes de tenter une percée nocturne, les pannes sont fréquentes. Dans ces cas-là le gardien attend le lendemain pour prévenir la direction qui fait réparer dans la semaine. Il ne s'attendait pas à ça…

– Vous voulez dire que le tueur est descendu jusqu'ici avec ses deux victimes ? demanda Ludivine. Vous n'avez pas retrouvé les corps là-haut ?

– Non, ils étaient là, un peu plus loin, je vais vous montrer.

La gendarme leva la main devant elle pour exiger le silence afin de se concentrer sur la visualisation de la scène.

– Il est parvenu à entraîner ses deux proies jusqu'ici, réfléchit-elle à voix haute, sans se faire voir, à travers toutes les marches que nous nous sommes enquillées !

– Il y a un ascenseur un peu plus loin, l'informa Tomasz. Il a pu l'emprunter aussi. Nous ne pouvons y aller parce que c'est la dernière partie de la mine que nos experts finissent d'examiner.

– Même, nous sommes loin des attaques éclairs auxquelles il nous avait habitués.

Mikelis approuva.

– Il a un rapport compulsif à l'agression, à la mise à mort, rappela-t-il. Il prépare, il est méticuleux, mais une fois qu'il passe à l'action, il entre en frénésie. Tout ça, la mise en scène, le message, les longs préparatifs avec ses victimes vivantes, ne lui ressemble pas.

– Un autre tueur en plus de la Bête ?

Mikelis hésita. Il pivota vers Tomasz :

– Dans quel état étaient les corps ? Des traces de morsures ?

– Sur l'un des deux, oui. Pas sur l'autre.

La tête du criminologue se renversa en arrière pour réfléchir en fixant les lustres de cristaux.

– Deux tueurs ? interrogea Ludivine.

– Ce serait surprenant. La Bête est un acharné, il est dans l'extase de tuer, dans l'immédiateté, dans l'abandon. Ça ne se partage pas.

– Vous avez les rapports des autopsies ? fit Ludivine.

– Oui, depuis hier soir. C'est un gaucher. Notre spécialiste affirme que l'écorchement a été effectué par un gaucher, ça se voit à la façon dont la peau a été coupée, au sens des lacérations.

– Sur les deux victimes ?

– Oui.

L'inspecteur Jurek se mit à parler de sa voix grave et gutturale qui résonnait ici plus étrangement que partout ailleurs. Tomasz hocha la tête.

– Jurek a une théorie qui fait sens, relaya-t-il, il pense que la première victime ne servait que de brouillon… d'entraînement.

– Entraînement à quoi ? fit Ludivine intriguée.

– À écorcher proprement.

Elle fit une grimace en avalant sa salive.

– Le tueur voulait peler sa victime d'un seul tenant, constata Tomasz en désignant le manteau du Christ.

Mikelis, sans se départir de son flegme coutumier, rapporta :

– Avec les bons instruments, de la patience, et une totale absence d'empathie, découper la peau de la chair n'est pas si complexe, en prenant sur la poitrine ou sur le dos, c'est à la portée de tout tueur motivé si je puis dire.

Jurek désigna le sol de son index et parla en polonais. Tomasz approuva.

– C'est que… les conditions n'étaient pas des plus simples, dit-il pas très à l'aise.

– Pourquoi ? demanda Ludivine. À cause de l'environnement ? De l'obscurité ?

Tomasz hésita. Il ne savait manifestement pas comment annoncer ce qu'il avait à dire.

– Le tueur les a écorchées vives. Il voulait qu'elles soient vivantes.

– Pardon ?

– Il voulait jouer, comprit Mikelis aussitôt.

– Pire, intervint Tomasz, il voulait les faire souffrir le plus possible.

Le policier en costume recula de quelques pas et désigna tout l'édifice qui les entourait.

– Regardez où nous sommes… Ce n'est pas seulement une chapelle, c'est une ville creusée, mais pas n'importe où.

Le visage de Mikelis se crispa.

– Le sel, murmura-t-il en étant traversé par un éclair de lucidité. Il n'est pas venu seulement pour faire amende honorable avec le Christ. Il est venu avant tout pour se faire plaisir. Pour tuer. Pour éprouver du plaisir.

– Quel rapport avec le sel ? questionna Ludivine qui ne comprenait pas le raisonnement du criminologue.

– C'est un sadique. Il se nourrit de la souffrance des autres.

Tomasz donna le coup de grâce :

– Il les a écorchées vivantes pour les jeter dans le sel ensuite. Pour les voir se débattre.

Il prit une profonde inspiration, ses mâchoires se crispèrent avant qu'il lâche :

– Elles sont mortes de douleur.

37.

Les cinq enquêteurs étaient descendus encore plus profondément dans les abysses du monde.

Ils s'enfonçaient dans le temps, loin de la société de surface, comme si ici le reste n'existait plus vraiment, comme si les codes et la morale n'avaient pas la même emprise si bas. Ils se sentaient loin, presque oubliés. Ils se rapprochaient progressivement du lieu où tout s'était joué pour deux êtres humains. Deux femmes dont l'existence s'était terminée là. Deux petites filles qui avaient grandi pleines d'illusions, deux adolescentes qui s'étaient frottées à la réalité, deux jeunes femmes qui avaient vécu, entre pleurs et rires, qui s'étaient construites, entre espoirs et déceptions, qui jour après jour, souvenir après souvenir, avaient amassé de la vie. Avec l'ambition de poursuivre. Avec une trajectoire en vue, incertaine, trouble, mais une trajectoire qui se perdait loin, très loin, dans l'avenir. Deux femmes qui n'avaient jamais imaginé, même dans leurs pires cauchemars, finir de cette manière, une nuit comme les autres, sans qu'aucun signe distinctif les y ait préparées. Un couperet sans appel, définitif, qui avait tout interdit, banni tout futur. Une guillotine impérative, sans autre conjugaison que le présent de l'insupportable.

L'esprit du tueur flottait encore entre ces murs. Il hantait les consciences des flics.

Chaque pas dans les ténèbres ressemblait à un pas de plus vers l'âme du Mal.

Ludivine avait pris le temps de tout traduire à Segnon à mesure qu'ils s'éloignaient de l'église pour se rapprocher de la scène de crime et le colosse n'avait pas pipé mot, se contentant de secouer la tête.

Soudain la paroi de droite disparut, remplacée par une courte rambarde de bois, et ils dominèrent une cavité impressionnante le long de laquelle courait leur petit escalier, enchaînant les paliers, vers le fond vert qui irradiait de son eau claire les murs, les couvrant de reflets dorés telles des fées géologiques aussi immobiles que la pierre elle-même.

Le lac en soi n'était pas très grand, ni très profond, mais les projecteurs immergés démultipliaient ses perspectives.

Tomasz désigna l'œil d'émeraude qui les contemplait en contrebas :

– C'est là qu'il a poussé ses victimes après les avoir écorchées vives. Comme vous pouvez l'imaginer, l'eau est d'une salinité extrême.

– Elles ne sont pas mortes noyées ? s'étonna Ludivine.

– Non. Il y avait bien de l'eau dans leurs poumons mais c'était à cause de l'immersion post-mortem. Le médecin légiste a trouvé une telle quantité de sucs gastriques dans les estomacs qu'il ne l'explique que par une agonie terrible, au point de créer des ulcères quasi immédiats.

– Mon Dieu..., balbutia Ludivine en se penchant pour contempler le lac souterrain.

– Lulu, fit Segnon, demande-leur s'ils ont l'identité des victimes.

– Deux prostituées connues de nos services, répondit Tomasz. Jurek a lancé ses hommes sur leurs pistes, a priori il n'y a aucun lien entre elles, sinon qu'elles exerçaient à moins de dix kilomètres l'une de l'autre.

– Aucun témoin de leurs enlèvements ?

– Rien du tout. C'est un secteur désert et en même temps avec un passage ininterrompu de voitures, des mateurs, des clients, des mecs qui repèrent, qui hésitent. Ça n'arrête pas. Trop de véhicules sont passés par là en même temps.

– Et par rapport à la toute première victime, celle de dimanche soir ? questionna Mikelis.

– Aucune connexion entre les trois sinon que c'étaient toutes des putes.

La façon dont il avait prononcé le dernier mot fit frémir Ludivine. Il transpirait le mépris, voire la répulsion.

– De celles qu'on appelle *Tir girls*, ajouta Tomasz. Les filles qui racolent au pied des camions, tout en bas de l'échelle de la prostitution. Elles ne sont pas regardantes, pas méfiantes, souvent désespérées.

– Enlevées dans un périmètre restreint ? continua Mikelis.

– Suffisamment pour qu'on puisse relever un point commun : l'autoroute E40 n'est jamais loin, et deux des trois filles ont été prises sur des routes fréquentées par les routiers. Le meurtrier est malin. Il était près de Brzesko, un lieu plein de prostituées, mais il l'a évité, et il est allé un peu plus loin, près de la forêt.

– Pourquoi est-ce malin ?

– Parce que sur les aires les filles sont apportées par les macs qui circulent dans des petits vans, et donc elles sont surveillées, alors qu'en forêt…

Ludivine et Mikelis se regardèrent, l'air entendu.

– Nous pensons en effet que ce pourrait être un chauffeur qui fait le trajet entre la France et la Pologne, confirma la gendarme. Est-ce qu'il existe de votre côté des registres de ces déplacements ?

Tomasz laissa échapper un sifflement.

– Rien d'informatisé ni de global. Il faudrait aller frapper à la porte de toutes les entreprises du pays pour leur demander une à une de nous fournir des listes précises, c'est impossible. Avec l'Europe et les frontières qui se sont ouvertes, les marchandises circulent librement, tout comme les camions.

– Et les tueurs, grogna Mikelis.

– Vous avez une idée des produits qui sont importés de France par la route ? s'enquit Ludivine.

– Des cosmétiques, des vêtements, du vin, je ne sais pas. Ce que je peux vous dire en revanche, c'est que l'autoroute où les prostituées ont été enlevées est surnommée la « route de la vodka ». C'est par là qu'est importée illégalement la vodka ukrainienne qui est bien moins chère.

– Il pourrait transporter de l'alcool entre les pays, approuva Ludivine.

– Ou beaucoup d'autres choses, laissez tomber ! Il y a trop de camions et de marchandises, vous ne pourrez pas remonter jusqu'à lui ainsi. Sauf s'il fait de la contrebande. Nous travaillons sur cette piste en sondant nos contacts dans le milieu.

Tomasz les entraîna jusqu'en bas de la salle, au niveau du lac. Il y avait de nombreuses auréoles brunes sur la pierre. Les entrailles du monde avaient bu autant de sang que possible, elles en étaient déjà bien assez saturées.

– C'est là qu'il a opéré. Il y avait encore de nombreux fragments de peau et de chair quand nous les avons découvertes.

– Vous disiez qu'une seule des deux filles avait été profondément mutilée, n'est-ce pas ? rappela Mikelis.

– En effet. Nous pensons que c'est la première. Il s'est essayé à la dépecer vivante, elle a dû se débattre, il y a de très nombreuses marques de coupures sur son cadavre, il a ripé, beaucoup. Il n'y arrivait pas très bien. Nous supposons qu'il s'est alors énervé, et il s'est… libéré sur elle. Il l'a frappée, des hématomes partout. Et il l'a mordue un peu partout, superficiellement, avant de s'en prendre à sa cuisse. Là il a mordu très fort, jusqu'à lui arracher un bout de chair.

– Ça ne l'a pas tuée ? s'étonna la gendarme.

– Non, apparemment il est passé juste à côté des gros vaisseaux. Elle a agonisé mais c'est le bain prolongé dans l'eau salée alors qu'elle était écorchée de partout qui l'a achevée.

Songeant à l'obsession de Segnon, Ludivine s'attarda sur le sujet :

– Des morsures de quel type ?

– Comme je vous l'ai dit tout à l'heure, nos experts sont dubitatifs. Il y a bien des traces de dents, je dirais « normales », mais aussi des marques beaucoup plus larges, absolument pas cohérentes avec la mâchoire d'un être humain. Nous n'avons aucune idée de ce que ça peut...

– Attendez un instant ! le coupa Ludivine. Vous avez dit : des empreintes de morsures *normales* ? Vous avez ça sur les filles ?

– Sur la première, oui.

– Assez claires pour en faire un moule ? Pour dresser le portrait-robot de sa dentition ?

– C'est en cours. Nous voudrions ensuite l'envoyer à tous les dentistes du pays pour qu'ils la comparent avec leurs bases de données, on ne sait jamais.

Ludivine serra le poing et s'empressa de traduire à Segnon.

– Et pour la seconde ? insista Mikelis de son air sombre.

– Cette fois il a été plus minutieux. Il devait être apaisé par le premier meurtre. Il a pris son temps. Elle était entravée aux poignets et aux chevilles, et il l'a lentement séparée de sa peau au niveau des seins tout d'abord, mais la masse graisseuse a dû le gêner. Du coup il l'a retournée pour lui arracher délicatement toute la peau du dos. On attend confirmation du labo mais Jurek pense que c'est celle qui a servi pour le manteau du Christ.

– Et il l'a balancée dans le lac, se représenta Ludivine.

– À côté du cadavre de la première. Elle a sûrement nagé au début, enfin elle a fait ce qu'elle pouvait avec ses liens, mais l'eau est peu profonde et avec tout ce sel, on ne coule pas. Ça lui a rongé la chair, jusqu'à provoquer l'arrêt cardiaque.

Mikelis inspectait les lieux. Il poussa deux cris pour tester l'écho qui résonna comme dans une cathédrale.

– Les gardiens ne descendent jamais la nuit, vous dites ?

– Non.

– Il les a fait crier, devina le criminologue. Avec cette profondeur, ça a dû beaucoup lui plaire.

Cette fois Tomasz ne put s'empêcher de rebondir sans cacher son air dégoûté :

– Vous croyez vraiment qu'un homme peut aimer entendre hurler ? À ce point ? Si fort ? Pendant une heure ou deux ?

– Oh oui. Je pense même que c'est une forme de jouissance pour lui. Leurs hurlements sont comme les prières des fidèles pour Dieu.

Tomasz se renfrogna à ses mots.

– Pardon pour la métaphore, mais c'est vraiment ça. Il joue à être Dieu. Il a le pouvoir de vie et de mort sur autrui.

– Ce n'est pas un dieu, s'énerva le policier, ce n'est qu'un frustré pervers ! Venez, je vais vous montrer la vidéosurveillance et vous verrez.

Segnon et Jurek, qui ne comprenaient pas un mot de ce qui se racontait sans qu'on le leur traduise, emboîtèrent aussitôt le pas à Tomasz.

Mikelis avait le regard fixé sur la surface de l'eau verte. Ludivine n'en perdait pas une miette.

Il ne cillait pas. Semblait ne pas respirer.

Toute vie l'avait quitté.

Quelles pensées pouvaient bien s'emmêler sous son crâne nu ? Quelles images éclataient en flashs subits ? On le disait capable de comprendre la pensée d'un tueur rien qu'en analysant la scène de son crime. Était-il dans la tête de l'assassin ? Partageait-il ses obsessions lubriques ? Ses fantasmes obscènes ?

Soudain il se redressa, le visage fermé.

Ses pupilles grises glissèrent sur Ludivine et pendant une seconde elle crut y déceler une émotion qui lui glaça les sangs.

De la haine.

Pure.

Si concentrée qu'elle en était le carburant de la mort.

Et brusquement, tandis qu'il lui tournait le dos pour entamer l'ascension des marches, la jeune femme se rassura.

La haine était une émotion. Une preuve d'humanité.

Les tueurs, eux, n'en avaient aucune.

Ils avaient le regard vide. Noir.

Reflet des ténèbres qui les habitaient.

Comme celui d'un requin blanc au moment de mordre sa proie.

Une machine à tuer.

38.

La vidéo était de mauvaise qualité. Image désaturée au lignage visible. On distinguait à peine une silhouette surgissant dans le bord droit du cadre, une ombre plus qu'un individu, dont les mains apparaissaient d'un coup pour couper le câble.

Pour le peu qu'il était possible d'en voir, l'homme était masqué d'une cagoule, noire comme ses vêtements.

Il ne semblait pas particulièrement grand, ni musclé, ni gros. Un homme « normal », peut-être à peine plus petit que la moyenne. Tout allait très vite, il savait quoi faire, il avait repéré la caméra.

– Vous gardez des vidéos des visiteurs ? demanda Mikelis.

– Non, les bandes sont effacées en quelques heures si on ne les isole pas, fit Tomasz dépité.

– Parce que cet homme savait où passer. Il était déjà venu repérer les lieux.

– Probablement en visiteur en effet, mais ils sont plus d'un million à venir chaque année !

Segnon demanda à voir ce que toutes les autres caméras avaient filmé au même moment et on lui diffusa une dizaine d'images du bâtiment principal, du parking, de l'arrière des locaux, où la nuit atténuait une large partie de la définition. Il n'y avait que les projecteurs extérieurs pour offrir un minimum de lumière, et les ombres de la nature en mouvement dans le vent troublaient le peu qui restait visible.

– Il savait exactement par où passer pour éviter d'être filmé, commenta le gendarme. Est-ce qu'on peut sortir pour vérifier comment sont disposées les caméras ?

Tomasz fit imprimer une image de chaque caméra pour s'assurer de n'en manquer aucune et ils sortirent dans la fraîcheur d'octobre pour faire le tour des installations. À chaque caméra qu'ils repéraient le policier barrait l'image imprimée qui lui correspondait.

– Pas difficile, résuma Segnon après les avoir pointées une par une. Un simple visiteur peut déjà toutes les voir avant d'aller jeter un œil à l'arrière pour localiser les trois dernières.

– Si le veilleur de nuit ne sort pas de son local, ajouta Ludivine, alors oui, c'est un jeu d'enfant de s'introduire dans la mine.

– La question est de savoir pourquoi cet endroit en particulier, dit Mikelis. Est-ce que le tueur le connaissait déjà ? L'a-t-il découvert récemment ? En France, il tue à l'écart, rapidement, dans des zones isolées, jamais très loin de l'autoroute, alors qu'ici il donne davantage dans le symbolisme, il prend des risques.

– Vous pensez qu'il pourrait être polonais ? Il est venu ici parce qu'il connaît bien le coin ?

– Possible. En tout cas je note une évolution impressionnante de son comportement. Et ce n'est pas logique. Les tueurs en série évoluent peu, ou lentement, dans leurs fantasmes, dans leurs méthodes. Ils les améliorent, mais ne les changent que rarement.

Ludivine haussa les épaules :

– Alors quoi ?

– Je ne sais pas. Il se passe quelque chose avec lui. Il n'agit pas comme il le devrait.

La jeune femme croisa les bras sur la poitrine. Ses pensées fusaient, s'entrechoquaient, elle analysait toutes les données en suspens dans sa mémoire, opérant des recoupements, écartant des improbabilités. La difficulté principale n'était pas le nombre d'informations – ça elle y était habituée – c'était la vitesse à laquelle elles s'accumulaient. Les meurtres se succédaient trop vite, les données se multipliaient de jour en jour, et Ludivine, comme tous ses confrères de la SR, avait à peine le temps de les assimiler que de nouvelles s'ajoutaient. De cet amas de renseignements ils tiraient leurs conclusions, élaborant de nouvelles hypothèses, dégageant tellement de pistes à suivre qu'il leur était impossible de toutes les remonter en même temps et ils avaient souvent l'impression d'oublier quelque chose, de manquer un détail, d'aller trop vite.

Ce sont les tueurs qui nous poussent à ça ! Ce sont eux qui imposent le rythme !

Et c'était inédit. Habituellement soit une enquête criminelle était bouclée dans les quarante-huit heures, soit elle traînait des mois, de juge en juge, de parquet en parquet, jusqu'à déboucher sur des évidences, des confrontations, des aveux ou des preuves, et une inculpation. Il y avait rarement ce sentiment d'urgence, de devoir courir après la mort en personne.

Et dans ce bouillon d'idées et d'informations, Ludivine le sentait, il y en avait à côté desquelles ils passaient. Maintenant qu'elle y réfléchissait, elle savait que pendant l'une de ses rares heures de repos, ces derniers jours, elle avait *senti* quelque chose. Dans cet état de semi-conscience, épuisée, entre veille et sommeil.

Quelque chose d'incohérent. Des roues.

Pneus… c'est une histoire de pneus !

Ça lui revenait. Comme une idée surgie brusquement dans l'esprit de celui qui la cherche.

La voiture !

– Attendez ! s'écria-t-elle. On a retrouvé des traces de pneus sur certaines scènes de ses crimes français, vous vous rappelez ? Une Twingo de première génération. Ça ne colle pas avec l'hypothèse d'un chauffeur routier ! Il ne peut pas sillonner les autoroutes d'Europe avec son camion et en même temps aller tuer avec une voiture !

– Sauf s'il transporte sa voiture dans sa remorque.

– C'est pas un peu… gros ?

– C'est surtout compliqué, je vous le concède. Bien des camions changent de remorque à chaque voyage, et ils sont chargés et déchargés par du personnel qualifié, une voiture dans la remorque ça poserait un problème.

– Personne n'a pensé à ça quand nous avons évoqué la piste du routier, s'énerva Ludivine. On a un problème de cohérence.

– Pourtant, le routier, ça faisait sens.

Segnon, qui était resté en retrait à observer les environs, leva le bras devant lui.

– Attendez une minute…

Il désignait le toit où se trouvait une des caméras.

– Qu'est-ce qui t'arrive ? s'inquiéta sa partenaire.

– Si la Bête est passé par là pour débrancher la vidéo qui donnait sur la porte, il a obligatoirement longé ce mur, puis cette zone à découvert, là.

– Elle n'est pas dans le champ de vision d'une cam, corrigea Ludivine.

– Non, mais avec le projecteur qui est là-haut, son ombre pourrait l'être ! fit Segnon en montrant la cour plus loin qui, elle, était sous surveillance.

Ludivine pivota pour s'apercevoir que son collègue avait raison.

– Et on n'a rien, vous êtes sûrs ? s'étonna-t-elle.

Ils retournèrent dans le PC sécurité de la mine où ils se firent diffuser toute la bande dans les minutes précédant celles de l'apparition du tueur.

Les cinq paires d'yeux, rivées à l'écran, détaillaient chaque pixel, scrutaient les mouvements des feuillages, les ombres denses qui occultaient plus de la moitié de l'image.

Segnon et Tomasz posèrent l'index en même temps sur le moniteur.

– Là ! fit le colosse. Revenez en arrière ! Revenez !

Une ombre parmi les ombres.

La Bête avait longé le mur, et comme l'avait compris Segnon, sa silhouette s'était fait prendre dans le faisceau d'un des projecteurs. Ce n'était pas grand-chose, tout juste un prolongement de son ombre allongée, rien qu'un avatar sans visage, mais il était bien là.

– Il peut se cacher autant qu'il veut, murmura le gendarme, il ne peut dissimuler son ombre.

On le voyait à peine, une fine traînée qui passait d'une flaque de ténèbres à l'autre, sur à peine cinq centimètres d'écran.

– Au moins on sait que ce n'est pas un spectre, fit Ludivine tout bas. Il n'est pas invisible, il n'est pas parfait. Il peut laisser des traces derrière lui. Il faut mettre le paquet, trouver s'il n'a pas commis une autre erreur.

La main de Segnon se posa sur son épaule pour la faire taire.

Son ongle émit un petit claquement en cognant sur l'image.

– On voit aussi ses proies, dit-il d'une voix grave.

Tous surent que c'était la dernière preuve de vie des deux filles. Leur testament digital.

Deux fines traînées qui se coulèrent, l'une contre l'autre, dans le sillon de leur ravisseur. Obéissantes, absorbées par l'autorité, par la peur, elles disparurent aussi sèchement qu'elles étaient apparues, dissoutes en un instant.

Ludivine était impressionnée.

– Elles le suivaient, dit-elle du bout des lèvres, il ne lui a fallu que quelques heures tout au plus pour les asservir.

Puis une autre ombre bougea dans la foulée.

Une quatrième.

Ludivine se leva d'un bond.

– Merde ! lâcha-t-elle.

– Ils sont deux, intervint Mikelis.

Seul le criminologue ne parut pas étonné. Au contraire même, il souriait.

39.

Segnon n'en revenait toujours pas.

– Deux tueurs ? Et on est passés à côté depuis le début ?

– Non, pas deux tueurs, corrigea le criminologue, un tueur et son mentor. Depuis le début, la Bête est encadré. Il est guidé.

Les trois Français s'étaient écartés pour discuter, ils étaient sortis prendre l'air et parlaient rassemblés autour de la berline noire de Tomasz.

– Je croyais que les fantasmes étaient trop personnels pour être partagés ? s'étonna Segnon.

– Et c'est le cas. La Bête tue selon ses besoins, ses propres obsessions. Mais il est cadré. On l'aide à préparer le passage à l'acte. À brouiller les pistes, à effacer les traces.

– Qu'est-ce qui vous permet de l'affirmer ? demanda Ludivine. Le quatrième individu pourrait tout aussi bien être un simple complice, pour ce qu'on en voit.

– C'est un mentor parce que ça explique l'évolution rapide du mode opératoire. C'est le mentor qui vient le chercher en voiture, c'est le mentor qui conduit la Twingo. Quand la Bête tue, il l'attend peut-être dans le véhicule, pour le laisser tranquille, mais c'est lui qui dit comment échapper à la police. Il y a trop d'impulsivité dans les meurtres de la Bête, trop de rage. Cela témoigne d'une violence inouïe au moment de la mise à mort, d'un état extrême : la Bête monte très haut, vraiment très haut, et ne peut redescendre d'un coup pour redevenir pragmatique. Il doit être dans un état second après avoir tué.

– Comme s'il était ivre ? proposa Ludivine.

– C'est exactement ça ! L'ivresse de la violence. Et quand on est dans cet état, on fait des bêtises, on finit toujours par laisser des indices. Mais pas lui. Parce qu'on le surveille. On le conduit, on lui donne des conseils. Par exemple, il n'y a jamais aucun cheveu, aucun poil sur place, ça m'a surpris à la lecture des rapports, car avec une telle violence, il devrait obligatoirement en laisser. Je pense qu'on lui ordonne de se raser, totalement.

– Des malades…, murmura Segnon.

Mikelis ajouta :

– Il y a autre chose qui m'a interpellé en bas dans la mine : son mode opératoire était très différent de celui adopté pour ses premières victimes qu'il choisissait assez corpulentes afin de se glisser à l'intérieur d'elles. Ici, rien de tel. Pourtant ça fait partie de lui, c'est du domaine de son fantasme. S'il ne l'a pas refait, c'est parce qu'on ne l'a pas laissé agir comme il l'entendait. Il est sous l'emprise d'un esprit plus fort que lui, qui parvient à le soumettre jusque dans ses désirs profonds. Le mentor l'accompagne lors de ses crimes, et maintenant que la Bête s'est lâché, il le canalise, il l'utilise de plus en plus comme il le souhaite, il se sert de lui pour intellectualiser les meurtres, pour y mettre du sens et s'adresser à la société, tout en lui passant quelques-uns de ses fantasmes élémentaires.

– Les morsures ?

– Oui. Ça, c'est la signature de la Bête, le mentor ne peut interférer avec cet aspect-là.

– La signature d'un tueur, c'est ce qui le caractérise, n'est-ce pas ?

– Oui, c'est la partie immuable du crime, c'est l'incarnation matérielle de son besoin de tuer, elle prend sa source dans le fantasme. S'il tue, il ne peut s'empêcher de laisser une signature. Dans son cas, ce sont les morsures. Il a besoin d'absorber l'autre, de l'agresser dans sa chair, par la bouche, un stade oral cannibalique qui renvoie aux troubles du développement de sa personnalité lorsqu'il était enfant. Il a besoin de l'autre, d'assimiler, de dévorer pour ne pas l'être à son tour, ou de fusionner. Peut-être a-t-il aussi un problème d'expression. Il parle peu ou mal. Il y a beaucoup à dire sur ce type de comportement. Comme sur celui qui consiste à vouloir renaître et à se glisser dans la peau de ses premières victimes. Le mentor a pu canaliser cette dernière partie, mais pas la supprimer totalement, car c'est ce qui fait que la Bête tue.

– Si je vous suis, intervint Segnon, la signature de la Bête c'est lui, et rien que lui, alors que le mode opératoire – la méthode pour tuer – lui est inculqué par un autre ?

– Exactement. Morsures et pics de violence incontrôlée sont ses signatures, tout comme le sadisme dont il fait preuve. Il les a toutes mutilées à l'extrême, appareil génital détruit pour les premières, bain dans l'eau salée pour les dernières. Il a besoin de faire souffrir, alors il expérimente tout ce qui lui passe par la tête et, compte tenu de l'ingéniosité macabre dont il vient de témoigner, je subodore que quelqu'un l'aide à imaginer les pires tortures. Il n'a pas un fantasme bien arrêté sur la mise à mort, il se cherche, il doit être prêt à écouter des propositions, jusqu'à ce que l'une d'entre elles corresponde à un désir personnel. Ce qui compte par-dessus tout, c'est d'atteindre l'état de frénésie final, celui où il perd le contrôle, comme le flash d'un héroïnomane. Le Christ drapé dans de la peau humaine, ce n'est pas lui. Il n'est pas assez cérébral pour ça. Je n'y crois pas une seconde.

– Si c'est une idée de son mentor, dit Ludivine, quel est son plaisir à lui ? Sur quel genre de rapports se construit ce type de relations entre deux individus ? Qu'est-ce qui motive le mentor ?

Mikelis eut soudain les yeux pétillants, ses lèvres trahirent un semblant de sourire.

– Vous commencez à réfléchir comme un criminologue, mademoiselle Vancker, dit-il, amusé. En effet, répondre à cette question de la motivation, c'est comprendre qui il est. Et s'il ne tue pas directement, s'il ne partage pas ce fantasme de la mise à mort, mais qu'il protège son poulain, c'est qu'il y trouve un intérêt.

– Son père… Ou un proche ! songea Segnon tout haut. Un peu comme le père dans *Dexter*, qui comprend qu'il ne pourra pas lutter contre la nature de son fils et qui, plutôt que de le voir plonger, décide de l'accompagner pour qu'il ne tombe pas.

– Si c'était le cas, il chercherait à le protéger, certainement pas à mettre en scène comme nous l'avons vu tout à l'heure. Je crois que nous sommes plutôt face à un individu qui a un ego surdimensionné, qui recherche le contrôle, qui veut diriger. Il est le maître des marionnettes. Depuis l'autopsie de la famille Eymessice, j'envisage cette théorie dont j'avais touché deux mots à Alexis, et je pense qu'elle s'est confirmée. Le mentor de la Bête, c'est l'idéologue du groupe. C'est lui qui les a rassemblés. J'en mettrais ma main à couper. C'est lui *e sur leur forum, pas Victor Mags. C'est lui également qui a voulu cette mise en scène avec le Christ, parce qu'il juge que les codes doivent être redéfinis, parce que les notions de bien et de mal ne lui conviennent pas. Il doit penser que ce qu'ils font est bon. Que ses propres actes sont bons. Il est en croisade, si vous voulez mon avis.

– En croisade ? répéta Segnon.

Au loin la meute de journalistes, apercevant un peu d'agitation, se rassembla derrière les grilles fermées en sortant caméras et appareils photo. Les deux gendarmes et le criminologue se déplacèrent de quelques mètres pour être à l'abri derrière le bâtiment de la mine.

– Pour un monde plus tolérant, expliqua Mikelis, qui les accepte, lui et ses semblables. Parce qu'ils sont ce qu'ils sont, leur plaisir n'est pas dans la jouissance de l'acte sexuel classique entre deux adultes consentants, il est dans la mise à mort, dans la domination, dans le viol d'enfants, regardez son forum : il cherche à rassembler les déviances, à les partager, à les valoriser.

Rappelez-vous leur étendard : *e ! L'union, le rassemblement primitif !

– Un dingue, cracha le colosse.

– Pour nous, oui, car nous sommes la majorité, comprit Ludivine. Le plus grand nombre dicte les codes, les lois, mais si demain les tueurs en série sont plus nombreux que nous, alors les monstres, ce sera nous. *Je suis une légende* de Matheson, relis tes classiques, Segnon.

– À gerber tout ça.

– Votre collègue a raison. Nous sommes face à un homme qui a décidé de faire entendre la voix d'une minorité qui, jusqu'à présent, devait se taire, se terrer, parce que considérée comme abjecte. Lui veut sortir de l'ombre. Il veut rassembler ce qui est isolé, il veut les unir pour les rendre puissants. Il doit croire qu'ils sont assez nombreux pour constituer une force nouvelle capable de changer la face du monde, d'obliger notre société à se poser les bonnes questions. Je crois que ce symbole, ces crimes, les messages qu'ils nous adressent, que ce soit dans le miroir à Louveciennes ou ici dans la mine, en sont une parfaite illustration.

Le silence retomba sur le trio. Le vent soufflait, mordant au cou tel un vampire. Ludivine frissonna et s'enfonça dans sa doudoune. Elle avait froid et, en dépit de tout ce qu'ils avaient entendu et vu de sordide, surtout très faim. Cela faisait partie de la vie. Malgré toutes les horreurs qu'ils pouvaient affronter, ils ne s'arrêtaient jamais longtemps de s'alimenter. Ludivine l'avait appris avec les autopsies. À chaque fois, elle en ressortait avec un appétit de loup. Une envie de viande rouge. De tartares.

Un légiste auquel elle s'était confiée un soir, craignant d'être folle, lui avait avoué que c'était un conditionnement atavique. Des millénaires d'évolution à manger de la chair crue ne s'effaçaient pas de la mémoire génétique comme ça. L'homme avait été un prédateur sauvage pendant 99 % de son évolution, il en conservait des réflexes propres au cerveau reptilien qui pouvaient déranger l'homme « civilisé » mais qui étaient tout à fait explicables. Contempler autant de viande pendant des heures, à défaut de heurter la sensibilité consciente du témoin, réveillait des souvenirs de prédateur.

L'estomac de Ludivine grinçait. Les mots de Mikelis résonnaient dans son esprit. Elle se focalisa sur ces derniers.

Tout ça était aussi fou qu'inattendu. Il y avait un sens derrière tous ces crimes. Alors elle osa la question qui la dérangeait le plus :

– Et vous croyez qu'il peut réussir ? Je veux dire : à rassembler une communauté de criminels, de déviants, pour les rendre plus forts, pour se faire entendre ?

Segnon s'indigna :

– Mais ça va pas, toi ? Comment tu peux imaginer qu'on puisse seulement l'écouter ? Le public découvrira sa sale gueule de tordu quand on le bouclera et pas avant ! On ne va pas en faire un homme politique non plus !

– Je me dis seulement que plus les années filent, plus il y a de tueurs en série, de malades mentaux, de pervers. Regarde, on arrête un pédophile et le mois suivant, on en a dix nouveaux sur les bras ! On ne parle pas de dix ou cent mecs dans tout le pays, mais de milliers si tu rassembles tous les psychopathes, les dingues et les sociopathes entre eux ! Ils sont nombreux, Segnon ! Dis pas le contraire ! Et ils sont de pire en pire ! Regarde les tueries de masse dans les centres commerciaux ou dans les écoles ! Il y a cinquante ans on n'avait pas ça ! Et pourtant il y avait un paquet d'armes en circulation après la guerre ! C'est pas juste une question de prolifération des flingues, c'est une prolifération de types qui craquent ! Heureusement, ce sont des solitaires. Ils ne se sont jamais rassemblés, jusqu'à présent…

– D'accord, mais le mentor, ce *e ou quel que soit son nom, il va plus loin, il a une doctrine ! On ne peut pas avoir des revendications criminelles et être pris au sérieux !

– Vous croyez que sa cause est folle ? demanda Mikelis le plus sérieusement du monde. Qu'elle est désespérée ? Qu'auraient pensé les Blancs en 1750 si on leur avait parlé de droits de l'homme et d'équité avec les Noirs ? Qu'auraient pensé les femmes en 1850 si on leur avait parlé de droit de vote, et qu'auraient pensé les hommes de l'époque si on leur avait dit égalité avec le sexe « faible » ? Qu'aurait pensé le monde occidental en 1950 si on lui avait dit mariage et droit d'adopter pour les homosexuels ? Ce que je veux vous rappeler, c'est qu'il y a bien des « minorités » d'autrefois qui ont aujourd'hui acquis des droits réels qu'on estime normaux mais qui, à une certaine époque, auraient paru impossibles, inenvisageables.

Segnon se pencha vers lui, le regard mauvais :

– Vous êtes en train de comparer les Blacks à des tueurs en série ? À des pédophiles ?

– Absolument pas.

– Les femmes, les gays et les Noirs, ils vous emmerdent, Mikelis ! Vous faites des comparaisons douteuses.

Sans se départir de son calme habituel, le criminologue secoua la tête :

– Ce que je suis en train de vous dire, c'est que les sociétés évoluent sur la façon dont elles considèrent les différences.

– Vous assimilez les gens de couleur à des tordus, bordel !

– Non. Parce que les tueurs, les pédophiles, les pervers et tous ceux que *e essaye de rassembler ne se considèrent pas comme des tordus ! Ils sont différents, et *e veut qu'ils aient le droit de vivre dans notre société. C'est là que je veux en venir !

– Mais ce sont des tarés ! J'y peux rien, ce sont des fous ! Vous comparez des fous à des gens qui n'ont rien demandé !

– Vous voulez entendre le pire ? Eux non plus, ils n'ont pas demandé à être ce qu'ils sont, et ils n'y peuvent rien. Pour la plupart, ils n'ont pas choisi de se bannir du monde à cause de leurs besoins, de devenir ces êtres déviants. Ils le sont devenus à cause des traumatismes de leur enfance, de la destruction qui s'est ensuivie. Leur première victime à tous, c'est le gamin qu'ils ont été.

La colère du gendarme éclata :

– Vous prenez leur défense maintenant ?

– Je les hais plus encore que vous, soyez-en certain, parce que moi je sais qui ils sont vraiment. Mais je comprends aussi d'où ils viennent.

Le ton montait.

– Vous savez quoi, Mikelis ? Je commence à me demander si vous n'êtes pas un peu taré vous aussi ! À partager les théories de ce malade ! Vous êtes…

– STOP ! aboya Ludivine. STOP ! Vous faites chier ! C'est bon, j'en ai assez entendu pour aujourd'hui. On est tous vannés, à bout de nerfs. Je voudrais rentrer à l'hôtel.

Elle s'était imposée entre les deux hommes, deux forces de la nature dont les pupilles se défient, étincelantes.

Segnon recula d'un pas sans lâcher le criminologue du regard.

– J'ai besoin de me reposer, avoua-t-elle la voix tremblante. De réfléchir au calme. Si cet enfoiré recrutait par son forum, maintenant qu'il l'a fermé nous n'avons plus rien pour remonter jusqu'à lui. Et je ne compte pas baisser les bras et attendre qu'il rassemble tous les criminels de la planète pour chercher à nous attendrir sur leur terrible condition. Vous l'avez écrit vous-même dans un de vos bouquins, Mikelis, ces hommes sont des menteurs et des manipulateurs. Jamais nous ne pourrons les croire.

Le criminologue se détourna de Segnon pour répondre à la jeune gendarme :

– Le problème, c'est qu'ils opèrent à visage masqué dans notre société. Il y a toutes sortes de pervers ici-bas, de criminels en puissance. Vous leur faites peut-être déjà confiance, mais vous ne le savez pas.

Sur quoi il lui tourna le dos.

40.

Le ciel ne parvenait pas à se décider.

Des nuages de plomb s'amoncelaient sans que la pluie tombe, puis le vent les chassait en une heure pour laisser entrevoir un carré de ciel avant que d'autres arrivent, toujours aussi menaçants.

L'hôtel des enquêteurs français était en plein centre de Cracovie. Pour ce qu'elle en avait aperçu, Ludivine avait découvert une ville ancienne, à l'architecture surprenante. Un riche héritage médiéval, mais aussi néogothique, qui alternait avec des façades modernes entrecoupées d'un ancien tramway qu'on aurait cru sorti d'un vieux *James Bond*. Cracovie était bâtie sur une colline où le château, emblème de la cité, dominait les pics des clochers et les tours des églises, basiliques, cathédrales et autres monuments qui pullulaient tout autour comme autant de jalons historiques et culturels.

Ludivine était parvenue à somnoler un peu dans l'après-midi, avant que Tomasz leur fasse livrer les premières traductions en anglais des rapports d'autopsie. Ils se les firent passer de chambre en chambre, Segnon et Mikelis ne s'adressant pas plus la parole que pendant le bref déjeuner qu'ils avaient partagé.

Les autopsies ne firent que confirmer ce qu'ils savaient déjà. Ils étaient aux prises avec un psychopathe dont le comportement frisait la psychose dans ses pics de violence. Il perdait le contrôle, il devenait hystérique, c'était certainement à ce moment-là que les morsures les plus violentes survenaient.

Sur l'une des deux victimes, il avait prélevé environ un kilo de chair sur la cuisse, qu'on n'avait retrouvée nulle part.

Cannibalisme, songea aussitôt Ludivine.

La question de sa mâchoire était, là encore, soulevée avec beaucoup d'interrogations quant à sa nature. Beaucoup trop grande pour être humaine, forme et dents non conformes, pourtant la probabilité d'une attaque animale était écartée fermement par le légiste : morsures trop nettes, absences de traces de griffes et de poils… Et Segnon se l'était déjà fait confirmer : il n'existait aucun animal connu avec une dentition et une gueule pareilles.

Mikelis avait associé le trouble oral cannibalique à des problèmes possibles de langage. Si la Bête avait une telle déformation du visage, il pouvait en effet être inadapté pour s'exprimer normalement. Mais ce type de déformation était obligatoirement répertorié dans un hôpital, chez un dentiste, quelque part… Il ne pouvait avoir grandi sans suivi. Fallait-il insister une fois encore auprès des dentistes et hôpitaux français ?

Non, ils répondent toujours… On les a déjà relancés. Leur silence signifie qu'il ne s'est pas fait soigner en France.

Ludivine espérait beaucoup de la police polonaise. Après tout, l'hypothèse qu'il s'agisse d'un tueur ayant grandi dans cette région faisait sens. Il connaissait la mine, venait d'y passer à l'acte par deux fois. Il avait pu séjourner quelques semaines dans l'Est de la France avant de revenir par chez lui. Les fichiers dentaires du pays allaient les renseigner. Du moins l'espérait-elle.

En fin d'après-midi elle sortit de sa chambre pour aller se dégourdir les jambes. Elle n'en pouvait plus d'enchaîner les images de corps éventrés ou de penser à Alexis. Ses yeux, son cerveau et son cœur ne pouvaient plus en encaisser davantage.

Elle marcha en direction du bar et reconnut la voix de Mikelis dans un recoin. Il parlait étrangement, le même timbre grave mais adouci, avec de la rondeur dans les mots. De la gentillesse.

De l'amour.

Il était au téléphone.

Avec un de ses enfants, comprit Ludivine.

L'entendre ainsi fut une véritable découverte. Lui, en permanence si froid, si fermé, un bloc aux épaules larges, au torse puissant, les yeux pénétrants, le crâne rasé, pouvait se transformer en un père aimant et câlin.

Même Mikelis pouvait être affectueux.

Ludivine fit comme si elle ne l'avait pas vu et s'installa au bar où elle commanda une bière.

Lorsque le criminologue se leva, il la remarqua et lui adressa un signe de tête.

Il était différent. Plus chaleureux. Elle pouvait presque lire ses émotions sur ses traits, ce qui était une première. Il hésita puis tourna les talons pour remonter vers sa chambre.

L'amour de sa famille le transformait.

Il le portait. Il était sa base. Son centre névralgique d'humanité.

Tout homme, même la plus noire des âmes, devrait avoir cette base solide pour se construire, songea la jeune gendarme. Une famille était un moteur pour conquérir le monde autant qu'un bunker pour se replier.

Ludivine souleva sa bière. La mousse amère lui inonda la bouche.

Elle n'avait rien de tout cela, elle.

Cela expliquait bien des choses dans son mal-être.

Elle observa la silhouette trapue de Mikelis qui s'éloignait.

Pourquoi avait-il accepté de venir leur prêter main-forte ? Qu'avait-il à gagner ? Il ne prenait pas d'argent, n'en tirerait aucune gloire. Ludivine n'avait aucun doute quant au fait qu'il se contenterait de retourner dans sa montagne aussi vite que possible. Quelle était sa motivation ?

Il avait accepté de quitter sa tribu pour traquer le mal. De quitter le confort mental des siens pour redescendre dans la fange des fantasmes morbides. De se mettre en danger, de prendre des risques avec son équilibre. Parce que nul ne pouvait explorer les abysses de la psyché meurtrière sans en remonter avec des séquelles. Se mettre à la place du tueur, s'approprier ses fantasmes pour le comprendre et anticiper, vivre avec ses obsessions sanglantes, explorer ses failles psychiques, sonder ses déviances, jour et nuit, pendant plusieurs semaines, tout cela ne se faisait pas sans en payer le prix.

À parcourir tant de ténèbres, on finissait inexorablement par ouvrir la porte aux siennes, quelles qu'elles soient. À les faire remonter à la surface. Car nul être humain n'est totalement exempt de noirceur. Il ne peut y avoir de lumière sans obscurité.

Tous les hommes du monde qui jouaient à disséquer l'âme des pires tueurs finissaient tôt ou tard par devoir affronter leurs propres zones d'ombre. Les criminologues, profilers, flics, mais aussi les psys, les romanciers, les médecins... C'était un voyage dont le coût se payait comptant.

Mikelis pouvait se reposer sur sa famille pour faire remonter ce qu'il y avait de meilleur en lui. Elle agissait comme un filtre ou lui servait de gilet de sauvetage.

Tout comme Segnon, qui se plaignait sans cesse de sa femme, mais ne pouvait s'empêcher de l'appeler au moins une fois par jour.

Ludivine, elle, n'avait personne. Aucun filtre. Aucune bouée.

Elle regarda sa bière avec ironie.

– Pardon, ma vieille, dit-elle, je t'ai toi, bien sûr.

Tomasz passa les chercher à leur hôtel en début de soirée après avoir insisté pour les emmener dîner dans un restaurant polonais. Ils mangèrent dans un établissement tout en pierre, dans une cave moyenâgeuse, où le policier les força à commander les plats locaux typiques sans jamais se départir de sa bonhomie.

Pas d'humeur, Ludivine toucha à peine à son entrecôte frite dans du miel, et se contenta d'écouter sans parler. Tomasz leur exposa sa biographie professionnelle et ses plans de carrière, notamment son ambition à long terme de rejoindre La Haye et Europol. Puis Mikelis, sans transition, l'interrogea en détail sur le premier crime de prostituée commis dans la région par la Bête.

Tomasz s'essuya la bouche longuement avec sa serviette comme s'il préparait ses lèvres à ce qu'elles devaient affronter. Il expliqua en détail ce qu'il savait, répondit à toutes les questions du criminologue, sans que Ludivine ait, au final, le sentiment d'avoir appris quoi que ce soit de nouveau sur le mode opératoire du meurtrier.

Il tuait non loin de l'autoroute, mordait, découpait, arrachait, mutilait sans laisser de traces. Pas même une empreinte de pas ou de pneus cette fois-ci. Il apprenait vite à réparer ses erreurs.

Il n'y avait que le coup de téléphone passé depuis la villa de Louveciennes sur un cellulaire muni d'une carte SIM prépayée.

– Vous avez fait toutes les vérifications avec ce numéro ? s'obligea-t-elle à demander.

– Oui, il n'a servi qu'à cet appel-là. Une carte jetable d'une valeur de vingt-cinq zlotys, environ six de vos euros. À partir du numéro de téléphone, nous avons obtenu le numéro d'IMEI[1] par l'opérateur, le numéro du boîtier donc. Nous avons demandé à tous les opérateurs si d'autres cartes SIM avaient été utilisées avec ce boîtier, et hélas rien du tout. Téléphone neuf, inclus dans un pack avec carte prépayée.

– Et vous avez retrouvé une trace de l'achat ?

– Par le biais du numéro, l'opérateur a réussi à retrouver celui de la carte et à nous donner le point de vente, mais ce n'est qu'une boutique dans une rue commerçante et la transaction a été payée en liquide, pas de caméra sur place, nous n'avons rien.

– Vous avez mis le numéro sur écoute au cas où il l'utiliserait à nouveau ?

1. *International Mobile Equipment Identity* : numéro propre à chaque téléphone qui permet à l'opérateur d'identifier le boîtier, c'est la plaque d'immatriculation de chaque appareil.

– Bien entendu, mais il ne faut pas se leurrer, s'il est si prudent que ça, la carte SIM, voire le téléphone, sont déjà au fond d'une décharge à l'heure où nous parlons.

– Il a pris une carte avec très peu de crédit dessus, intervint Mikelis, il savait déjà que ce serait pour un usage unique, Tomasz a raison, nous n'entendrons plus jamais parler de ce numéro.

Ludivine s'accota à la vieille pierre qui fermait leur alcôve. Les voix de ses camarades s'estompèrent peu à peu, elles s'éloignèrent à mesure que la jeune femme s'enfonçait dans ses pensées. Elle ne voyait plus comment poursuivre. Elle avait le sentiment désespérant d'avoir exploité toutes les pistes existantes, d'atteindre la limite de ses capacités, et vivait le pire moment pour tout enquêteur : attendre. Attendre une expertise tardive qui livrerait une information inattendue, attendre que le tueur se manifeste à nouveau, peut-être qu'il repasse à l'action, et qu'il tue encore, en commettant cette fois une erreur.

La jeune femme détestait cet immobilisme plus que tout. La sensation insupportable de ne plus servir à rien.

Ils terminèrent avec la traditionnelle vodka et rentrèrent se coucher en se demandant s'il n'était pas temps de retourner à Paris. Ici, ils n'avaient rien d'autre à faire. L'enquête était entre de bonnes mains, ils avaient vu tout ce qu'ils devaient voir, créé les liens nécessaires avec les forces de l'ordre locales, ce n'était plus de leur ressort.

Ludivine s'endormit d'un coup, malgré ses angoisses. L'alcool avait joué son rôle.

Elle rouvrit les paupières à 4 heures, moite et frissonnante. Elle se redressa pour tirer le dessus-de-lit, puis le repoussa. Elle avait chaud et froid en même temps. Elle n'était pas bien.

Une pensée l'avait hantée toute la nuit sans qu'elle parvienne à se souvenir de laquelle. Ludivine était obsédée par l'enquête. Elle vivait l'enquête. La respirait, la mangeait. Et elle en rêvait même.

Il ne fallait pas s'étonner si elle était en permanence si fatiguée. Son cerveau ne lâchait jamais prise.

Elle le savait, c'était encore à cause des meurtres qu'elle avait si mal dormi. Ce fichu esprit obsédé n'avait pas arrêté d'analyser, de recouper. C'était plus fort qu'elle. Il n'y avait que les médicaments pour l'obliger à couper, et elle était partie sans somnifères ni calmants.

Ludivine soupira au fond de son lit. Elle hésita à mettre la télé. À cette heure, sur une télévision polonaise, cela risquait de lui donner envie de mourir. Elle n'avait pas emporté de livre non plus.

La loose...

De quoi avait-elle rêvé ? Qu'est-ce qui avait trotté dans un coin de son esprit malade au point de l'empêcher d'atteindre le stade profond du sommeil ?

Une histoire de pays, se souvint-elle d'un coup.

Pologne et France.

De déplacements.

Téléphone ! se souvint-elle peu à peu. *C'est à cause des téléphones !*

Celui de la Bête ? Le coup de fil de Louveciennes ? Y avait-il quelque chose qui lui avait échappé et que son inconscient tentait de lui faire comprendre ?

La localisation ? Impossible... Il ne l'utilise plus.

Ludivine se souvint alors des dernières prouesses de l'investigation téléphonique. Non seulement les opérateurs mettaient à disposition tous leurs services pour simplifier les enquêtes criminelles, mais ils avaient même lancé un nouveau dispositif d'aide aux policiers et gendarmes. Il suffisait de leur donner un numéro pour avoir en quelques minutes tout l'historique des appels, entrants et sortants, ainsi que, avec un peu de travail, toute la géolocalisation associée. En fonction des bornes activées par le téléphone, les opérateurs pouvaient fournir une zone où l'appareil avait servi, avec les horaires précis.

Mieux encore : désormais, il n'était plus nécessaire qu'un abonné utilise son téléphone pour activer une borne, il suffisait qu'il laisse son appareil allumé, même sans passer ou recevoir le moindre appel, pour que chaque antenne relais enregistre sa position au moment où le téléphone entrait dans sa zone et se connectait automatiquement pour obtenir une couverture réseau. Toutes ces informations s'archivaient dans des bases de données qui pouvaient être consultées à tout moment par les enquêteurs sur simple demande officielle.

Ce tout nouveau système venait d'être présenté à la gendarmerie, et toute la SR avait été sensibilisée, notamment pour les enquêtes sur les braquages. Tout ce qu'il fallait c'était connaître le numéro de téléphone d'un suspect.

C'était une technologie flambant neuve, jamais utilisée. Les services de police et de gendarmerie la découvraient à peine.

Pourquoi repensait-elle à ça en plein milieu de la nuit ?

Elle n'avait aucun numéro à traquer ! Le seul dont ils disposaient n'avait servi qu'une fois et était à présent probablement perdu au fond d'un ruisseau ou d'un égout. Quand bien même les opérateurs polonais disposeraient du même système et en partant du principe que le téléphone de la Bête avait été jeté sans être éteint, au mieux seraient-ils capables de localiser la dernière borne où il avait été connecté. Elle couvrait une zone de plusieurs kilomètres carrés qu'il serait impossible de passer au peigne fin, pas pour retrouver un minuscule téléphone !

Ludivine se releva d'un bond.

Elle n'avait pas de numéro à pister, mais des zones précises où les meurtres avaient été commis. Trois dans l'Est de la France, et deux ici dans le sud de la Pologne.

Si les opérateurs français et polonais pouvaient leur fournir les banques de données de tous les numéros qui avaient accroché les bornes proches des scènes de crime à l'heure des meurtres, alors par recoupement Ludivine pourrait identifier un numéro qui ressortait à chaque fois. La Bête ou *e avaient forcément un téléphone portable personnel glissé dans une poche, au cas où, qu'ils n'utilisaient que pour leur vie quotidienne, loin des crimes.

Un numéro qui s'était automatiquement connecté à l'antenne relais la plus proche des crimes à cinq reprises.

Il pouvait y avoir des dizaines de milliers de numéros dans chacun de ces secteurs. Mais un seul avait été activé à ces cinq points particuliers aux heures des meurtres.

41.

La chambre de Ludivine avait été transformée en poste de travail. Les rapports d'autopsie étaient punaisés sur les murs, ainsi que les photos des scènes de crime que Tomasz et Jurek leur avaient fournies.

La gendarme ne tenait pas en place, arpentant la moquette dans tous les sens, son téléphone à la main.

Elle avait mobilisé un des groupes de la SR à Paris pour qu'ils travaillent avec les opérateurs français, et Jurek de son côté était en train d'en faire autant avec les réseaux polonais.

Depuis une heure, les données s'accumulaient sur la boîte mail de Ludivine. Des centaines de milliers de numéros.

– C'est un boulot de dingue, fit Mikelis. Repérer au milieu de tout ça le seul numéro qui se répète sur chaque scène de crime. Vous avez une assistance informatique pour ça ?

– Analyst Notebook, confirma la jeune femme. Je reçois des fichiers Excel qui peuvent être rapidement intégrés dans notre base de données. À part pour un opérateur, qui continue de tout nous balancer par fichier PDF, ce qui nous prend du temps à conformer. Pour le reste ça sera assez rapide.

– Je viens d'avoir Aprikan, intervint Segnon, il nous laisse le groupe de Magali. Elle et ses gars se chargent d'intégrer tous les numéros d'Orange, SFR et Free. On n'a plus que Bouygues à traiter.

Voulant se montrer pédagogue vis-à-vis de Mikelis, sa collègue compléta ses explications :

– On va faire attention à bien créer un fichier séparé pour chaque meurtre. Ensuite le logiciel détectera automatiquement tous les numéros qui se répètent d'un fichier à l'autre, s'il y en a.

– Nous pourrions avoir un résultat très rapidement ?

– Le plus long, c'est la conversion du PDF et les sauts de ligne à corriger manuellement, mais ça n'est à faire que pour les listings de chez Bouygues, les seuls irréductibles qui refusent de s'adapter à nos logiciels…

Pour la première fois, Ludivine lut un début de surprise et d'admiration sur le visage du criminologue.

– Donc d'ici ce soir, vous aurez le numéro de téléphone du tueur ?

– S'il avait sur lui un portable sans l'avoir éteint, et qu'il le transportait dans ses poches sur au moins deux des crimes, oui, nous aurons un recoupement.

Mikelis approuva en dodelinant de la tête.

– On n'arrête plus le progrès.

– C'est une toute nouvelle fonction des opérateurs, mais je peux vous garantir que ça va changer l'avenir des enquêtes, en tout cas pour les deux ou trois prochaines années, le temps que les criminels s'adaptent. Parce qu'ils s'adaptent toujours.

Les heures étaient élastiques, et chacune s'étirait au maximum pour traîner en longueur, ralentissant le défilement des secondes.

Segnon corrigeait page après page les données du PDF de Bouygues Telecom qu'il avait converti en fichier Excel. Cela l'occupa pendant un très long moment avant qu'il puisse enfin expédier au groupe de Magali par email le dossier complet et prêt à être intégré à Analyst Notebook.

Ludivine n'en pouvait plus d'attendre. Elle n'eut pas la présence d'esprit de repousser la femme de ménage lorsqu'elle repassa pour la troisième fois de la journée afin de nettoyer la chambre, et cette dernière manqua faire un malaise en découvrant tous les papiers aux murs, avec les photos de corps éviscérés. Tomasz dut intervenir pour la calmer et pour rassurer la direction de l'hôtel.

À 17 heures, le portable de la gendarme sonna, elle se précipita dessus.

– Un numéro se répète sur la première et sur la deuxième scène de crime, dit Magali. Tu as vu juste, Lulu. Il avait un téléphone sur lui. Il ne l'a pas utilisé ces nuits-là, mais il l'avait !

– Un seul numéro ?

– Oui.

Si c'était celui de la Bête, cela signifiait que son mentor n'avait jamais eu d'appareil sur lui pendant qu'il l'accompagnait. Un méfiant des technologies ou un vrai routard du crime.

– Tu as un nom ?

– Orange vient de me le donner à l'instant. Cyril Cappucin. On est en train de dresser son profil.

– Orange ? C'est un numéro français alors ?

– Oui, et le type l'est aussi. Il n'est pas venu en Pologne pour retourner sur ses terres.

– Le portable est actif ?

– Apparemment. Il s'en sert peu.

– Vous l'avez localisé où dernièrement ?

– Je vais devoir régler ça avec l'opérateur, pour l'instant on est sur le bonhomme, son état civil, son casier et tout ce qui va avec.

– Vous avez une adresse ?

– Celle fournie par Orange, un bled dans le Lot-et-Garonne. Je te maile tout ça dans la soirée.

Ludivine se figea et répliqua immédiatement :

– C'est inutile, Mag, on rentre.

Segnon et Mikelis la guettaient, intrigués.

– Maintenant ? Et s'il est encore en Pologne ? Vous ne voulez pas assister à l'arrestation, préparer les papiers pour l'extradition et…

– Il n'y faisait qu'un passage.

– Comment tu peux le savoir ?

– Il est lié à Victor Mags, beaucoup plus qu'on ne le pensait.

– Via le forum ? Et alors ?

– Non, ça va au-delà du forum.

– Je ne te suis pas, là.

Tout s'emboîtait dans l'esprit de Ludivine.

– Mags et Cappucin ne se sont pas connus sur Internet.

– Comment tu le sais ?

– Le bled dans le Lot-et-Garonne, il ne s'appellerait pas Pestilence par hasard ?

– Merde, si, comment tu le sais ?

– C'est là qu'avait grandi Victor Mags.

42.

L'avion était une prison.

Le feulement des moteurs devenait obsédant. Ludivine avait l'impression de passer sa vie enfermée dans des habitacles étroits, entourée d'odeurs de transpiration, de mauvaise nourriture et de toilettes sales. Plus que tout, c'était le sentiment de ne rien pouvoir faire qui la dérangeait le plus à présent. Ne même pas pouvoir être tenue au courant des avancées par Magali ou Aprikan.

Mikelis et Segnon dormaient, comme si rien de tout cela n'était réel.

Il n'y a que moi qui prends ça à cœur ?

Elle se fit penser à Alexis.

Sa main se resserra sur l'accoudoir.

Depuis sa disparition, c'était elle qui prenait le relais. Elle devenait monomaniaque, ne pensait plus qu'à ça, refusant de prendre du temps pour elle, de faire des pauses, de vivre.

Pour quoi faire ? Chialer toutes les larmes de mon corps et me bourrer la gueule pour être plus rapidement au lendemain matin ?

Il était temps de prendre du recul, comprit-elle.

Quand toute cette affaire serait terminée, elle s'accorderait quelques jours, en famille, pour se ressourcer, pour s'apaiser. Elle s'en fit la promesse.

L'avion atterrit peu avant 22 h 30 et Ludivine ralluma son portable avant qu'il soit stationné.

Magali décrocha presque immédiatement :

– Orange nous a dit que le numéro était inactif sur son réseau depuis jeudi dernier.

– Quand je suis monté dans l'avion, Tomasz m'a confirmé que de leur côté ils avaient bien localisé le portable de Cyril Cappucin dans le secteur du premier meurtre, mais plus ensuite.

– Il n'a peut-être plus de batterie.

– Ou il l'a complètement éteint. Est-ce qu'Orange a un partenariat avec un fournisseur allemand ?

– Certainement. Tu penses qu'il est déjà sur le chemin du retour ?

– Possible.

– Il nous faut une autre commission rogatoire internationale dans ce cas, c'est à nous de nous rapprocher de l'opérateur. Je vais voir avec Orange pour choper le nom et des contacts là-bas.

– Dis-leur de nous sauter dessus dès qu'ils récupèrent le signal de Cappucin, OK ?

– Déjà fait.

– J'ai fait de même avec nos camarades polonais.

– Lulu, j'ai aussi épluché le listing de ses positions sur la dernière année : apparemment il n'est pas retourné à Pestilence depuis un bon moment.

– Il a une autre adresse ?

– Pas que nous ayons encore trouvé, mais toute l'équipe est sur le coup. Cela dit, il y a une borne qu'il active très souvent en région parisienne. Le numéro 806350, lut Magali. Du côté de Verneuil-en-Halatte, c'est dans l'Oise.

– Ça pourrait être une planque ?

– Possible, d'autant que c'est tout proche… du Bois-Larris !

– C'est un secteur très urbanisé ?

– Oui, on ne peut pas se pointer là-bas au pif et frapper à toutes les portes, il nous en faudra quand même un peu plus pour le localiser précisément.

– C'est déjà un périmètre.

– Demain les banques seront ouvertes, je pourrai faire fouiller ses comptes.

– Il va ressortir, Mag, tôt ou tard, il va remonter à la surface et on va le choper.

La gendarme récupéra son sac et sauta dans un taxi en compagnie de ses deux compagnons.

– Ça s'accélère, constata Mikelis sur le chemin du retour.

– J'espère qu'on va boucler ce salaud dans les jours à venir, se confia Ludivine. Vous allez pouvoir rentrer chez vous, Richard, vous avez fait votre part du job.

Le criminologue regardait le paysage défiler. Les lampadaires de l'A1 éclairaient son visage songeur par intermittences, alternant l'ombre et la lumière. À chaque passage des ténèbres, Ludivine s'attendait presque à le voir resurgir avec un sourire terrifiant.

Elle chassa cette drôle d'idée en nouant ses cheveux dans un élastique, au-dessus de sa nuque.

– Merci, ajouta-t-elle.

Mikelis ne répondit pas, et le silence s'installa dans la voiture.

– Moi j'ai hâte de retrouver une vie plus équilibrée, avoua enfin Segnon. Rentrer à des heures normales, avoir des week-ends ! Et toi, Lulu, qu'est-ce que tu vas faire quand tout ça sera bouclé ? Des vacances ?

La gendarme acquiesça.

– Jeudi matin, c'est l'enterrement d'Alex, dit-elle d'une voix basse.

Elle eut conscience de plomber l'ambiance, mais elle était à bout. Les voyages, la tension, le manque de sommeil, elle parlait sans filtre. Elle en avait besoin.

– On y sera tous, fit Segnon en lui posant la main sur le genou. Tu sais, tu devrais prendre la journée de demain. Mag et Aprikan sont sur le coup, si Cappucin apparaît tu seras la première prévenue.

– Non, je veux qu'on gagne du temps sur tout le reste.

– Sur quoi ? Les flics espagnols bossent sur leur cas, Baines a arrêté le sien, et nous avons l'identité de la Bête !

– Il manque le mentor.

– Il sera avec Cappucin, il l'accompagne partout.

– Non, je ne pense pas, il le rejoint pour les crimes, c'est tout.

– Ludivine a raison, intervint Mikelis. Les traces de pneus dans l'Est, rappelez-vous. Il passe prendre Cappucin à son camion et ils vont chercher une victime, mais ils ne circulent pas ensemble. Sauf peut-être en Pologne, parce que c'est loin…

– D'ailleurs, on ne sait toujours pas pourquoi il est allé à l'autre bout de l'Europe pour tuer, rappela Ludivine.

– Je crois vraiment que l'autoroute est notre fil rouge. C'est un indice trop gros pour être ignoré. Il tue au gré de ses déplacements. La mine de sel, c'était la cerise sur le gâteau, *e n'a pas pu résister à une petite mise en scène, pour plaider sa cause, pour heurter les esprits. Il veut frapper fort. Il faut s'attendre à tout avec lui.

Segnon grimaça :

– Vous croyez qu'il pourrait faire quoi de plus fort ? Poser des bombes dans les écoles ?

– Pas directement ; mais recruter un pauvre type paumé manipulable dans ce sens, pourquoi pas ? C'est lui le plus dangereux, c'est sur lui qu'il faut se focaliser.

– Pour vous, Cyril Cappucin a tué en Pologne uniquement par opportunisme ?

– Il était en Pologne pour son travail, il en a profité, je crois que c'est aussi simple que ça. Il ne faut pas chercher plus loin. Ces gars frappent partout où ils peuvent. De la même manière, je suis prêt à parier qu'il a probablement tué aussi en Allemagne si c'est un trajet qu'il effectue souvent.

Le gendarme n'était pas convaincu :

– Il va revenir dans notre coin, soyez patients. Et là, on va lui tomber dessus. Tous d'un coup.

– Il y a quand même des points qui ne sont pas clairs, insista Ludivine.

– Quoi donc ? contra Segnon. Mags et Cappucin se connaissent depuis qu'ils sont petits, ce sont deux tarés qui ont grandi dans le même village. Ils se sont probablement soudés autour de leurs mêmes penchants morbides quand ils étaient gosses ou ados. Un des deux a découvert le site Seeds in Us, il s'est laissé séduire par *e, avant d'entraîner son pote, et la spirale infernale était lancée. Qu'est-ce qui te manque là-dedans ?

– Le nom du mentor. Et pourquoi le Bois-Larris ?

Son collègue leva les mains au ciel :

– Parce que ce sont des dingues ! Ils ne font pas toujours des trucs sensés, non ? Dites-lui, vous ! lança-t-il à Mikelis.

– Les psychotiques agissent sans raison logique. Mais eux, ce sont des psychopathes, des sociopathes, il y a un sens à leurs actes, je suis désolé.

Ludivine approuva.

– Tu as raison, Segnon, demain je ne vais pas passer au bureau.

Le gendarme devina qu'elle tramait quelque chose, il poussa le menton vers elle pour demander :

– Qu'est-ce que tu manigances ?

– Je serai au Bois-Larris.

Le colosse soupira en secouant la tête.

– C'est plus fort que toi, pas vrai ? Tu peux pas lâcher juste une journée. Juste une seule.

– Je te dis que je le sens pas.

– Mag a fait vérifier tout le personnel. Aucun casier, aucun lien avec Victor Mags, ils sont tous clean ! Tu vas emmerder des braves gens qui n'ont rien demandé.

– Je veux en avoir le cœur net.

La vérité était aussi qu'elle ne supportait pas l'idée de retourner dans cette pièce qu'elle avait partagée avec Alexis, son bureau couvert d'objets à la gloire des New York Giants, le drapeau sur le mur… Personne n'y avait encore touché. Il n'y avait pas de protocole pour ça en cas de décès, il fallait que quelqu'un se dévoue pour tout ranger, pour mettre dans des cartons les souvenirs du jeune gendarme et les rendre à sa famille. Ludivine n'y était pas prête. Il lui fallait encore du temps.

Elle fuyait le chagrin avec une obsession : comprendre pour faire payer.

Le taxi tourna. Cette fois, ce fut le visage de Ludivine qui tomba dans l'ombre.

43.

Il ne s'était jamais senti aussi libre de toute sa vie.

Cette sensation de faire ce qu'il voulait, d'aller où il le désirait, de vivre tout simplement, c'était euphorisant.

La cabine du camion était chaude, il avait un peu de musique, pas forte, pour ne pas réveiller le boss, sa canette de bière à disposition dans le porte-gobelet, et la route devant lui, à lui, le monde à ses pieds. Tout était parfait.

Ses doigts tapotèrent le volant.

Des doigts au bout rougi. Sans ongles.

Il préférait se les arracher. C'était moins pire que d'entendre leur crissement sur le drap ou sur l'oreiller le soir en s'endormant. Un grincement subtil, mais qui, dans le silence, prenait des proportions hallucinantes. Ça, il ne le supportait pas. Jamais. C'était horrible. Pire qu'un crissement d'ongle sur un tableau. Ça le rendait fou. Rien que d'y penser…

Il adorait rouler, se savoir en mouvement, traverser des régions, apercevoir autant de maisons, d'immeubles, imaginer la vie des gens à l'intérieur, en croiser parfois, eux et leurs vies bien rangées, prisonniers de leur routine, de leurs devoirs, quand lui pouvait faire ce qu'il voulait. Rouler de nuit était ce qu'il préférait par-dessus tout. Pendant qu'ils dormaient tous. Inertes. Sans conscience de ce qui se passait à ce moment. Il adorait la nuit, elle le détendait, il éprouvait un sentiment de pleine puissance, comme s'il était un enfant de la lune. C'était son jeu ça, gamin, de prétendre être fils de la lune.

Un loup-garou.

Avec ses grandes dents luisantes.

Clac clac clac !

Une grosse bouche qui fait peur. Oui, qui fait peur. À tous les enfants, mais aussi aux adultes. Tout le monde a peur du loup-garou. Tout le monde.

Il se remémora ces heures passées dans la cabane de chasse, au fond du hameau. Il y avait presque grandi tant il y avait passé de temps. Elle avait été sa chambre. À force d'y être enfermé, puni, il l'avait transformée en terrain de jeu.

Ça avait pris du temps. Parce qu'au début, il s'en souvenait très bien, la cabane le terrorisait. Au point de se pisser dessus. Il pleurait pendant des heures, tout seul dans cet endroit sombre, où la lumière du soleil filtrait par l'interstice des planches mal jointes.

Il avait peur des loups.

Toutes ces gueules de loups qui le fixaient, avides, affamées.

Combien y en avait-il ? Dix ? Quinze ?

En grandissant, Victor s'était souvent moqué de lui. Ce n'était pas des loups mais des chiens, au mieux quelques renards pour certains, sinon de vulgaires clébards.

Lui savait que ce n'était pas vrai. C'étaient des loups.

Puissants. Féroces.

Avec leurs énormes gueules pleines de dents pointues.

Clac clac clac !

Combien d'heures avait-il perdues là, recroquevillé, n'osant pas lever la tête ? Et comment avait-il eu le déclic ? Il ne s'en souvenait pas. Il y avait eu la terreur, puis la curiosité.

Jusqu'à ce que le boss lui montre un loup mort qu'il venait de chasser. Ils l'avaient dépecé ensemble. Morceau par morceau. Lui avait failli vomir au début. Ça avait beaucoup fait rire le boss ça. Après quoi ils en avaient éventré des loups tous les deux ! Ils partaient même en chasser ensemble. C'était un des meilleurs souvenirs qu'il avait de son enfance : les parties de chasse avec le boss. Jouer à se cacher pour pas que les gens des villages autour les voient. Traquer. Viser. Tirer.

Pour les découper ensuite.

Pour leur trancher la tête et la faire bouillir dans une grosse marmite toute cabossée, jusqu'à ce que la chair se décolle, pour libérer le crâne. Pour que leur belle gueule sauvage puisse rejoindre les autres sur les murs de la cabane.

Il souriait rien que d'y repenser.

C'était bon pour ça aussi la route la nuit, pouvoir penser pendant des heures. Il suffisait de tenir le volant et de laisser les images défiler comme celles d'un film.

Parfois, il bandait en dominant la route.

Ainsi surélevé, il contemplait les voitures et les gens dedans, petits. Il lui suffirait d'un coup de volant pour les broyer. Il ne l'avait jamais fait, bien sûr, mais l'idée était parfois séduisante.

La nuit, il lui arrivait de rouler, de survoler le monde, et donc de bander.

La cabine était aménagée pour tout. Pour ça aussi.

Il avait des mouchoirs juste sur le côté. Pour se branler au-dessus des gens tout petits. Pour gicler sur leurs faces sans qu'ils le sachent.

Le boss bougea sur son siège.

Il le regarda pour s'assurer qu'il dormait encore.

Lorsque le jour serait levé, il le déposerait chez lui pour qu'il prépare son voyage. Ils n'allaient plus se revoir avant longtemps.

Maintenant, il serait seul pour jouer au loup-garou.

Seul pour choisir ses proies. Pour les entraîner, pour les mordre. Il n'y aurait plus que lui pour se gorger de leurs cris, et ces hurlements n'en seraient que meilleurs. Preuves de sa toute-puissance. De leur soumission. Rien qu'à lui.

Il avait bien appris. Il était sûr de lui maintenant.

Écorcher les deux filles l'avait beaucoup amusé. Il l'avait fait parce que le boss l'exigeait, mais au final, il avait eu raison.

C'était comme avec les loups de son enfance. Sauf qu'il ne leur avait pas fait bouillir la tête.

Son unique regret.

Le boss ne voulait pas qu'on garde des trophées. Il disait que ça n'était pas prudent. Tout juste concédait-il qu'on rapporte un petit bout de la proie, à condition de rapidement l'avaler. Ne rien laisser derrière soi.

Mais maintenant il allait faire comme *il* voulait ! Garder les têtes ! Les faire bouillir et les accrocher au mur ! Et pourquoi pas ? Le boss pouvait aller se faire foutre.

Et de toute manière, sa logeuse ne pourrait rien dire.

Cette idée le fit rire, tout seul dans sa grande cabine, à dominer le monde. Le boss ronflait un peu dans son coin.

Oui, la prochaine fois, il ne pourrait rien lui interdire. Si l'envie le prenait d'en choisir une *bien large*, alors il le ferait ! Juste pour s'enfoncer en elle, dans son torse ouvert, pour sentir la chaleur moite de ses viscères, de son sang se répandre sur lui, lui couler dessus comme autant de langues excitées voulant le lécher. Il pourrait s'immiscer en elle, pousser de toutes ses forces jusqu'à ce que les côtes craquent, que les vertèbres se disloquent, que la peau se déchire… Alors il aurait le sentiment d'être bien. Protégé.

Pour revenir au monde, lui, l'enfant homme devenu homme loup-garou ! Ce serait la naissance de l'animal en lui ! Oui ! Il ferait ça avec la prochaine ! Comme avec les premières !

Ses yeux accrochèrent la pince à cheveux posée sur le rebord du tableau de bord.

Il avait tout de même conservé un petit quelque chose.

Après tout, ces connards de touristes achetaient bien des petites tours Eiffel pour les rapporter chez eux, non ? Lui pouvait bien avoir un objet, rien qu'un objet de ces filles qu'il visitait !

Il attrapa la pince. Cet objet le fascinait.

Depuis tout gosse déjà, dès qu'il en voyait une, il était intrigué.

Parce qu'elles ressemblaient à la bouche des loups.

Il appuya sur l'extrémité et les deux mâchoires en plastique s'ouvrirent, les dents fines claquant dans l'obscurité de la cabine.

Clac clac clac !

Les filles adoraient les loups ! Elles adoraient l'idée de se faire mordre la tête par un loup ! Sinon pourquoi se couvrir de ces petites gueules agressives ?

C'étaient toutes de vraies chiennes avides. Et lorsque ça leur tombait dessus, là, plus personne ! Elles couinaient comme des gamines, imploraient, suppliaient, avant de se casser les cordes vocales.

Il adorait ces moments d'abandon, lorsqu'elles réalisaient enfin qu'il n'y avait plus d'espoir. Que c'était lui qui avait le pouvoir et qu'elles ne pouvaient plus s'y soustraire. Alors, il les mordait comme elles le réclamaient, ils les croquaient, par infimes bouchées. Pour qu'elles lui appartiennent totalement. À jamais. Parce qu'une fois en lui, elles ne pouvaient plus s'enfuir, plus jamais le quitter. Elles étaient plusieurs dans sa propre chair. Plus jamais seul.

Y repenser lui fit une drôle d'émotion.

Il se frotta l'entrejambe, il avait un début d'érection.

Il observa le boss.

Non, pas maintenant.

Il n'était pas tout à fait seul.

Bientôt, il aurait d'autres occasions.

Quand il dominerait le monde dans son camion, libre comme l'air, il giclerait sur la tête des petites gens, prisonniers de leurs petites vies, dans leurs petites voitures.

Et il trouverait une fille qui voulait se faire mordre par le loup.

Elle crierait rien que pour lui cette fois.

Alors pour lui faire plaisir, il la dévorerait vivante avant de renaître en loup-garou dans ses entrailles.

Clac clac clac !

44.

La route à travers la forêt rappela à Ludivine sa première visite au Bois-Larris. Son impression étrange d'un hôpital perdu dans la nature, ce mur de pierre et plus loin cette grille qui isolait encore plus les bâtiments à la manière d'une prison, tout comme son architecture composite : manoir ancien et dépendances d'un côté, masse moderne dans le fond. Comme si l'endroit n'était jamais parvenu à savoir lui-même ce qu'il était, pour quoi il avait été fait. Villa bourgeoise, centre d'expérimentations honteuses, hôpital pour enfants…

En remontant l'allée qui longeait les installations, Ludivine remarqua que les tags sanglants avaient été nettoyés.

La gendarme se présenta à l'accueil et demanda à rencontrer un membre de la direction, ce qui se révéla impossible à l'improviste – une partie était absente, et les autres en rendez-vous ou réunion.

– Peut-être que vous pourrez m'aider, demanda Ludivine sans se démonter, j'ai une liste de noms du personnel, je voudrais m'assurer qu'il n'en manque aucun.

– Pour le personnel médical, oui, je pense que je peux.

– Pas pour les profs, c'est ça ?

– Je les vois moins, je ne travaille pas directement avec eux donc je ne les connais pas tous.

Ludivine lui présenta les feuilles et la secrétaire les relut trois fois pour s'assurer qu'elle n'oubliait personne.

– Non, je crois que vous les avez tous.

La gendarme désigna les couloirs et les escaliers qui couraient plus loin :

– À qui je peux demander pour les enseignants ?

– À l'un d'entre eux, je suppose. Vous ne cherchez les noms que des titulaires actuels, n'est-ce pas ?

– Pourquoi, ça change souvent ?

– Ça dépend des années, je crois que c'est assez stable en ce moment.

Ludivine n'avait pas pensé une seconde à l'ancien personnel. Elle était venue jusqu'ici sans plan particulier sinon avec l'idée de se laisser porter par son instinct, d'interroger les employés du Bois-Larris au hasard, et de voir ce qu'elle pourrait remonter dans ses filets.

– Il faut que je m'adresse à l'Éducation nationale pour obtenir tous les noms de ceux qui sont passés entre ces murs ? interrogea-t-elle.

– Dans ce cas-là, vous n'aurez que les profs, pas le personnel soignant. Pourquoi vous n'allez pas plutôt aux archives ?

Ludivine lui adressa un large sourire.

– Nathalie, c'est ça ? dit-elle en lisant le nom sur le badge. Vous venez de devenir ma meilleure amie. Vous me montrez où c'est ?

Ludivine joignit ses mains et les tira le plus possible au-dessus de sa tête. Sa colonne vertébrale craqua ainsi que sa nuque.

Elle était tout ankylosée d'avoir passé trois heures le nez dans des boîtes en carton, entre des étagères poussiéreuses dans un sous-sol sans fenêtre qui sentait l'humidité.

Les ampoules qui éclairaient la cave tremblaient de temps à autre, au gré des baisses d'intensité de l'alimentation électrique, obligeant la jeune femme à interrompre sa lecture régulièrement.

Elle avait procédé à la saisie de tous les noms des professeurs et du personnel médical qui étaient passés par le Bois-Larris depuis près de dix ans. Tout était méticuleusement conservé, il lui avait seulement fallu retrouver les bons cartons et étudier les registres un à un pour les mettre de côté en vue d'y apposer le cachet de cire officiel.

Ludivine avait envie d'une pause, de remonter s'aérer un peu, mais elle avait presque terminé. Il ne lui manquait plus que les années 2000 et 2001. Elle hésita. Autant terminer avant de ressortir.

Les archives occupaient plusieurs caves successives, trois pièces voûtées qui communiquaient entre elles par un passage ouvert renforcé par des briquettes rouges.

Nathalie lui avait montré l'emplacement des documents liés au personnel, et la gendarme avait directement commencé son travail de recherche sans même prendre le temps de s'intéresser au reste des archives. À présent qu'elle avait presque accompli sa mission, la curiosité revenait. Elle marcha jusqu'au bout de son couloir d'étagères et admira le reste.

Chacune des trois salles semblait surchargée de rayonnages semblables à ceux qu'elle avait passés en revue, couverts de dossiers, de cartons et de boîtes.

Ludivine déambula d'une pièce à l'autre.

Elle ne se sentait pas à son aise, et se surprit elle-même à regarder à plusieurs reprises par-dessus son épaule pour s'assurer qu'on ne la suivait pas. Depuis quelques minutes elle éprouvait la désagréable sensation de ne pas être seule.

Relax, pense à autre chose, c'est psychologique. Autosuggestion.

Elle circulait lentement d'une allée à une autre, se rassurant de leur linéarité. Si quelqu'un avait voulu jouer, il aurait pu construire un formidable labyrinthe, imagina-t-elle. Il y avait largement de quoi faire.

Combien de vies s'amassaient ici ? Combien de rapports sur la santé d'enfants, notant leurs progrès, leurs échecs, tirant des conclusions, parfois des traits définitifs ?

Qu'est-ce qui avait attiré les tueurs jusqu'ici ? Pourquoi avaient-ils eu ce besoin irrépressible de marquer ce territoire comme le leur ? Était-ce pour cibler les enfants comme elle l'avait cru ? À présent Ludivine en doutait fortement. Le personnel n'avait a priori aucun antécédent judiciaire et il paraissait très peu probable qu'un individu puisse servir la cause de *e sans un certain passé criminel l'ayant prédisposé à le comprendre, à partager certaines « valeurs ».

Alors pourquoi ? Mikelis n'avait certainement pas tort, le ou les tueurs avaient répondu à une pulsion, un besoin d'expression, une revendication plus forte que la raison. Cet endroit était à eux.

À *e.

Qu'abritait le Bois-Larris de si important à leurs yeux ?

Était-ce là, quelque part, enfoui dans le passé de l'institution ?

Ludivine releva la tête. Elle était parvenue tout au fond des caves, face à des casiers en fer très anciens, aux étiquettes délavées, effacées. Il y en avait une dizaine.

Les ampoules se mirent à clignoter en zézayant.

Lorsqu'elles se stabilisèrent, la jeune femme passa la main sur le couvercle de l'une d'entre elles pour effacer la poussière et mieux distinguer les traces marron.

Il s'agissait d'un symbole.

Une croix gammée usée par le temps.

Comme une petite fille prise en pleine bêtise, Ludivine ôta sa main rapidement et se retourna pour s'assurer qu'elle était bien seule.

Toujours cette impression que quelqu'un l'épiait.

Il y avait des sons anormaux autour d'elle. Des frottements, des crissements, presque imperceptibles. Ludivine se pencha au bout d'une étagère pour guetter dans l'allée centrale mais elle ne vit rien.

Alors elle retourna aux sinistres caisses.

Elle en attrapa une et la tira à elle.

C'est lourd. Elle est bien pleine.

La croix gammée ne laissait planer aucun doute sur l'origine et l'époque de son contenu. Ludivine hésita. Si cet endroit avait abrité autant d'horreurs qu'on l'affirmait, était-ce une si bonne idée que de s'y plonger ?

Les doigts de la gendarme suivirent le tracé du svastika.

Nouveau craquement un peu plus loin.

Cette fois, Ludivine passa sa main sous sa doudoune pour sentir la crosse de son Sig-Sauer.

T'es pas bien, non ? se tança-t-elle en se ravisant aussitôt.

Il n'y avait aucune raison de brandir une arme à feu, même si elle était espionnée.

– Qui est là ? demanda-t-elle avec une assurance qui l'étonna.

Une ombre bougea au bout du rayonnage et une femme apparut. Petite, frêle, avec de grosses lunettes, un tailleur trop grand et une permanente trop frisée. Pourtant, la femme affichait une mine sévère.

– Je suis la directrice de l'établissement, Mme Hubard.

– Je travaille pour la section de recherches de la gendar…

– Je sais qui vous êtes, Nathalie m'a prévenue. Vous trouvez ce que vous cherchiez ?

– Oui.

Depuis combien de temps était-elle là, à la surveiller ? Que craignait-elle ?

Encore une flippée du contrôle, qui veut tout savoir !

Le regard de la directrice se posa sur la boîte devant Ludivine.

– Qu'est-ce que c'est ? demanda celle-ci.

– Rien qui touche à votre enquête, je crois.

Ludivine détestait qu'on lui parle sur ce ton. Elle répliqua :

– Ça, c'est à moi de le dire.

– Ce sont les dernières archives des occupants allemands, soupira la directrice sans masquer son irritation.

– À l'époque du *Lebensborn* ?

– Je vois que vous êtes au courant. C'est une partie de l'histoire du Bois-Larris que nous préférons oublier ici. Nous sommes aujourd'hui bien plus que ça.

– Je croyais qu'il n'existait quasiment plus de traces de cet épisode…

– « Quasiment » est le mot. Il n'y a plus que ces boîtes. Tout le reste, les Allemands l'ont détruit avant de fuir.

– Et pourquoi pas celles-ci ?

– Un oubli. Je crois qu'elles étaient à part, dans un placard qu'ils ont négligé. Le manoir est grand, il y a beaucoup de recoins.

– Qu'est-ce qu'elles contiennent ?

– Des noms qui n'ont rien à faire hors de ces murs.

Elle avait prononcé ces mots avec beaucoup de sécheresse, comme une menace. Ses petits yeux noirs défiaient la jeune femme.

– Vous savez, avant les nazis, l'eugénisme a été pratiqué massivement par les Américains, ajouta la directrice. Dans les années 20 et 30, ils se sont passionnés pour l'« amélioration de la race » et ont conduit de larges campagnes de stérilisation, pour limiter le nombre de « déficients mentaux ». Ils stérilisaient à tout-va, parmi les « pauvres » qui risquaient de provoquer la dégénérescence de l'humanité, et aussi les étrangers bien sûr ! Il n'y a aucun chiffre précis sur le nombre d'actes commis, on parle de soixante mille personnes au minimum, mais ça pourrait être beaucoup plus. Les États-Unis ont préféré oublier cette sombre part de leur histoire, surtout au regard de la folie qui s'est emparée des nazis peu après, pourtant elle est réelle, ils ont été des pionniers dans ce secteur. Certains théoriciens américains sont allés jusqu'à préconiser la construction de salles pour enfermer adultes et enfants déficients et les tuer en utilisant un gaz létal ! Des Américains ont eu cette idée en premier !

Ludivine serra les poings. Elle se sentait de plus en plus oppressée dans ce sous-sol moite et sombre, face à cette femme qui perdait son calme. La directrice était lâchée et semblait ne plus pouvoir s'arrêter :

– Il y avait même un siège pour coordonner ces opérations : l'Eugenics Record Office à Cold Spring Harbor dans l'État de

New York, fondé par Charles Davenport qui ne s'est jamais caché de ses connexions avec les nazis avant et même pendant la guerre. Il a fondé un centre de recherche qui existe encore aujourd'hui, devenu un des leaders dans la recherche sur les cancers, et pas moins de huit prix Nobel ont transité par ces laboratoires à l'histoire équivoque. Jusqu'en 1974, la Cour suprême américaine a défendu les lois autorisant une trentaine d'États à recourir à la stérilisation.

– Pourquoi me racontez-vous ça ? s'étonna Ludivine qui ne voyait pas où elle voulait en venir.

– Pour vous rappeler qu'il est bon de ne pas juger trop hâtivement.

– Les nazis ? ricana sèchement la gendarme.

– Non, l'Histoire. Les gagnants l'écrivent, et sélectionnent ce qui doit être raconté et ce qui doit être oublié. Mon établissement est aujourd'hui une institution digne et respectable. Qu'on ne le condamne pas pour un passé certes effrayant, mais dont bien d'autres pourraient rougir qui ont pourtant su disparaître des livres. Ne vous plongez pas là-dedans, ne faites pas remonter à la surface des souvenirs qui n'ont plus de raison d'être à présent. Ils ne concernent pas votre enquête.

– C'est à moi d'en juger.

– Laissez ce passé de côté, commanda la directrice.

– Que de mystère, ironisa la gendarme en soulevant le couvercle.

Elle avait décidé de passer à l'acte. Elle en avait assez des bavardages et de s'entendre dire ce qu'elle devait faire.

– Puisque vous ne m'aidez pas vraiment, je n'ai d'autre choix que de regarder par moi-même, madame Hubard.

– Vous ne devriez pas.

– Vous voulez faire entrave à l'enquête ?

– Je collabore, mademoiselle, je collabore. Je pourrais vous mettre dehors en exigeant un document officiel signé d'un juge pour vous laisser perquisitionner chez moi, je ne le fais pas.

– Madame Hubard, c'est dans les films américains les mandats de perquisition. J'ai l'autorisation du juge d'instruction d'effectuer tous les actes utiles à l'enquête.

– Mais ce que vous remuez là n'est pas respectueux.

Ludivine découvrit des liasses de papiers jaunis, la plupart tapées à la machine, rédigés en allemand.

– Pour qui ? demanda-t-elle tout en fouillant la boîte.

– Pour les victimes de ce *Lebensborn* ! répondit la directrice en haussant sensiblement le ton.

Ludivine la regarda. Mme Hubard prenait les choses très à cœur. Le passé du Bois-Larris lui pesait, il devait ressurgir de temps à autre et occulter le travail que son établissement opérait jour après jour sur des dizaines d'enfants, ternissant sa réputation.

– Il y a les noms des femmes qui sont passées entre ces murs à l'époque ? s'étonna la gendarme.

– Entre autres, oui.

– Mais… est-ce que tout ça ne devrait pas plutôt être entre les mains d'historiens ou de…

– Personne n'a envie de remuer ces vieilles histoires, mademoiselle. Personne. Et surtout pas les principaux intéressés.

Elle le prenait avec tellement de gravité qu'un instant Ludivine se demanda si elle n'était pas elle-même l'une de ces victimes. Mais l'âge ne pouvait pas correspondre, Mme Hubard avait à peine cinquante ans.

Soudain, une pensée jaillit dans l'esprit en perpétuel mouvement de Ludivine.

La cinquantaine… Et si c'était un peu plus ?

– Il y a aussi les noms des enfants, n'est-ce pas ? demanda-t-elle.

La directrice serra les mâchoires avant de hocher doucement la tête.

– Vous… vous en faites partie ? fit Ludivine, gênée.

– Pardon ? Non ! Bien sûr que non ! Je suis née en 54 !

– Je suis désolée, j'ai cru que…

– Que j'en faisais une affaire personnelle ? C'est le cas. Ces vieux papiers sont sous ma garde, et ces gens n'ont pas à être embêtés avec ça. La plupart ne sont probablement même pas au courant qu'ils sont nés entre ces murs, dans ces conditions, et croyez-moi, vu ce qui s'est passé ici, c'est vraiment mieux ainsi.

Voyant qu'elle reprenait l'ascendant, la directrice ajouta, avec un peu plus de douceur cette fois :

– Les Allemands les appelaient les « enfants parfaits ». La quintessence du régime nazi, l'avenir de la race aryenne. Personne n'a envie de savoir qu'il porte cet héritage.

Ludivine reposa le couvercle sur la boîte.

La directrice avait raison. Elle n'avait pas de raison valable, sinon une curiosité déplacée, pour fouiller là-dedans.

– Ce sont des personnes âgées maintenant, ajouta la petite femme, ils ont des enfants, il ne faut pas les tourmenter avec tout ça.

La gendarme hocha la tête.

– Vous n'avez pas...

Des enfants...

Aucun des tueurs ne pouvait être un des bébés du *Lebensborn*, ils étaient bien trop jeunes pour ça. En revanche, ils accordaient une grande importance à cet endroit.

Et si les victimes n'étaient pas choisies au hasard ?

Une idée faisait son chemin dans la tête de Ludivine. Une idée folle.

Et s'ils chassaient les descendants des bébés nés ici à l'époque allemande ?

Pour « purifier » le pays ou au contraire parce qu'il n'était pas digne de cette « race pure » , Ludivine n'en savait rien, cependant il y avait là une hypothèse à ne pas écarter.

Elle resouleva le couvercle.

– Je vais tout de même saisir les noms de ces enfants, dit-elle déterminée. Leurs descendants sont peut-être en danger, madame. Je vais tous les noter, que vous m'aidiez ou non, mais plus vite je les aurai, plus vite je pourrai les mettre à l'abri s'il s'avère que mes idées ne sont pas si loufoques qu'elles en ont l'air. Alors si vous pouviez me dire où ils sont dans toute cette paperasse, je gagnerais un temps précieux.

La directrice se raidit, puis elle remonta ses grosses lunettes sur son nez et tendit la main vers une autre boîte.

– Ils sont dans celle-ci, si je me souviens bien.

Vingt enfants étaient nés dans le *Lebensborn* français.

Onze avaient été renvoyés vers l'Allemagne dès leur naissance pour être élevés selon la doctrine nazie, dans des familles ralliées à la cause d'Hitler.

Neuf n'avaient pas eu le temps d'être arrachés au sol français.

Six hommes et trois femmes qui avaient grandi dans des orphelinats.

Aucun des noms que Ludivine avait griffonnés sur son carnet ne correspondait à celui d'une des victimes. La directrice lui avait pourtant certifié que les enfants étaient devenus pupilles de l'Assistance publique sous leur identité référencée ici même. Les noms de leurs mères françaises, avec des prénoms allemands choisis par les nazis du *Lebensborn*.

Tous nés en 1944.

Ludivine voulait tout de même en savoir plus, par acquit de conscience. Elle voulait se renseigner sur chacun, écarter toute piste de ce côté-là.

Lorsqu'elle remonta à la surface, la lumière du jour l'agressa en même temps que son portable lui signala qu'elle avait un message.

Magali avait tenté de l'appeler pendant qu'elle était enfermée au sous-sol, sans réseau.

– Ludivine, on a du nouveau. Cyril Cappucin est routier. Il travaille à son compte et dispose de son propre camion. Nous sommes parvenus à choper son immatriculation ! Et tu sais la meilleure ? On l'a repéré ! Il est passé par le péage de Beaumont sur l'A4 hier, à 17 h 15. Il est rentré en France. Nous avons une photo de la cabine. On le voit clairement dessus. Et il n'est pas seul. Attends, je t'envoie la photo sur ton portable. Rappelle-moi quand tu as le message.

Une seconde sonnerie signifia l'arrivée d'un autre message.

La photo s'afficha. De mauvaise qualité, presque sans couleur. On voyait un poids lourd de face. Un homme, fin et chauve, au volant.

À ses côtés, un autre individu était assis, un peu en retrait, le visage partiellement dissimulé dans l'ombre.

Mais Ludivine en vit assez pour distinguer ses cheveux blancs.

Un vieux monsieur.

La gendarme s'immobilisa dans la cour du Bois-Larris, devant le manoir.

Elle baissa les yeux sur son carnet, sur la liste des enfants nés en 1944 entre ces murs.

Ce n'était peut-être pas une marque de conquête que les tueurs avaient laissée ici.

Mais plutôt un hommage.

À leur maître.

45.

La Résidence du parc était un petit ensemble d'immeubles anciens regroupés autour d'un espace vert dans la banlieue ouest de Paris. Une cité usée mais propre.

Ludivine était têtue. Elle avait son idée et n'en démordrait pas.

Pendant que ses collègues de la SR envoyaient toutes les brigades de gendarmerie motorisées sur l'autoroute A4 pour tenter de retrouver le camion de Cyril Cappucin dit la Bête, elle remontait la piste de six vieux messieurs et deux vieilles dames. Théoriquement, elle aurait dû travailler en binôme, avec Segnon. Particulièrement depuis la mort d'Alex. Aucun gendarme n'était supposé prendre le moindre risque supplémentaire. Mais Ludivine n'en prenait aucun à éplucher des vieux dossiers et à rencontrer des personnes âgées. De toute façon, Segnon avait pris sa journée pour retrouver sa famille quelques heures et comme leur groupe ne comportait plus que deux membres, la jeune gendarme n'avait pas voulu « emprunter » un autre de ses camarades. Ils parlaient trop, ils ne la connaissaient pas assez. Elle avait besoin d'avancer. D'être dans l'action, ne pas réfléchir à autre chose, ne pas songer à Alexis. Et se déplacer avec un collègue signifiait parler. Donc réfléchir. Donc souffrir.

Ben, à la gendarmerie, lui avait donné tout ce qu'il avait trouvé en quelques minutes sur les neuf noms dont elle disposait.

Oda Lechant et Dieter Ferri étaient morts.

Un vivait au Canada depuis plus de trente ans et un autre était dans le sud de la France, ce qui en laissait déjà cinq à rencontrer.

Ludivine s'était présentée au domicile de Karoline Fitch-Gendrier, où elle s'était fait remballer très rapidement. La vieille dame n'était pas en état de recevoir, et lorsque Ludivine avait évoqué le Bois-Larris, sa fille lui avait montré la porte.

Manifestement, certains d'entre eux connaissaient leurs origines et n'en avaient pas fait un secret, mais la famille ne souhaitait pas l'évoquer.

Ludivine s'arrêta au troisième étage de la Résidence du parc et frappa à la porte.

Elle regarda sa liste. Klaas Boccellini. Soixante-huit ans. Retraité de la SNCF. Veuf.

Elle n'éprouvait aucune peur. Le mentor était peut-être l'un des noms qu'elle tenait dans la main, et pourtant elle ne ressentait rien. Elle avait ciblé ses rencontres. Benjamin lui avait dit au téléphone que les seuls à disposer d'un casier judiciaire étaient Ferri, Brussin, Turrin et Rognier, les deux premiers ayant commis les délits les plus importants ou les plus nombreux. Des délits anciens, antérieurs à 1980. S'étaient-ils rangés par la suite ? Ou étaient-ils devenus beaucoup plus organisés et ne s'étaient plus fait prendre ?

Ferri était mort, et Rognier vivait près d'Antibes sur la côte méditerranéenne. Ludivine avait opté pour ne pas approcher Brussin et Turrin tant qu'elle n'en saurait pas plus.

Par expérience elle savait qu'on ne devenait pas criminel sur un coup de tête, à part les crises de folie, les crimes passionnels, mais avec *e, on était loin de tout ça. Il n'était pas devenu le mentor de tueurs en série du jour au lendemain. Il s'était construit peu à peu dans la violence. Il l'avait expérimentée lui-même. Durant sa jeunesse. Pour être à même de revendiquer sa différence aujourd'hui.

D'abord Ludivine s'était interrogée sur la probabilité que quatre personnes sur neuf disposent d'un casier judiciaire, cela l'avait étonnée. C'était une statistique beaucoup trop élevée. Puis elle avait repensé aux circonstances dans lesquelles ces neuf enfants-là avaient grandi. Orphelins, à l'Assistance publique, bâtards allemands grandissant en France après le traumatisme de la guerre. Combien de fois avaient-ils été rejetés ? Quelles souffrances avaient-ils endurées ? Pour peu que leur sinistre origine leur soit connue, leur adolescence chaotique était compréhensible. Et une partie avaient facilement sombré dans la délinquance.

Si le *e* peint en sang au Bois-Larris était bien ce que Ludivine croyait, un hommage, alors le mentor était assurément l'un de ces hommes-là. Brussin, Turrin ou Rognier.

Benjamin était missionné pour creuser leurs dossiers en particulier pendant que sa collègue effectuait sa tournée, dans le but de rassembler des commentaires sur les uns et les autres, et dans l'espoir de resserrer son filet autour du bon suspect.

Ils n'avaient pas de temps à perdre. Elle partageait l'avis de Mikelis : le mentor n'allait pas s'arrêter là. Après le coup d'éclat de la mine de Wieliczka en Pologne, elle craignait qu'il veuille faire pire en France.

Un visage fripé et fatigué apparut dans l'encadrement de la porte. Cheveux blancs, peau couverte de tannes et froissée comme un costume devenu trop grand avec le temps pour ce frêle squelette. Mais le regard bleu demeurait vif, perçant.

– Monsieur Boccellini ? Je suis Ludivine Vancker, gendarme à la section de recherches de Paris. Est-ce que je peux vous parler un instant ?

– Est-ce que c'est grave ?

– Rassurez-vous, je ne viens pas vous annoncer une mauvaise nouvelle, corrigea aussitôt la jeune femme pour ne pas l'effrayer. Je cherche des renseignements en fait.

– À quel sujet ?

– C'est un peu délicat d'en parler ici, sur le palier. Est-ce que ça vous dérangerait de me faire entrer ?

– Vous êtes seule ?

La question étonna la gendarme.

– Oui.

– Bon. Venez. Vous êtes thé ou café ?

– Ni l'un ni l'autre, merci.

Klaas Boccellini referma derrière Ludivine et lui indiqua d'une main le petit salon blanc pendant qu'il filait dans une cuisine tout en longueur.

– Un jus d'orange peut-être ? J'en ai toujours en réserve pour mes petits-enfants.

– Non, rien, merci.

L'appartement sentait la cire. Il avait été décoré par une femme. Papier peint blanc à fleurs rouges et vertes, napperons omniprésents, bibelots en porcelaine, en cristal, photos de famille un peu partout sur les murs, les guéridons…

– Asseyez-vous, commanda Boccellini en revenant avec une assiette de petits gâteaux secs.

Ludivine prit place sur un canapé trop moelleux dans lequel elle s'enfonça. Elle se redressa pour n'être assise que du bout des fesses sur le bord.

– Monsieur Boccellini, je travaille sur une enquête un peu compliquée, aussi je vais me contenter de vous poser des questions qui pourront vous paraître étranges, sans trop d'explications. Je vous demande de me répondre en toute franchise, c'est très important.

– J'ai bien compris. Vous savez, j'ai travaillé pour l'État pendant trente-sept ans, dont une bonne partie pour les trains. J'ai le sens du devoir, de l'honneur, je ne mens pas. Mais je voudrais savoir si c'est en rapport avec l'un de mes petits-enfants.

– Non, rassurez-vous. Est-ce que les noms de Ferri, Turrin ou Brussin évoquent quelque chose pour vous ?

La tête du vieil homme se releva instantanément. Il n'arborait plus aucune expression aimable et Ludivine s'attendit à se faire jeter dehors une fois encore.

– Pourquoi ? Pourquoi me demandez-vous cela ?

– Comme je vous le disais, c'est une enquête un peu compliquée, je ne peux pas entrer dans le détail. Mais est-ce que vous les connaissez ?

Un long sifflement s'échappa des narines de Boccellini quand il inspira, le regard noir.

– Si vous me posez cette question, c'est que vous savez.

– L'histoire du Bois-Larris ne vous est pas inconnue ?

– Je préfère l'oublier. Ma famille…

– N'aura pas à le savoir, le coupa aussitôt la jeune femme pour le mettre à l'aise. C'est une conversation strictement privée.

Boccellini se fendit d'un sourire poli, sans aucune émotion.

– Ma famille est au courant, mais elle ne désire pas qu'on fasse remonter ces vieux souvenirs à la surface.

– Je comprends. Cela restera entre nous. Tout ce que je cherche, c'est à savoir si vous fréquentez encore l'une de ces personnes ?

– Non, et depuis très longtemps.

– Mais vous vous êtes côtoyés à une époque, comprit l'enquêtrice.

– Peu. Très peu. J'ai refusé à vrai dire.

– Refusé ? C'est-à-dire ?

– C'est ancien, une vieille histoire, pourquoi vous intéressez-vous à ça ? Ils ont fait quelque chose de mal ?

– Vous seriez surpris ?

Boccellini prit un instant pour réfléchir.

– Non, je crois que non, en fait.

– Quelle est cette histoire ?

– Je ne pourrais pas vous en dire grand-chose, j'ai refusé leur proposition. C'était en 1976 je crois, pour la naissance de mon fils. C'est Dieter Ferri qui est venu me trouver. Je ne le connaissais pas. Je ne savais rien de ma naissance, c'est lui qui m'a tout raconté. Tout. C'était un personnage étrange, très sûr de lui, très charismatique. Ferri m'a expliqué que j'avais des « frères » et des « sœurs » semblables à moi. Et que si moi aussi je me sentais rejeté, abandonné, différent, je pouvais les rejoindre. Il m'a donné une liste de noms, et il m'a proposé de venir les rencontrer.

– Vous l'avez fait ?

– Après un moment, oui. C'est que Ferri savait se montrer persuasif. Il savait dans quel orphelinat j'avais grandi, quelles familles d'accueil j'avais eues, il connaissait toute ma vie. Il est le seul qui a été capable, en trente-deux ans, de m'expliquer pourquoi j'avais un prénom allemand, même si j'avais déjà forcément envisagé le pire. Alors oui, j'y suis allé.

Le vieil homme tourna la tête pour observer les rideaux blancs, comme si sa mémoire s'y trouvait suspendue, quelque part parmi les plis.

– Dieter avait bien fait les choses, il avait trouvé une salle, et il nous a tous présentés les uns aux autres. Il nous a longuement parlé, avec un discours chaleureux, rassurant. Il s'est occupé de nous et a beaucoup insisté pour nous rappeler que notre famille était là, sous nos yeux. C'est pour ça que nous nous sommes rendus à toutes ces rencontres.

– Il y en a eu plusieurs ?

– Oh oui, je ne me souviens plus très bien, mais peut-être dix ou douze. Ma femme a fini par ne pas apprécier que je m'y rende, elle trouvait que ça me mettait des mauvaises idées dans le crâne, d'autant que les conjoints n'étaient pas admis. Dieter voulait, dans un premier temps, que ce soit uniquement le rendez-vous des « enfants parfaits ». Vous savez, je crois qu'au fond cette terrible expression, c'est Dieter qui l'a déterrée du passé pour la rendre publique.

– Il avait une intention derrière tout ça vous croyez ?

– Oh oui ! Et il n'a pas tardé à la partager. Il a d'abord insisté, à chaque réunion, sur notre différence avec les autres, et là-dessus il n'avait pas tort ! Vous savez, quand vous venez de l'Assistance publique, vous ne vous sentez pas comme tout le monde ! Mais quand votre prénom est allemand et votre nom de famille français, que vous êtes né en 1944 en région parisienne, je peux vous garantir que la Terre entière vous fait sentir que vous êtes différent ! C'est comme ça qu'il en a convaincu quelques-uns.

– Convaincu de quoi ?

– De le suivre. Dieter Ferri voulait construire une communauté pour nous, les « enfants parfaits ». Un lieu où nous serions entre nous, sans regards extérieurs, sans haine. Au début le projet semblait aussi loufoque qu'il était excitant. Puis ça s'est peu à peu concrétisé. Il était très motivé, il ne vivait que pour ça.

– Vous savez pourquoi il y tenait tant ?

– Je présume qu'il avait beaucoup souffert de sa condition. Quoi qu'il en soit, un certain nombre ont accepté de le suivre et ils sont partis s'installer à la campagne.

– Pas vous ?

– Non, pas moi. Ma femme n'aurait jamais voulu.

– Et vous savez ce qu'ils sont devenus tous ?

– Non, après leur départ j'ai coupé les ponts. Enfin, eux surtout, ils se sont renfermés sur eux-mêmes.

– Et vous ne savez plus rien de ce qu'ils sont devenus ?

– J'ai revu Egon Turrin trois ou quatre ans plus tard. Il était revenu en région parisienne, il avait quitté la communauté. Je crois que l'expérience l'avait passablement déçu.

– Ce Turrin, vous l'avez vu souvent ?

– Oui, pendant un moment. Il était très agréable. Nous nous fréquentions, juste nous, pour discuter de nos vies, un peu comme des demi-frères.

– Vous pensez qu'il pourrait être devenu dangereux ?

– Egon ? Non ! Pas le moins du monde, c'était une crème. La gentillesse incarnée.

– Et il était plutôt éloigné de Dieter Ferri ?

– Il était en rogne contre lui, oui ! Il n'a jamais plus voulu en entendre parler. Si c'est à Ferri que vous vous intéressez, c'est avec Egon que vous devriez vous entretenir !

– Vous m'accompagneriez ?

Boccellini leva les mains au ciel.

– Je ne l'ai plus revu depuis... au moins vingt ans ! La vie vous savez... nous nous sommes perdus de vue peu à peu. Mais attendez, je dois encore avoir son numéro... Enfin, s'il n'a pas changé.

Le retraité se leva pour fouiller dans un vieux calepin à spirale qui se désagrégeait de tous côtés. Il humecta son index et tourna les pages méticuleusement.

– Ah, voilà... Oh, je suis désolé, je crois que ça ne va pas vous être d'une très grande aide... C'est encore un numéro ancien, de l'époque où il n'y avait pas les indicatifs... Je suis navré.

Ludivine secoua son portable devant elle.

– Si je le trouve moi-même, vous voulez bien que nous l'appelions ensemble ? Il parlera plus facilement avec vous.

La jeune femme sentait qu'elle était sur la bonne piste. Toutefois contacter Egon Turrin directement, c'était prendre le risque de tout foutre en l'air s'il s'avérait qu'il était le mentor. Après tout, il était dans la liste, il avait eu un casier judiciaire.

Ludivine décida de faire confiance à Boccellini. Il fallait prendre une décision. Avancer. Détailler le profil de tous ces enfants nés dans la maison du Mal. Ces enfants du diable.

À défaut de tous les rencontrer physiquement pour les juger, pour *sentir* ce qu'ils dégageaient, Ludivine pouvait tout de même resserrer l'investigation au plus près et peut-être identifier un ou deux noms plus propices à être celui qu'elle recherchait.

Sans se mettre en danger.

Elle était toute proche d'identifier *e.

Elle le sentait.

46.

Egon Turrin se confia à son ancien ami.

Dans le petit combiné, sa voix éraillée parla pendant une demi-heure de tout et de rien, racontant sa vie, prenant des nouvelles de Klaas Boccellini, avant que ce dernier ne lui annonce qu'il n'était pas seul et qu'une gendarme voulait l'interroger.

Turrin fut d'abord réticent à évoquer Dieter Ferri et sa communauté, et pendant une minute Ludivine s'en voulut de n'avoir pas fait le déplacement, pour le confronter physiquement à la carte de gendarme, à l'autorité, ou pour le mettre plus en confiance, pour le rassurer, selon ce qu'elle aurait senti.

Puis, après qu'elle eut insisté par trois fois, l'homme se lâcha, et les mots coulèrent par flots entiers, comme s'il avait attendu plusieurs décennies pour enfin ouvrir son cœur :

– Je suis parti parce que Dieter était fou, avoua Egon Turrin tout de go. J'ai mis très peu de temps pour le comprendre mais longtemps pour l'accepter.

– Qu'entendez-vous par « fou » ?

– Dieter ne voulait pas seulement nous rassembler pour nous protéger, que nous soyons entre nous, les plus à même de nous comprendre, il pensait vraiment que nous étions des « enfants parfaits ». Je crois qu'il avait énormément souffert durant son enfance, et qu'une fois adulte, il avait compensé, c'est le terme je crois, en considérant que s'il était autant rejeté et maltraité c'était parce qu'il était réellement différent. Plutôt que de voir le pire, il voyait le meilleur. Il se prenait pour un être exceptionnel, incompris. Les autres avaient tort, pas lui. Et tout s'expliquait dans son monde.

– C'est le propre des psychopathes, lâcha Ludivine.

– En tout cas, il voulait faire de sa communauté le point de départ d'une nouvelle ère. Celle des différences. Il faut bien comprendre que Dieter était particulièrement convaincant, il avait une aura incroyable, il savait parler, et il n'avait aucune peine à se faire entendre. Nous l'avons vite considéré comme notre chef, notre ambassadeur, notre guide. Les premières années, nous avons construit notre nid, mis au point un système pour vivre, avec des animaux, un peu d'artisanat aussi pour avoir un peu de liquidité. Puis une fois que nous étions installés dans notre nid, c'est là que Dieter a commencé à me faire peur. Il nous a parlé de ses condamnations, de ses vols qu'il avait été obligé de commettre pour survivre, parce que la société ne l'avait pas aidé, parce qu'elle l'avait rejeté, comme nous tous. Et il a martelé le même discours dans nos crânes, jour après jour.

– Il vous a poussés à voler pour lui ?

– Oh non ! Il ne voulait pas s'enrichir, il voulait notre liberté. Totale. Que nous nous sentions véritablement nous, sans carcan, sans cadre imposé par autrui. Il voulait que nous laissions libre cours à nos désirs, à nos besoins. Que nous retrouvions la paix avec l'être suprême en nous. Son discours était malin, et à force de le répéter, encore et encore, je crois qu'il nous a tous convaincus. Voler, si nécessaire, n'était pas un mal en soi. C'était la société qui était mal faite. Nous étions avant tout des animaux, avec des instincts, et il fallait les écouter. Nous étions le sommet de la chaîne alimentaire, et il fallait respecter cela, et respecter notre évolution, ne surtout pas la contraindre, la brimer par des lois édictées par une poignée de nantis qui ne voulaient que protéger leur confort et celui de leurs enfants.

– Monsieur Turrin, j'ai peur de ne pas comprendre, Dieter Ferri vous poussait vers quoi ? La révolution ?

– Certainement pas, il était tout à fait conscient que la société est une machine à broyer les différences, que nous serions happés et dissous si nous révélions au grand jour nos prétentions. Non, tout ce qu'il voulait c'était que nous nous exprimions pleinement. Mais avec intelligence, discrétion. Une entraide de la communauté pour s'affranchir des codes brimants du monde extérieur.

– Et vous l'avez fait ?

– Dieter a montré l'exemple. Au début, j'ai refusé de croire que c'était vrai, mais lorsqu'il a été arrêté par la gendarmerie, j'ai compris que je n'avais rien à faire là.

– Qu'a-t-il fait ? demanda Ludivine.

La curiosité était à son comble. Les pièces du puzzle s'assemblaient une à une.

– Il a enlevé un enfant dans la région de Bordeaux et il l'a ramené chez nous. Dieter affirmait que ce n'était pas mal. Que c'était la loi de la nature, la seule véritable loi acceptable par l'homme. Celle du plus fort. Du plus organisé. Il désirait cet enfant, alors il l'avait pris. Pour lui. Pour satisfaire ses envies. Mais il a commis une erreur et les gendarmes sont remontés jusqu'à lui. Là, notre communauté a fait bloc, nous avons affirmé que nous ne savions rien, et ils sont repartis avec lui. Je ne l'ai plus jamais revu. J'ai quitté le village la semaine suivante. Je crois que Dieter a été libéré trois ans après, et qu'il y est retourné, mais je n'en sais pas plus. J'ai coupé tous les ponts avec eux.

– Vous étiez nombreux ?

– Dieter avait convaincu Gert Brussin, Markus Locard et Oda Lechant de l'accompagner, ainsi que moi-même. Gert avait une petite amie aussi. Il faut bien comprendre qu'à l'époque où Dieter Ferri était entré dans nos vies, nous étions pour la plupart des marginaux, pas mariés, pas d'enfants, en tout cas pour ceux qui l'ont suivi. Dieter nous proposait une vie idéale, tout ce qui nous manquait : de l'amour, de la stabilité, le partage, une famille !

– Vous étiez donc six.

– Je ne dis pas que tous les orphelins du monde sont des délinquants ou sont prédisposés à la violence, mademoiselle, continua Turrin, ne vous méprenez pas sur mon discours, mais vous savez, nous avons grandi dans des conditions difficiles, en plus de ne pas avoir de parents. Beaucoup nous voyaient comme des bâtards d'Allemands. Nous étions souvent haïs, montrés du doigt. Ça a été dur pour chacun de nous, et nos racines n'ont jamais pu se développer correctement dans cette terre fragile et aride. Nous avons, pour beaucoup, fait pas mal de bêtises, faute de repères, faute d'amour pour nous servir de tuteur. Nous étions, pour une bonne partie de ces gosses, des cibles parfaites pour Dieter. Pour épouser sa cause, et, d'une certaine manière, son autorité en a fait un peu le père que nous n'avions jamais eu. Alors nous l'écoutions, nous lui obéissions.

– C'est pour ça que personne ne l'a empêché d'enlever ce gamin ?

– Nous n'étions pas au courant, il nous a mis devant le fait accompli. Même si j'ai toujours soupçonné Gert de l'avoir aidé.

– Les autres étaient aussi motivés que Dieter dans cette... obsession de vivre libres, sans aucune loi ?

– Oda suivait, elle était incapable de prendre une décision, tout ce qu'elle voulait c'était faire partie d'un groupe, qu'on lui dise quoi faire, qu'on prenne soin d'elle. La petite amie de Gert Brussin passait pas mal de temps avec elle. Je crois qu'ils l'avaient un peu prise pour une boniche, presque une esclave même. Brussin, lui, c'était une brute. Je ne l'ai jamais aimé. Il était de ces garçons affables qui vous mettent en confiance et puis qui d'un coup, sans prévenir, se transforment en tyrans ! Un dur, un vrai. Il me faisait peur.

– Et vous savez ce qu'est devenu ce groupe ensuite, après l'arrestation de Dieter Ferri ?

– Je sais que Locard a quitté la communauté peu après moi. Il s'enfermait souvent avec Dieter pour discuter et le ton montait. Je crois que c'est le premier à avoir deviné ce qui se tramait.

Ludivine se souvint de ce nom. C'était celui qui avait fui au Canada. L'homme avait préféré s'exiler loin de ses « frères » maudits, loin de ce pays qui le renvoyait à son passé douloureux. Elle en était certaine : il avait refait sa vie là-bas et personne n'était au courant de sa naissance, pas même sa nouvelle famille.

– Et pour Brussin, et Oda ? questionna-t-elle.

– Je l'ignore. Je n'ai jamais plus voulu en entendre parler.

– Je comprends, fit Ludivine d'une voix aussi douce que possible. Ce que vous me racontez est d'une précieuse aide, monsieur Turrin, vraiment.

– Je n'en avais plus causé depuis l'époque, je crois que ça me soulage si vous voulez tout savoir…

– Et les autres enfants nés avec vous au Bois-Larris, mis à part Klaas Boccellini qui est là, vous savez ce qu'ils sont devenus, pourquoi ils n'ont pas suivi Dieter à l'époque ?

– Ils étaient moins naïfs que nous ! Moins influençables ! C'étaient ceux qui avaient construit une famille, qui s'étaient mariés ou avaient eu des enfants, ils avaient quelque chose à perdre, ce n'était pas notre cas. Et puis, Dieter était assez ferme à propos des femmes. Il les considérait comme inférieures aux hommes, elles devaient se soumettre. Ça n'a pas dérangé Oda qui était une fille déjà très renfermée et bourrée de complexes, mais Karoline et Lotte n'ont jamais beaucoup aimé Dieter dès nos premières réunions.

Klaas Boccellini, qui écoutait à travers le haut-parleur du portable, hocha vigoureusement la tête.

– Elles ne sont pas venues souvent, confia-t-il.

– Lotte nous a même mis en garde, avoua Egon Turrin. Elle avait senti que Dieter était dangereux. Quand je suis revenu à la vie normale, en 79, je l'ai revue de temps en temps, tout comme je fréquentais Klaas. Lotte était une fille rigoureuse, un peu maniaque. Je sais qu'elle a longtemps découpé tous les articles qui mentionnaient Dieter Ferri dans cette affaire d'enlèvement. Elle n'arrêtait pas de me dire qu'elle l'avait senti. Elle en a fait un classeur dont elle était fière. Vous devriez aller la voir, elle l'a peut-être encore.

Egon Turrin se tut un moment, et Ludivine l'entendit respirer bruyamment dans le combiné. Elle le laissa réfléchir, reprendre ses esprits après l'évocation de souvenirs qu'elle imaginait désagréables.

– Dans les années 80, j'ai rencontré ma femme, il était temps. J'ai eu des enfants, et je n'ai plus eu très envie de revoir mes anciens camarades de naissance, dit-il d'une petite voix comme s'il s'excusait auprès de Klaas.

Ludivine le remercia chaleureusement avant d'ajouter :

– Une dernière chose, Monsieur Turrin. Le nom de ce village où vous aviez installé votre communauté, c'était quoi ?

– Oh, c'était plus un hameau qu'un village. Dieter l'avait trouvé au fond d'une forêt, plusieurs fermes accolées, et il adorait le nom du site, un nom qui ferait fuir les curieux, pensait-il.

– Pestilence ? proposa Ludivine.

– Ah, vous savez ?

Cette fois, tout s'imbriqua parfaitement dans la tête de l'enquêtrice.

47.

Ludivine conduisait, le téléphone coincé entre l'épaule et l'oreille.

– Mon colonel, Dieter Ferri avait construit une communauté où il leur avait appris à vivre avec leurs pulsions, même les pires, à devenir des criminels, mais fort de sa propre expérience, il leur avait aussi enseigné à ne pas se faire prendre. Il est décédé il y a six mois, en avril dernier. Ils se sont retrouvés livrés à eux-mêmes. Et là ils ont pété les plombs, probablement guidés par Gert Brussin, la brute de la bande. Ils étaient avides de revendications, galvanisés par trente ans de vie repliée sur eux-mêmes, sur leurs vices. Brussin a perdu la notion du secret, il a voulu rassembler ses troupes et rendre sa cause publique. Je pense que Dieter Ferri tenait tout son petit monde, il fixait le cadre, mais ça a explosé à sa mort.

Aprikan émit un son qui ressemblait à une approbation :

– Continuez, dit-il.

– Brussin a alors créé son site Internet pour attirer tous les tordus de la planète. Il a discuté avec eux, et lorsqu'il tombait sur quelqu'un qui lui paraissait correspondre, il l'invitait dans les salons privés du site. C'est comme ça qu'il a recruté Elliot Monroe et le tueur en Espagne, tout comme Joseph Selima. Des solitaires, des paumés, et des détraqués. Il les a séduits avec son discours rassurant, déculpabilisant, qui rejetait la faute sur la société. Il leur a offert d'entrer dans une nouvelle famille forte. Pendant ce temps, il a expédié ses deux rejetons du hameau dans la nature pour qu'ils montrent l'exemple : Victor Mags et Cyril Cappucin. Mais pour ce dernier, le fragile du groupe, Brussin veille. Il est derrière lui, il le guide. Et il en profite pour disséminer ses propres messages, ses appels au droit d'exister, à la différence.

– J'appelle Satory et Villacoublay, nous allons affréter les hélicos. Si vous vous magnez, Vancker, vous pouvez venir, vous avez mérité votre place pour assister à leur arrestation.

– Non, mon colonel ! Pas encore ! Nous n'avons pas l'adresse de Cappucin. Si on intervient à Pestilence, Cappucin l'apprendra et il risque de disparaître. Nous avons encore une piste à approfondir pour remonter jusqu'à lui. Je crois qu'il doit être du côté de Verneuil-en-Halatte, Magali a une borne téléphonique régulièrement activée là-bas et...

– Je sais ça. Vous avez quoi en tête ?

– Dites à Segnon de revenir, personne ne sait chercher sur Internet comme lui, je voudrais qu'il creuse les adresses possibles de tous les habitants du hameau. Ils ont peut-être acheté un appart en commun en région parisienne. Ça pourrait être la planque qu'on recherche.

– Qu'est-ce que vous allez faire pendant ce temps ?

– Interroger encore une personne, elle a peut-être des informations sur Dieter Ferri et sur Brussin. Quelque chose qui nous aurait échappé. Je vous tiens au courant.

– Je vous laisse jusqu'à demain midi, ensuite, si nous n'avons rien, le GIGN intervient à Pestilence et nous publions le signalement de Cappucin dans tous les médias, il ne pourra pas aller bien loin.

Ludivine raccrocha. Elle devait faire vite.

Aprikan voulait un résultat. Se couvrir. Mais la jeune femme partageait l'avis de Mikelis sur *e. Il voulait frapper fort. S'il venait à être arrêté, Cappucin n'aurait alors plus rien à perdre.

Il était le bras armé de Brussin. L'homme à intercepter au plus vite.

Lotte Andréa vivait dans un minuscule pavillon à la sortie d'Évry, dans un quartier résidentiel tranquille mais vétuste, un peu plus loin que les barres HLM. Les jardins n'étaient pas très bien entretenus, certaines façades arboraient des graffitis, et une des maisons de la rue était abandonnée depuis assez longtemps pour s'être transformée en taudis digne des pires squats de *crack-heads.* Ludivine se dit qu'elle n'aurait pas aimé élever des enfants ici.

Pour ça, il faudrait déjà en avoir…

La jeune femme espérait beaucoup de cette rencontre. Par-dessus tout, elle espérait que Lotte Andréa serait restée cette collectionneuse acharnée de coupures de presse concernant le fameux Dieter. Ferri avait été un homme prudent, il ne devait pas exister grand-chose à son sujet sur Internet. Lotte était la gardienne de son histoire.

T'emballe pas, se modéra Ludivine en sortant de sa voiture, *c'est juste une vieille dame qui a connu Ferri et qui en a eu assez peur pour suivre sa « carrière » ensuite.*

La gendarme s'étira, elle était fourbue. Plus de deux heures de route et d'embouteillages pour atteindre la banlieue sud, l'après-midi touchait à sa fin et la nuit tombait rapidement. Les lampadaires diffusaient une lueur jaune, presque maladive, sur la rue.

Ne trouvant pas de sonnette sur le petit portail, Ludivine poussa le portillon et traversa le modeste carré de gazon jusqu'à la porte du pavillon. Les volets étaient mi-clos et de la lumière filtrait sur les côtés.

Elle pressa la sonnette et attendit.

La rue était très calme, pas un passant ni un bruit sinon la rumeur lointaine de la circulation.

Elle perçut un bruit derrière la porte, un traînement.

Des chaussons sur le sol, imagina-t-elle sans peine.

Mais la porte ne bougea pas.

– C'est la gendarmerie, madame Andréa. Ne vous inquiétez pas, je voudrais juste vous poser une ou deux questions. N'ayez aucune crainte, je suis une femme et je suis seule.

Ludivine savait qu'avec la recrudescence d'arnaques visant les personnes âgées, ces dernières devenaient de plus en plus méfiantes lorsqu'on sonnait à leur porte, même à l'égard des forces de l'ordre, et il fallait les rasséréner longuement avant que la confiance n'apparaisse.

Il y eut un déclic de la serrure et le battant s'entrouvrit.

Ce n'était pas le visage fatigué d'une femme comme elle s'attendait à le découvrir, mais celui d'un jeune homme qui se présenta à la gendarme.

– C'est pour quoi ? demanda-t-il.

– Je cherche à parler à Mme Lotte Andréa. Est-ce qu'elle est là ?

– Non, pas pour l'instant. C'est à quel sujet ? Il s'est passé quelque chose ?

À chaque fois c'était le même scénario, songea Ludivine, quand les gens ouvraient à des gendarmes ils pensaient que c'était pour s'entendre annoncer la mort d'un proche.

– Non, mais c'est assez urgent.

– Je peux peut-être vous aider alors ?

– Je ne pense pas. Vous êtes un membre de sa famille ?

– Son petit-fils.

– Vous pourriez me dire quand elle va rentrer ?

Le garçon regarda sa montre. Il avait environ vingt-cinq ans pour ce que Ludivine en voyait. Il arborait une casquette et un pull à grosses mailles. Pas très grand, les traits banals, un garçon de banlieue parmi d'autres qui tentait de se démarquer, d'exister, avec un semblant de look.

– Elle sera là d'ici un quart d'heure je pense, une ambulance la dépose. Vous voulez l'attendre à l'intérieur ?

Ludivine rangea sa carte, elle avait un peu froid aux mains, aussi elle accepta.

– Je suis désolé, ce n'est pas rangé, s'excusa le jeune homme. Lotte vit surtout dans sa chambre, alors je mets un peu le fouillis dans le reste de la maison. On va vous trouver une place sur une chaise du salon, venez.

L'intérieur sentait le renfermé, et un soupçon de pourriture, de la vaisselle pas faite depuis trop longtemps ou une poubelle oubliée. Le salon était rustique, une décoration d'un autre temps, qui ne devait plaire qu'à Lotte Andréa, mais son petit-fils y avait fait son trou en répandant ses magazines automobiles et de jeux vidéo, ainsi que des vêtements et même un plateau repas.

Le jeune homme passa devant et entra dans la lumière. Il portait un short long de boxeur, et des savates qui traînaient sur le carrelage. Ludivine remarqua tout de suite ses mollets de poulet blancs et glabres.

– Rassurez-moi, elle a rien fait de mal, mamie ? demanda-t-il en tirant une chaise.

Il portait sa casquette pour dissimuler un crâne dégarni.

Rasé.

Il a une mâchoire tout à fait normale, remarqua Ludivine pour se rassurer.

Il était tout sec, tout en nerfs. Il pivota pour la regarder.

Regard lisse. Vitreux.

Vide.

– Vous..., commença-t-elle un peu troublée, vous vivez ici ?

– Oui, une partie du temps, elle a la gentillesse de m'aider à construire mon rêve.

– Ah. Lequel ?

– J'ai commencé un nouveau métier depuis plusieurs mois. Mais j'ai mis toutes mes économies dans mon instrument de travail, je n'ai plus de quoi payer un loyer, pas encore. Ça va venir.

– C'est gentil à elle de vous soutenir.

La discussion était mécanique, une partie de ping-pong entre personnes absentes, l'esprit occupé ailleurs, par autre chose de bien plus important. Le garçon jeta un coup d'œil vers le couloir qui partait à sa droite, hors du champ de vision de la gendarme.

– Oh, je l'embête pas trop, je suis souvent sur la route.

– Ah. Et vous faites quoi ?

Ludivine s'efforçait de garder son calme. Ne surtout pas trahir son émoi.

– Je suis chauffeur routier.

Cette fois son cœur se mit à battre si vite que la jeune femme eut l'impression qu'il cognait contre ses vêtements et allait la trahir.

Ce garçon était l'incarnation exacte du profil dressé par Mikelis.

Il leva les yeux vers elle, toujours souriant.

Leurs pupilles se fixèrent avec intensité, comme deux aimants négatifs face à face, se repoussant avec la même force invisible. Le sourire changea à peine, il devint légèrement plus crispé. Plus factice.

Elle l'avait reconnu malgré la casquette. C'était lui sur la photo floue du camion au péage.

Cette fois, plus aucun doute possible.

Il ne cligna pas des paupières. Pendant les dix longues secondes durant lesquelles ils se scrutèrent sans bouger, il ne cilla pas une fois.

Il savait.

48.

Ludivine inspirait par le nez. Pour garder le contrôle. Pour se concentrer sur sa respiration. C'était par là que tout commençait. La respiration.

Son cœur, lui, s'était emballé. Il pompait tout le sang jusque dans le dernier vaisseau, et le rejetait encore plus rapidement, sans discontinuer, sans faiblir.

Elle avait les paumes moites. Presque trempées.

La vision lui parut se resserrer, les côtés devenaient de plus en plus troubles, tandis que la silhouette du jeune homme était plus nette que jamais.

Gagner du temps. Il lui fallait du temps pour s'organiser. Pour pouvoir sortir son arme. Pour l'immobiliser.

– Je n'ai pas vu votre camion dehors, dit-elle.

– Normal, je le gare plus loin, sur un parking. C'est plus prudent.

Il avait changé d'intonation. La voix accueillante était montée de quelques octaves et, surtout, il n'y avait plus une once de bienveillance. Il parlait sur un ton froid, monocorde.

– Votre grand-mère ne va plus tarder…

Ludivine était en mode automatique, elle laissait les mots s'exprimer comme ils venaient. Elle se concentrait sur la suite.

Son Sig-Sauer à la ceinture, dans son dos. Sa doudoune fermée qui la gênerait pour l'atteindre rapidement. La sécurité à défaire.

– Pourquoi jouer ? demanda-t-il sans la moindre émotion. Vous avez très bien compris qu'elle n'arrivera pas.

La gendarme avala sa salive péniblement.

– Je suis venue pour que ça se passe bien, inventa-t-elle. Pour vous permettre de sortir sans heurt. Mes camarades attendent dehors.

– Vous mentez mal.

– Cyril, je...

– Vous connaissez mon nom ? Vous êtes plus malins que je le croyais.

– Nous savons tout. Pour vous, pour Victor, pour Dieter Ferri, Brussin et les autres. Rendez-vous et je vous garantis qu'il ne vous sera fait aucun mal.

– Je suis pas très inquiet. Vos lois me protègent. Personne chez vous ne viendra s'en prendre à moi.

Ludivine leva lentement la main vers la fermeture de sa doudoune et commença à tirer dessus.

– Faites pas ça, lui dit-il sans se départir de son extrême détachement.

– Pourquoi ? Il faut que nous...

– Le faites pas, c'est tout. Vous êtes toute seule chez moi, vous savez de quoi je suis capable, on dirait, alors je vous conseille de pas me mettre en rogne.

Elle interrompit son geste.

– Cyril, il y a le GIGN dehors. Ne faites pas l'idiot.

– Vous me prenez pour un con ? Si c'était le cas, ils auraient pas envoyé une femme seule me parler, ils auraient défoncé la porte et je serais déjà le nez sur le carrelage, les mains dans le dos.

Ludivine était à court d'arguments, elle perdait le contrôle de la discussion et son arme n'était toujours pas plus accessible.

Soudain, elle entendit la voix grave de Mikelis résonner dans son esprit. *C'est un être fragile, il a l'habitude qu'on lui dise quoi faire, d'être entouré, il est réfléchi tant qu'il ne se laisse pas déborder par ses pulsions de violence. Il ne faut pas que la vague de violence monte en lui.*

Elle repensa à toutes ses victimes. Massacrées. Mutilées.

Une vraie bête sauvage.

– Voilà ce qu'on va faire, parvint-elle à dire sans que sa voix tremble, nous allons tous les deux nous asseoir à cette table, et nous allons discuter pour trouver une issue à tout cela.

Cappucin l'observait comme un enfant détaille une mouche prise sur du ruban collant.

Il y avait une telle absence de vie dans son regard que la jeune femme frissonna.

Il la fixait comme un enfant sur le point d'arracher les pattes de la mouche, une à une. Avec une curiosité malsaine et morbide.

– Je propose autre chose, dit-il. Qu'on joue à qui va attraper en premier son arme.

Sur quoi il bondit dans le couloir qui partait juste à sa droite et disparut du champ de vision de Ludivine.

49.

La décision d'une vie.

À prendre en une seconde.

Ludivine savait que Cyril Cappucin était un lâche, qu'il allait certainement tenter de s'enfuir plutôt que de chercher la confrontation. Elle pouvait tout aussi bien se jeter en arrière et courir vers la sortie pour sauver sa peau.

Ou s'élancer derrière lui pour tenter de l'arrêter avant qu'il disparaisse.

Il était armé.

Ludivine avait déjà son Sig-Sauer au poing, braqué devant elle.

Pas le temps d'appeler des renforts, le tueur serait loin avant qu'ils arrivent.

Elle fit trois pas rapides en direction du couloir. Son cœur semblait de plus en plus gros dans sa poitrine, comme s'il prenait toute la place, lui comprimant les poumons. Elle se mit à respirer par la bouche, des grandes goulées d'air qui ne l'apaisaient pas.

Il y avait trois portes ouvertes, trois possibilités.

Cappucin pouvait être derrière n'importe laquelle, prêt à l'abattre pour la dépecer, pour violer son cadavre.

Ludivine chassa immédiatement ces images et bloqua sa respiration pour se jeter contre le chambranle de la première, arme devant elle, doigt sur la détente, parée à faire feu.

Une cuisine. Petite. Vide. Elle s'ouvrait sur un vestibule où s'entassaient des affaires sur une chaise et au sol.

La gendarme se redressa aussitôt et pointa son arme vers le couloir, s'attendant à ce que le tueur surgisse d'un coup, fier de son piège, pour l'éventrer en hurlant.

Rien.

Cette fois Ludivine sentit son cœur remonter vers sa gorge.

Elle se força à marcher. Des pas courts et rapides. Ne pas perdre la maîtrise de son corps. Elle avait des années d'arts martiaux derrière elle, elle connaissait ses réflexes, ses capacités. Elle devait reprendre l'ascendant sur ses membres vidés de toute substance par l'émotion.

Mais la peur brouillait tous ses repères.

La deuxième ouverture était juste là, à quelques centimètres.

Ne plus réfléchir !

Ludivine leva son calibre, qui accompagna chaque mouvement de ses pupilles fouillant une toute petite salle de bain.

Il ne restait plus que le fond du couloir. Une dernière option.

Sauf s'il a fait le tour par la cuisine ! réalisa-t-elle brusquement.

Elle fit volte-face vers le salon.

Rien.

Demi-tour, la dernière salle.

Il est là. Juste là… À m'attendre…

Son cœur battait désormais jusqu'à ses tempes. Elle avait la nausée, un flot de bile prêt à jaillir au moindre relâchement. Ses jambes la portaient à peine.

L'image des savates de Cappucin lui revint soudain en mémoire. En vrac parmi ses affaires.

Dans le vestibule.

Il est passé par la cuisine ! Il a fait… le tour !

Il était derrière. Ludivine pivota, la peur au ventre.

Juste à temps pour voir l'ombre de Cyril Cappucin fondre sur elle. Sans sa casquette son crâne luisait sous l'éclairage électrique. Son visage était déformé par la rage, les yeux exorbités, les joues creusées, sa bouche ouverte en grand, ses dents jaunes se précipitant vers Ludivine.

Le temps qu'elle pointe son canon sur lui, il était déjà à sa portée, écartant ses bras d'une main pour brandir un couteau de l'autre et le diriger vers sa gorge.

Il hurlait. Un cri hystérique, inhumain.

Ludivine avait pratiqué le jiujitsu, le karaté, elle s'était même essayée à une époque au krav maga. Pendant des années, elle avait dépensé toute son énergie à répéter encore et encore les mêmes gestes, pour qu'ils deviennent des réflexes, pour qu'elle soit capable d'agir sans réfléchir, que son corps prenne les bonnes décisions plus vite que son cerveau.

Lorsque l'extrémité du couteau fut sur le point de découper la chair et de s'enfoncer vers les veines de sa gorge, la gendarme réalisa que son genou était déjà levé et frappait Cappucin à la hanche. Le geste était parti tout seul, sans qu'elle puisse lui implémenter de force, l'élan nécessaire pour lui faire mal, mais ce fut assez pour qu'il soit repoussé, pour que le couteau siffle dans l'air.

Suffisant pour offrir à Ludivine la précieuse seconde dont elle avait tant besoin.

Sa main droite tapa juste sous le nez, fort, éloignant le tueur pour que son autre bras puisse se déplier.

L'acier de la lame brilla tel un éclair fusant dans le couloir.

Ludivine ne prit pas le temps de se poser de question.

Le canon s'aligna en direction du tueur.

Elle pressa la détente.

Le tonnerre gronda.

Un flash blanc chassa toutes les ombres.

Une seconde détonation résonna dans toute la maison.

Elle ne voyait pas si elle l'avait touché. Elle n'était qu'action, terreur, volonté de libération.

Une autre décharge. Les balles tirées étaient un soulagement.

Comme une revanche.

Elle vit Cyril Cappucin s'envoler pour se fracasser contre un mur, l'air hagard.

La paroi le retint un instant, tandis qu'il cherchait une réponse à son incompréhension en scrutant Ludivine.

Celle-ci fit un pas vers lui et tira encore. Presque à bout portant.

Une balle.

Le sang gicla sur le cou et le visage de la jeune femme.

Elle appuya encore sur la détente. Encore et encore.

L'odeur de la poudre lui saturait les narines, ses tympans sifflaient.

Et elle vida son chargeur sur le cadavre de Cyril Cappucin.

Sans savoir si elle pleurait ou si elle riait.

TROISIÈME PARTIE

EUX

50.

Le colonel Aprikan avait relevé Ludivine.

Tout doucement.

C'était lui qui était venu la chercher, au milieu des autres gendarmes. Dans le crépitement des premières photos. Pour l'entraîner vers un petit escalier où il l'avait assise sur les marches, une couverture sur les épaules. Il ne voulait pas la laisser sortir dans cet état, pas tant que les journalistes et les curieux ne seraient pas repoussés par le cordon de sécurité qui se mettait en place.

Il lui prit le visage avec les deux mains et la regarda dans les yeux. Il parla tout bas, et bien que les tympans de la jeune femme n'aient pas encore cessé de siffler, elle comprit chaque mot :

– Je ne sais pas ce qui s'est passé, mais vous étiez en état de légitime défense, Ludivine. C'est une certitude.

Il ne lui posait pas la question. Il ne le supposait même pas. Il l'exigeait.

– On va s'occuper de vous, ajouta-t-il. Attendez un peu là. On ne vous laisse pas tomber.

Ensuite elle le vit superviser les techniciens en identification criminelle, organiser ses troupes. Tout allait comme au ralenti. Les images étaient lointaines. Pire encore, les sons lui parvenaient filtrés par un nuage de coton. Elle était absente. Totalement absente.

Malgré tout, elle capta des bribes de conversations. Dont une entre Aprikan et Segnon qui venait d'arriver essoufflé et qui la regardait depuis le seuil, la main du colonel sur sa poitrine pour l'arrêter.

– … traumatisée, dit le colonel. Allez-y mollo.

– … ment elle va ? … touchée ?

– …mental… compte sur vous… Alexis… elle… aller…

Segnon la serra dans ses bras.

– Putain, dit-il. Putain, tu m'as fait peur.

La présence de son collègue fit du bien à Ludivine. Il lui parla, et peu à peu elle sortit de son état de torpeur pour reprendre ses esprits.

Elle n'éprouvait aucun remords.

Pas la moindre culpabilité.

C'était ce qui la surprenait le plus. Elle venait de tirer quinze balles dans un être humain. Elle venait de supprimer une vie, de mettre un terme définitif à la trajectoire de ce qui avait été un nourrisson, un bébé, un enfant, un adolescent pour atteindre l'âge du jeune adulte, et malgré tout, elle ne ressentait aucun poids sur l'âme, aucune nausée.

Cyril Cappucin était mort de sa main. Dans un déferlement de poudre, de bruit et de feu.

Dans un combat pour survivre.

Dans le dos de Segnon, elle vit un officier se présenter à Aprikan pour lui dire qu'ils n'avaient rien trouvé, aucune arme à feu, aucun scalp, aucune petite culotte tachée de sang, rien à rattacher aux crimes.

– Continuez de chercher, ordonna le colonel, la maison est pleine de recoins. Trouvez-moi quelque chose.

Ludivine s'en foutait. Il était le coupable, elle l'avait vu, cela ne faisait aucun doute.

Richard Mikelis était là aussi. Discret. En observateur. Il avait laissé la gendarme avec son collègue pour s'intéresser à la maison. Ce fut lui qui demanda à ce qu'on ouvre le réfrigérateur après avoir inspecté chaque pièce attentivement. Lui qui désigna deux Tupperware pleins de viande.

– Faites-les analyser, ordonna-t-il. Je suis prêt à parier qu'il ne gardait pas du bœuf pour le cuisiner.

– Alors c'est quoi ? demanda un des TIC.

– Ce qui reste de sa dernière victime.

Le technicien manqua renverser les deux récipients.

– Il a besoin d'absorber ses proies, ajouta le criminologue. C'est sa manière à lui de se sentir moins seul.

– Taré ! fit le technicien sans que personne ne sache bien s'il parlait du tueur ou de l'expert.

Après quoi Mikelis vint saluer Ludivine, un simple coup de menton, sans un mot. Elle pouvait lire sur son visage toute la compassion du monde. Il savait ce qu'elle traversait. Lui le spécialiste de la violence, de la pulsion criminelle, de la mise à mort, il comprenait. Tout était écrit sur ses rétines comme sur deux minuscules prompteurs. Il savait les terres arides qu'elle franchissait, et pire : il savait ce qui l'attendait encore.

Il courba la tête et disparut dans la nuit.

Les tremblements avaient cessé. Ludivine reprenait le contrôle.

Son esprit se réorganisait, et les priorités s'agençaient à toute vitesse.

– Il faut intervenir à Pestilence, dit-elle, lorsque Aprikan repassa à sa portée. Il faut aller au hameau arrêter Brussin avant qu'il n'apprenne, avant qu'il ne s'enfuie.

Le colonel la regarda, et elle crut lire dans ses yeux une certaine pitié.

– Je décolle avec le GIGN à 4 heures cette nuit. Nous serons sur place avec l'aube. Tout est en train d'être réglé.

– Je veux en être.

– Vancker, soyez raisonnable.

– Je viens de tuer son complice !

– Justement.

– Ne me faites pas ça, monsieur.

Aprikan se rapprocha pour ne s'adresser qu'à elle et Segnon, afin que le reste des troupes ne puisse l'entendre :

– Il y a un garçon mort de l'autre côté de ce mur, vous l'avez criblé de tous les côtés...

– Ce garçon, vous le savez, c'est la Bête, colonel, il m'a attaquée, je me suis défendue, j'ai...

– Quinze coups ? Vous vous êtes acharnée, oui !

– J'ai eu peur ! J'ai paniqué !

– Je veux bien vous croire, mais à l'IGGN ils vont vouloir des explications précises pour que personne ne puisse vous accuser d'avoir vengé Alexis !

– S'ils en veulent, ils en auront. Mais laissez-moi finir ce que j'ai commencé. Laissez-moi aller au bout avec vous. Je veux être là, je veux voir la gueule de Brussin. Je connais le dossier mieux que personne, c'est moi qui ai trouvé leurs noms au Bois-Larris, mon colonel, c'est moi qui ai affronté le regard de Cappucin. Je suis là depuis le début ! Je mérite d'être là demain.

Segnon fixa son supérieur.

Aprikan soupira et Ludivine insista :

– L'IGGN va vouloir me mettre à l'écart, pour un moment au moins, je veux finir en beauté. J'ai le droit à ça. *J'ai le droit à ça* !

– L'IGGN va prendre du temps à se mettre en marche, insista Segnon, ils n'exigeront pas sa mise à pied avant une semaine, voire un mois.

– Je vous en supplie, implora la gendarme.

Aprikan secoua la tête. Il pointa son doigt sur le torse du colosse :

– Elle est sous votre responsabilité, Dabo. Et vous, ajouta-t-il aussitôt en se penchant vers Ludivine, tenez-vous en retrait, je ne veux pas d'ennui, c'est clair ?

– Merci, mon colonel.

Le soulagement de la jeune femme était palpable, comme si de nouveau sa vie n'avait tenu qu'à un fil.

– En attendant, je vais faire traîner le rapport de la balistique, avoua-t-il, je soutiendrai la version où vous n'avez fait que vous défendre.

– C'est la vérité, c'est ce que j'ai fait.

Aprikan ne semblait pas de cet avis.

– Vous avez été plus loin que ça, Vancker. Les médias vont vous accuser d'avoir vengé la mort de votre collègue. Et je crois qu'ils auront raison.

Segnon et Ludivine observaient leur responsable, médusés.

– Et vous savez quoi ? Je ne peux pas vous en vouloir, compléta-t-il. Je vous laisse dans la cellule jusqu'à ce que je reçoive une demande de mise à l'écart de la DG. Soyez discrète. Je ne veux plus vous voir, plus vous entendre. Dabo, votre hélico décolle à 4 heures pétantes. Il y aura un siège vide juste à côté du vôtre. Je ne veux pas savoir qui vous embarquerez avec vous. C'est votre problème.

51.

Ils survolaient le flot des forêts. Avec la pâleur de l'aube les cimes des arbres ressemblaient à une mer en pleine houle.

Une mer noire.

Ludivine guettait le paysage, le casque sur les oreilles, un peu groggy à cause du voyage. Presque deux heures et demie d'hélicoptère, un court sommeil de plomb à coups de tranquillisants sur le sofa dans le salon chez Segnon, et au réveil le souvenir de toute la violence de la veille.

Chacun des quinze coups de feu résonnait encore dans la tête de la jeune femme.

Ils n'avaient pas retrouvé trace de Lotte Andréa dans tout le pavillon. En revanche, le camion était garé un peu plus loin, sur un parking. À l'intérieur Cyril Cappucin gardait précieusement un sac à dos avec de quoi faire des liens, une arme à feu, deux couteaux et un scalpel. Et surtout un masque monstrueux. Il avait été fait par le tueur lui-même, à n'en pas douter, sur un châssis de masque d'orthodontie renforcé, deux mâchoires coulées dans de la résine qui s'emboîtaient parfaitement, et pouvaient être actionnées à l'aide de deux protège-dents dans lesquels on pouvait mordre. Une gueule pleine de crocs, sculptée pour faire peur.

Construite pour faire mal.

Car le tueur y avait incorporé un ingénieux dispositif de ressorts qui permettait de décupler la pression de la morsure. Il suffisait de mordre fort dans le protège-dents et les crocs se resserraient d'un coup.

Le tueur avait revêtu son masque pour dévorer ses victimes, pour se dessiner un visage terrifiant, avec une bouche proéminente, immense, qui claquait comme un piège à loup.

Quels fantasmes tordus emportait-il avec lui dans la tombe ? Quelle enfance avait pu fabriquer un esprit aussi déséquilibré ?

Dieter Ferri avait réussi son coup. Non seulement il avait poussé les membres de sa communauté à s'accepter tels qu'ils étaient, avec leurs vices et leurs pulsions dangereuses, mais il avait aussi engendré des monstres pires encore.

Les pales de l'Écureuil se mirent à vrombir encore plus fort et soudain l'appareil manœuvra, opérant un cercle rapide, pour fondre sur sa zone d'atterrissage.

La voix de Segnon, transformée par le micro dans lequel il parlait, termina de tirer Ludivine de ses songes :

– Dans deux heures toute cette histoire sera terminée.

La jeune femme eut un rictus ironique.

Ils allaient boucler l'instigateur de cette vaste boucherie le matin même où Alexis était enterré. C'était presque cruel.

Elle regrettait de ne pas y être et, en même temps, en éprouvait presque du soulagement. C'était un devoir qui lui pesait trop. Elle n'était pas sûre d'être en état de dire adieu à la dépouille de son dernier amant, devant toute sa famille. Viendrait un moment pour cela, dans l'intimité. De la discrétion. De la solitude.

Le plus important pour qu'il repose en terre, c'était que les comptes soient soldés.

Victor Mags et Cyril Cappucin étaient morts.

Ils avaient payé. La loi du talion.

D'autres que Ludivine auraient voulu les voir comparaître devant des assises pour qu'ils s'expliquent, mais elle n'était pas aussi naïve. Elle savait les tueurs en série manipulateurs, secrets. Ils n'auraient rien dit, rien qui puisse aider à comprendre, car de toute façon il n'y avait rien à comprendre. La mort comme obsession. Sociopathes. Endoctrinés pour ne jamais se rendre, préférer mourir. Ils avaient gentiment obéi à leur maître. À Gert Brussin. Cet « enfant parfait ».

Les portes latérales de l'hélicoptère s'ouvrirent et le vent glacial de l'aube s'engouffra.

Ludivine jaillit avec les autres gendarmes pendant que deux autres Écureuil approchaient.

Les breaks de la gendarmerie locale les prirent en charge et foncèrent sur les petites routes de campagne. Il y avait quelques collines autour d'eux, couvertes de vignobles d'armagnac, puis des forêts, un château au loin, en partie dissimulé derrière de grands pommiers, et des champs en jachère.

Les voitures filaient en silence, sans gyrophare ni sirène, ne croisant presque aucun véhicule. À l'intérieur les membres du GIGN terminaient de se préparer, chargeurs enclenchés, matériel de protection bien ajusté, casques vissés sur le crâne.

Segnon tendit à Ludivine son gilet pare-balles avec le logo GENDARMERIE dans le dos, et elle l'enfila.

La pression montait.

– Trois minutes ! aboya l'homme à côté du chauffeur.

Ils quittèrent la petite route pour s'engager sur un chemin de terre sans aucune indication. Le véhicule cahotait en roulant le plus vite possible, suivi par cinq autres breaks.

– Une minute !

L'homme à côté de Ludivine serra les scratchs de ses gants et posa son MP-5 contre lui. Ses yeux, sous la cagoule noire, croisèrent ceux de la gendarme.

Il était concentré. Résolu.

Elle avait vu son visage un peu plus tôt dans l'hélicoptère, avant qu'il enfile sa cagoule, et déjà elle l'avait oublié. Il n'était plus que deux yeux marron qui la transperçaient de leur détermination.

Soudain, ils pilèrent et les portes s'ouvrirent pour laisser les militaires s'extraire des véhicules. Ils se regroupèrent et dès qu'ils furent prêts, se précipitèrent vers Pestilence.

Le hameau était constitué de cinq bâtiments en pierre, deux vieilles fermes coincées dans la cuvette de collines boisées. Un endroit reculé, avec sa décharge couverte de lierre, son antique camion Renault Goélette rouillé, et ses montagnes de gravats entassées dans tous les coins possibles : tuiles, poutres vermoulues, pierres de taille moussues...

Ludivine voulut s'avancer, mais la main de Segnon la retint.

– On reste en arrière, lui rappela-t-il. Laisse faire les pros.

Les hommes du GIGN traversèrent ce qui servait de cour entre les longères et ils firent sauter les portes pour entrer dans les lieux. Ils crièrent « Gendarmerie » en s'engouffrant, arme au poing, trois groupes en même temps dans trois des maisons.

Les secondes s'égrenèrent, éternelles.

Un des groupes ressortit pour investir une grange.

Le ciel blanchissait peu à peu à l'est, soulignant la rosée du matin sur les branches grises.

De l'autre côté du hameau, un coup de feu éclata, lourd. Un coup de carabine. Segnon, Aprikan et deux autres officiers restés en arrière tressaillirent.

Ludivine s'attendit à entendre la réplique crépitante des MP-5, mais il n'y eut que des cris secs, des ordres.

La radio d'un des officiers cracha et le rapport tomba.

– Un suspect interpellé, informa-t-il Aprikan, il a fait usage de son arme mais personne n'est touché. Ils l'ont immobilisé.

Peu à peu les lumières s'allumaient dans le hameau, au fil des pièces sécurisées par le GIGN.

Ludivine s'impatientait. Elle voulait voir Brussin. Contempler le sous-fifre zélé de Dieter Ferri.

Au fur et à mesure de l'exploration, la radio délivrait ses comptes rendus. Pestilence était vide. Il n'y avait que Brussin.

Cela n'étonnait pas la gendarme. Ferri était mort, Oda Lechant aussi, depuis six ans, et la petite amie de Gert Brussin devait avoir quitté le navire depuis très longtemps.

Un homme du GIGN fit un signe et Aprikan s'engagea dans

le hameau avec sa garde rapprochée, aussitôt suivi par Segnon et Ludivine.

Ils traversèrent une cuisine-salon sale à vomir, pour trouver le suspect en slip et tee-shirt, assis, humilié, sur son lit, les mains menottées dans le dos.

Ludivine s'immobilisa sur le seuil.

Il avait à peine cinquante ans. Les cheveux gris en pagaille, les joues rouges d'alcool. Un ventre obscène qui lui tombait sur les cuisses.

Ce type n'était pas né en 1944.

– Ce n'est pas Gert Brussin, dit-elle en approchant.

L'homme releva les yeux vers elle, une lueur étrange dans le regard.

– Non, je ne suis pas Gert, confirma-t-il.

– Vous vous appelez comment ?

Il hésitait.

– On finira tôt ou tard par le savoir, menaça Segnon avec beaucoup plus d'énergie et de colère.

– Jean-Michel. Montisson.

Ludivine secoua la tête.

– Où est Brussin ?

– Je ne sais pas.

Elle fit deux pas en avant, menaçante, et son collègue s'interposa d'un coup, juste en faisant un pas de côté.

Aprikan s'était raidi.

– On t'a demandé où est Brussin, répéta Segnon avec une voix plus posée, presque plus inquiétante.

– Je vous jure que je ne sais pas. Il est parti cet été, il est revenu deux jours en septembre, et puis c'est tout.

L'homme était impressionné, il avait peur.

Ludivine jura et sortit de la pièce.

Brussin leur filait entre les doigts. Ils allaient le perdre.

Un des membres du GIGN arriva au pas de course, à peine essoufflé.

– Mon colonel, dit-il, faut que vous veniez.

– Vous l'avez ?

L'homme fit un « non » timide de la tête.

– Alors quoi ?

– C'est le sous-sol, mon colonel.

– Eh bien, qu'est-ce qu'il y a au sous-sol, parlez nom de Dieu !

– C'est pas une ferme ici. C'est un abattoir.

Le visage d'Aprikan se congestionna.

– Je crois que vous n'avez jamais vu un truc pareil, ajouta le gendarme. À vrai dire, personne n'a jamais vu ça.

52.

Des lampes de garage étaient suspendues un peu partout aux poutres métalliques de la cave, leurs fils électriques pendant en dessous comme autant de lianes synthétiques.

Tout était savamment organisé. Tout d'abord la table, en inox, légèrement bombée pour repousser les fluides vers les bords, dans les rigoles inclinées jusqu'à la bonde, ouverte sur un sceau à peinture vide. Un chariot en fer sur roulettes, juste à côté, parfaitement nettoyé. Puis deux établis avec tout le matériel du parfait petit bricoleur. Du petit chirurgien amateur. Du gynécologue méticuleux. Du tortionnaire professionnel.

Venait ensuite une longue table en acier recouverte d'une couche de polyéthylène zébrée des cicatrices de tous les coups de hachoir, scie à viande, couteau à désosser, et même de la tronçonneuse qu'on pouvait apercevoir juste à côté, bien rangés les uns à côté des autres non loin de barils de désinfectant, d'eau de Javel et autres produits nettoyants.

Pour finir, un immense poêle occupait le dernier quart de la pièce, jouxtant un tas de charbon, sous la rampe près de la trappe pour le remplissage. Un poêle avec une ouverture en deux battants, telles des lèvres charnues, prêtes à engloutir tout ce qu'on leur enfournerait en guise d'offrande.

Des chaînes tremblaient le long des murs au passage des

enquêteurs, scellées dans la pierre et se terminant par des bracelets de cuir. Il y en avait de toutes les tailles. Larges pour des adultes corpulents, fins pour des poignets minuscules.

Combien d'êtres humains étaient passés par cet endroit ? Combien de vies avaient pris fin dans cet enfer au cours des trente dernières années ?

Ludivine déambulait, assommée par l'effroi. Elle vit les stries dans le plastique de la table à découper, des centaines, les unes sur les autres, témoins d'heures d'efforts à démembrer des corps, pour mieux les brûler ensuite. Certaines étaient encore rosâtres malgré toute la sueur déployée à les laver.

– Ils n'en étaient pas à leurs coups d'essai, commenta sombrement Segnon.

– Dieter Ferri probablement, fit Aprikan d'une voix blanche. On dirait que ça n'a pas servi depuis plusieurs mois.

– Ou toute la communauté, envisagea Ludivine en découvrant une soupière et plusieurs plats à cuisiner rangés près de la table à découper.

Jusqu'à quel point leur liberté vicieuse avait-elle dérapé ? Jusqu'à quels extrêmes ? Quelle famille terrifiante et abominable étaient-ils devenus sous le joug de Dieter Ferri ?

Aucun tabou. Tous les droits. Aucune perversité car toute envie devenait légitime à leurs yeux, absolument n'importe laquelle. Il suffisait de désirer, de vouloir pour essayer, pour goûter simplement, et Ferri cautionnait, car si un être humain voulait, c'était donc qu'il pouvait.

Jusqu'où avaient-ils été, tous ensemble ?

Ludivine en avait assez vu, elle remonta et sortit respirer. Les hommes du GIGN terminaient d'inspecter chaque parcelle du terrain. De ce sanctuaire du Mal.

Elle interpella deux militaires qui retournaient vers les camionnettes :

– Des traces de vie dans les bâtiments ?

– À part chez le type qu'on a appréhendé, non, ce n'est plus habité depuis pas mal de temps. Plusieurs mois sûrement.

Aprikan apparut à son tour, le téléphone à l'oreille, il lançait un mandat d'arrêt au nom de Brussin.

Ludivine aperçut trois gendarmes ressortir d'une cabane un peu à l'écart du hameau, ils semblaient accablés. Elle marcha jusqu'à la petite bicoque de bois et tira sur la porte qui grinça.

L'intérieur était sombre, une table au centre, quelques flacons de produits, des bacs avec des ustensiles.

Puis elle les vit.

Des dizaines de bouches. Des centaines peut-être.

Tous crocs dehors.

Des gueules de mammifères que Ludivine ne tarda pas à identifier comme des chiens. Il y en avait partout, du sol au plafond, les trophées d'une traque perpétuelle, cruelle.

Ses yeux scrutèrent les étagères. Il y avait tout le nécessaire pour vider les animaux, pour les préparer après la chasse. Un carton rongé par l'humidité attira son attention. Il était plein de petites mandibules, de crânes d'oiseaux, dont certains étaient tachés de peinture. L'ensemble était poussiéreux, ancien. Ludivine songea à des jouets pour enfants. Des jouets morbides.

Toute cette pièce ressemblait à une copie plus convenable du sous-sol. Un stade intermédiaire.

Alors une idée terrible vint à la jeune femme.

C'était un rite de passage. Une étape transitoire pour les mômes du hameau. C'était ici qu'ils grandissaient, pour se préparer à devenir de parfaits sociopathes en puissance. C'était ici qu'ils étaient initiés à la torture animale après avoir appris l'art de la chasse, puis à l'appel du sang, à la violence des tripes. C'était dans cette cabane qu'ils découvraient un monde insoupçonné de cruauté, que se façonnait une part de leurs fantasmes, entourés d'adultes dégénérés, sadiques et perfides.

Victor Mags et Cyril Cappucin n'avaient pas été recrutés par Gert Brussin, ils avaient bel et bien grandi ici, cela ne faisait plus l'ombre d'un doute. Sous d'autres noms que ceux de leurs géniteurs, pour brouiller les pistes. Ludivine savait qu'ils ne tarderaient pas à établir que Mags et Cappucin étaient les noms de leurs mères, des femmes de passage, des junkies disparues, peu importait du moment qu'elles permettaient au clan de Dieter Ferri d'assurer sa descendance.

La gendarme retourna sur ses pas, d'une démarche lente, accablée par le poids de tout ce qu'elle imaginait.

Segnon fonça sur elle dès qu'il la vit :

– Magali vient d'obtenir une autre adresse pour Brussin, c'est le service des impôts qui l'avait ! Tu devineras jamais où. À Verneuil-en-Halatte !

– Cappucin passait le voir de temps en temps et appelait de chez lui avec son portable, d'où la borne, comprit-elle.

– Aprikan vient d'y expédier un autre groupe du GIGN pour le cueillir au réveil avant qu'il se barre.

Ludivine serra les dents. Il lui en coûtait de ne pas être présente. De ne pas défier cet enfoiré, les yeux dans les yeux, au moment où ils l'arrêteraient.

– Je voudrais le voir, quand ils l'auront, je voudrais le rencontrer, juste un instant, dit-elle.

– Je verrai ce que je peux faire.

Il la toisa et lui fit un signe de tête :

– Comment tu te sens ? interrogea-t-il plus doucement.

Elle haussa les épaules.

Le casque d'un des hommes du GIGN apparut à une fenêtre du premier étage pour crier :

– Chef ! Venez !

Il y avait un soupçon de panique dans sa voix. Segnon et Ludivine se précipitèrent dans la maison où était retenu leur unique suspect.

Ils gravirent les marches quatre à quatre et foncèrent vers le fond où ils découvrirent un escalier dissimulé dans une armoire. Le système était assez habilement fait, indétectable sans ouvrir le meuble.

Le militaire les regardait, la mine défaite.

– Qu'est-ce qui se passe ? Un problème avec l'interpellé ? paniqua Segnon.

Sa collègue n'attendit pas la réponse et grimpa les marches pentues pour parvenir dans des combles assez obscurs.

Son attention fut aussitôt captée par les parapluies d'un système de flash et plus loin par un rouleau de tissu bleu pour créer un fond. Un studio de photographie.

– N'aie pas peur, dit une voix masculine sur un ton mielleux, comme si elle s'adressait à une enfant.

Ludivine pivota vers l'autre côté des combles.

Un des militaires se tenait accroupi et lui tournait le dos.

Il avait la main tendue vers un petit lit entouré de jouets.

Et il parlait à une petite fille recroquevillée derrière un ours en peluche.

Elle le fixait, terrorisée.

53.

Il avait fallu l'arrivée d'une femme médecin pour décoller la fillette des bras de Ludivine.

L'enfant n'avait pas dit un mot, pas même son prénom.

– Elle a subi des violences ? demanda Segnon en se rapprochant de sa collègue.

– Je ne sais pas encore, ils ne l'examineront pas tout de suite, pour l'instant elle est sous le choc.

– On a déniché un ordinateur dans les affaires de Montisson. Pas la peine d'attendre son expertise, je peux déjà te dire ce qu'on y trouvera.

– C'est notre pédophile.

– Aucun doute. Il est peu causant, mais il ne nie pas vivre ici depuis un an. Il est informaticien. Il travaille depuis le hameau. Ma main à couper que c'est lui qui a mis au point le site Seeds in Us pour Brussin.

– Quelle ordure !

– C'est pas l'envie de l'emplâtrer qui me manque !

– C'est quoi la suite ? Ils vont le transférer chez nous à Paris ?

– Je crois que pour l'instant Aprikan veut s'installer dans la gendarmerie locale. La petite va être envoyée à l'hôpital. Je reste un peu, le temps de faire la liaison avec l'équipe de Magali. Le GIGN va remonter cet après-midi, tu peux te joindre à eux.

– Non.

Segnon n'insista pas et Ludivine grimpa à l'arrière du camion de pompiers qui transportait le médecin et la petite fille mise sous tranquillisants.

En fin de matinée, la jeune femme était encore à l'hôpital d'Agen lorsque son partenaire l'appela pour la prévenir que l'appartement de Brussin à Verneuil-en-Halatte était vide. Deux équipes étaient en planque sur place, son téléphone portable avait été répertorié et mis sur écoute mais l'opérateur était pour l'instant incapable de le localiser.

Le médecin qui avait ausculté la fillette pendant son sommeil vint à la rencontre de Ludivine.

– C'est moche, dit-il sans prendre de gants.

– Sévices sexuels ?

– Répétés. Je ne sais pas depuis combien de temps elle subit ça mais son corps est traumatisé.

– Elle est en danger ?

– Plus maintenant, mais elle est sous-alimentée, carences en tout, et surtout... vous verriez ses...

Le médecin secoua la tête.

– Vous l'avez chopé ? dit-il d'un coup. Celui qui lui a fait ça ?

– Oui.

– Ça me fait chier d'être toubib et de dire ça, mais pour ce genre d'animal, franchement, des fois je regrette la peine de mort.

Ludivine ne cilla pas.

Quinze coups de feu résonnèrent au loin, comme le glas de sa conscience.

– Elle va s'en remettre ?

– Physiquement, il faut voir s'il n'y aura pas besoin de chirurgie réparatrice...

– C'est à ce point-là ?

– Oui.

La jeune femme serra les poings.

– Mais psychologiquement..., ajouta-t-il. Je ne sais pas. On a une psy sur place, elle ne sera pas toute seule quand elle va se réveiller.

– Je peux aller la voir ?

– Si vous voulez… c'est vous la flic, pas moi.

Ludivine se posta à son chevet. Même dans son sommeil le petit visage rond de la gamine arborait un air grave. Elle lui passa la main dans les cheveux, et aussitôt la fillette s'agita. La gendarme ôta sa main tout de suite. Elle resta là, à la regarder pendant une heure, puis sa fonction reprit le pas sur son instinct et elle réalisa qu'elle devait agir.

Elle prit une photo du petit minois avec son portable et l'expédia à Magali pour la comparer avec les photos du fichier des enfants disparus.

La fillette se réveilla en début d'après-midi et fut aussitôt prise en charge par une cellule psychologique.

Ludivine s'installa dans une salle d'attente et multiplia les coups de fil à Segnon et Magali pour se tenir au courant des dernières informations, mais il ne se passait rien. Brussin n'avait pas montré le bout de son nez et Montisson n'était pas très coopératif.

Puis la nouvelle tomba à 17 heures.

Elle s'appelait Mathilde Lompard.

Il avait été difficile de l'identifier tant ses traits s'étaient altérés.

Portée disparue depuis presque trois ans.

Le cœur de Ludivine s'enfonça tout au fond de sa poitrine.

Cette gamine revenait de l'enfer. Trois années à vivre parmi des monstres. Probablement esclave de Ferri avant de devenir le jouet de Montisson. Elle avait tout vu. Tout subi.

La psychologue interpella la gendarme.

– Vous pouvez venir ?

– Elle parle ?

– Non. Et je crois qu'elle ne le fera pas. Elle ne dessine même pas.

La psy semblait troublée.

– Vous lui avez posé des questions sur ce qu'elle avait vécu ?

– Non, c'est beaucoup trop tôt. Vous l'avez peut-être vu, nous l'avons placée dans une chambre pour enfant. Elle a voulu prendre une des poupées, alors je la lui ai apportée. Puis elle en a demandé une autre en faisant des gestes. Et encore une autre.

– Et vous les lui avez données ?

– Bien sûr. Au début j'ai pensé qu'elle avait besoin de s'entourer, de se rassurer, mais elle m'a fait comprendre qu'elle voulait me montrer quelque chose. Certains enfants lorsqu'ils subissent des traumatismes comme celui-ci veulent tout de suite s'exprimer. Parler est souvent trop difficile, alors ils dessinent, mais certains préfèrent mimer.

Ludivine s'attendait au pire.

– Elle voulait deux poupées, une fille et un garçon ?

– Non, elle en voulait autant que j'ai pu lui en trouver. Je me suis arrêtée à quatorze, après avoir vidé toutes les chambres et les placards du service.

– Et ?

– Eh bien… je crois qu'elle communique. À sa manière.

La psychologue poussa la porte du sas et entraîna Ludivine vers la fenêtre qui donnait sur la chambre de Mathilde.

Les quatorze poupées étaient alignées sur le lit.

Toutes décapitées.

54.

Des buveurs d'innocence.

Voilà ce qu'étaient Dieter Ferri, Gert Brussin et leur bande.

L'innocence était l'unique sanctuaire du développement de l'équilibre chez un être humain. La matrice d'une psyché sereine. Et ces hommes se plaisaient à la corrompre, à l'anéantir. De toutes les manières, aussi souvent que possible.

Pour rendre le monde à leur image. Pour engendrer plus de traumatisés. D'hommes et de femmes qui leur ressembleraient, construits sur des déviances, sur des perversions, au point de ne pouvoir s'épanouir qu'à travers ces vices extrêmes.

Les buveurs d'innocence voulaient transmettre leur maladie au monde. Ne plus être seuls, pestiférés, réprimés par les lois, montrés du doigt comme des dégénérés. Ils *étaient* ainsi, à jamais, et exigeaient le droit d'exister ainsi.

Et cette revendication passait par la force, par le nombre.

Rassembler au maximum d'un côté, peu à peu, et corrompre de l'autre, éduquer selon *leurs* critères.

Pour que leur minorité ne puisse plus être ignorée.

Pour conquérir la planète.

Ludivine en était malade.

Elle n'arrivait pas à toucher à son sandwich qu'elle repoussa sur la table. Elle était obsédée par ce que Mathilde avait subi, ce qu'elle était devenue.

Elle est récupérable ! voulait croire la gendarme. *Avec beaucoup d'amour, sa famille autour d'elle, elle se soignera, elle cicatrisera, et elle deviendra une femme formidable !*

Parce qu'elle était encore petite, peut-être. Parce qu'elle allait être bien entourée. Ses parents étaient en route depuis Avignon, ils n'allaient plus tarder.

Ludivine attrapa son portable et appela Segnon. Elle tomba sur la messagerie, il devait être en communication avec Paris ou en plein interrogatoire avec Montisson. Elle composa le numéro de Magali et, là aussi, entendit la boîte vocale.

Elle ne tenait plus. Elle avait besoin d'action, de se sentir utile. Rester ici à attendre devenait insupportable, elle ne faisait que penser, se souvenir, et tout ce qui se succédait dans son esprit était morbide, triste et désespérant.

Verneuil-en-Halatte.

Tout de même, Brussin les avait bien baisés. Où était-il à présent que Mags et Cappucin étaient tombés ? Il n'avait plus de planque, plus de sbires à sa solde.

Sauf s'il en a déjà recruté d'autres.

Était-il en route pour l'Espagne, pour rencontrer sa recrue chasseuse ?

Soudain une idée vint à Ludivine. Elle fut prise d'un terrible doute et appela Aprikan.

– Mon colonel, le hameau est placé sous scellés ?

– Oui.

– Est-ce qu'il est surveillé ? Brussin pourrait être sur la route pour y retourner, après tout c'est son quartier général et…

– Ne vous inquiétez pas, des gendarmes sont sur place en permanence.

– Il faut qu'ils se cachent, si Brussin passe devant et remarque leur présence il filera avant qu'on…

– Vancker, je connais mon métier, tout est sous contrôle, allez donc vous reposer, vous ne devriez même pas être là.

– Vous n'avez rien trouvé d'autre sur place ?

– La chambre de Brussin était pleine de bouquins sur la propagation des idéaux, et sur les langues anciennes.

– C'est là qu'il a trouvé le symbole **e*. Pas d'autre cellule cachée ? D'autre prisonnier ? Ni d'information sur l'identité du tueur en Espagne où...

– Vancker, foutez-nous la paix, vous êtes usante à force.

Il raccrocha.

Ludivine porta un ongle à sa bouche et se mit à le ronger nerveusement avant de se reprendre.

Pourquoi Brussin n'était-il pas à son appartement ?

Il s'agissait d'un achat, probablement financé par toute la communauté, Ludivine en était convaincue, pour servir de pied-à-terre quand ils devaient se rapprocher de Paris pour l'une ou l'autre de leurs sinistres besognes.

Brussin n'avait aucune raison de s'enfuir à ce stade, la nouvelle de la mort de Cappucin n'avait pas encore filtré, Aprikan était parvenu à taire son identité, et un black-out total sur l'adresse ou la photo du pavillon était imposé. Brussin était certainement méfiant, mais il ne pouvait savoir à quel point l'étau de la justice se resserrait sur lui.

Alors où était-il ?

Il n'y a aucune raison qu'il soit à l'hôtel. S'il n'est pas chez lui, il est soit sur la route, soit chez quelqu'un qu'il connaît, en qui il a confiance.

Une lumière s'alluma dans les tréfonds du système de déduction de Ludivine. À peine une veilleuse, plutôt une ampoule rouge, une alerte.

Elle sentait qu'il y avait quelque chose par là, un point essentiel que son cerveau d'enquêtrice détectait sans parvenir à l'identifier clairement, une analyse à opérer là où elle ne faisait que le survoler.

Le pavillon de Cappucin.

Il n'était pas le propriétaire ! comprit-elle brusquement. *C'était Lotte Andréa !*

Brussin avait expédié son rejeton chez une de ses anciennes camarades, il avait dû l'approcher lui-même, s'assurer qu'elle était seule, éloignée de sa famille, avant d'y installer le garçon. Le corps de la vieille femme était probablement enterré quelque part, dans une forêt.

Brussin n'a pas oublié ses anciens frères et sœurs des « enfants parfaits ».

Avait-il estimé qu'ils se devaient soutien et assistance ?

Ludivine appela Magali sans plus de succès et insista cette fois auprès de son collègue, Benjamin.

– Il faut faire surveiller les domiciles de trois personnes supplémentaires, dit-elle d'emblée. Egon Turrin, Klaas Boccellini, et un certain Rognier dans le Sud, dont je n'ai plus le nom complet. Les deux premiers pourront te le fournir.

– Attends, je ne te suis pas là…

– Je t'expliquerai plus tard, pour l'instant envoie immédiatement une voiture chez eux, et que nos gars y restent ! J'ai des raisons de croire que Gert Brussin pourrait vouloir leur rendre visite, voire s'installer chez eux pour brouiller les pistes.

– Je m'en occupe.

Ludivine avait exclu Karoline Fitch-Gendrier de sa liste. La vieille femme vivait entourée en permanence, pas assez discret et pratique. Quant au dernier, Locard, il vivait au Canada, la distance le mettait à l'abri pour un moment au moins.

Ludivine prit une canette de soda au distributeur et en but la moitié d'une traite en se rendant compte qu'elle était aussi assoiffée que nerveuse.

Des voix rapides, émues, parvinrent du couloir.

La famille de Mathilde arrivait.

La gendarme n'avait pas le courage d'aller à leur rencontre. Pas maintenant. Elle ne se sentait pas de leur annoncer ce que la gamine avait subi pendant près de trois ans. Ils étaient tout à l'émotion des retrouvailles, elle ne voulait pas gâcher ça.

Son portable vibrait. C'était Magali.

– Mauvaise nouvelle, dit-elle, je viens d'en avoir la confirmation auprès de la Police de l'air et des frontières et de la compagnie aérienne : Gert Brussin a quitté le territoire ce matin même.

– Merde. Pour où ?

– Un billet pour Montréal.

– Il atterrit dans combien de temps ? Tu as prévenu du monde sur place ?

– Son avion s'est posé il y a deux heures, Brussin a passé les contrôles dans la foulée. Il est dans la nature. Et à cette heure, je n'arrive à joindre personne en urgence à la compagnie pour savoir si c'est un billet simple ou une escale, ni s'il y a un retour de programmé.

– Il ne va pas rentrer, comprit Ludivine.

– Comment tu le sais ?

– Il est parti rejoindre l'un de ses anciens camarades. Il a fui la France pour trouver refuge chez un de ceux qui vivaient avec lui et Ferri il y a trente ans : Markus Locard.

– Je m'occupe tout de suite de localiser ton Locard. Je vais contacter la Gendarmerie royale du Canada sur place, c'est eux qui sont reliés à Interpol. Aprikan attend de savoir ce qu'on trouve pour prévenir les flics là-bas.

Ludivine s'était attendue à tout, sauf à ça.

Elle pensait Locard brouillé à mort avec ses anciens compagnons. Il avait quitté la communauté dès les premiers signes inquiétants.

Quelqu'un pleurait dans le couloir. Des sanglots étouffés entre des mains ou contre une épaule.

Il fallait intercepter Brussin. Ludivine était folle de rage. Elle espérait par-dessus tout que la procédure d'extradition avec le Canada n'était pas fastidieuse et qu'elle ne se politiserait pas, car elle voulait voir ce salaud rentrer au pays pour y être jugé. Pour affronter son regard et lui faire baisser les yeux.

La gendarme attendit encore plus d'une heure et demie avant que Magali ne la rappelle.

– Ça se complique. Locard vit dans un bled paumé tout au nord du Québec. Le genre de coin difficile d'accès à cause de la neige, reculé du monde, une ville de bûcherons. Les autorités sur place vont affréter un convoi avec des véhicules adéquats, ils pensent que même pour Brussin, ce ne sera pas simple de monter jusque là-haut.

– Aprikan est en liaison avec eux ?

– Il rentre à Paris cette nuit, décollage demain matin à l'aube. Il veut être sur place, il a déjà eu le juge d'instruction, il l'a appelé lui-même ! Tout est en passe d'être réglé juridiquement parlant.

– Segnon y va ?

– Oui. Aprikan embarque même Mikelis pour être sûr, pour qu'il les briefe afin de préparer l'interrogatoire.

Ludivine n'eut pas le temps de s'indigner que quelqu'un jura dans le dos de Magali et se précipita sur le combiné. Benjamin mit l'appareil en mode haut-parleur :

– On a un nouveau problème, dit-il avec un débit rapide. Tu avais vu juste, Ludivine, pour les anciens camarades de Gert Brussin. Boccellini n'a rien, il est chez lui, mais on vient de retrouver Egon Turrin à son domicile, égorgé.

Ludivine ferma les yeux.

– Probablement tué la nuit dernière, compléta Ben.

– Il règle ses comptes, devina-t-elle. Boccellini n'est jamais allé à Pestilence, alors que Turrin, si, et il avait quitté le navire. Brussin n'est pas parti au Québec pour convaincre Locard, mais pour le tuer. Il fait le ménage.

– Pour quoi faire ? questionna Magali.

– Il a pété les plombs. Je pense que Ferri le tenait, mais avec la mort de ce dernier, Brussin est parti dans sa croisade démente, d'où sa volonté de recruter massivement et dans le même temps de détruire les « impurs ». Il veut maintenant éliminer ceux qui ne sont pas dignes, ceux qui ont déserté. Je crois que s'il avait eu le temps, il aurait aussi supprimé Boccellini et tous les autres « enfants parfaits » qui ne sont pas solidaires de son projet. Là, il va à l'essentiel.

– Ça ne va pas être simple pour lui, expliqua Magali. Les autorités locales nous ont expliqué qu'apparemment Markus Locard vit entouré de sa famille. Brussin ne pourra pas l'approcher si facilement.

– Je ne suis pas sûre que ça freine sa détermination. Au point où il en est, je crois sincèrement qu'il n'hésitera pas une seconde à tuer toute la famille s'il le faut. Et même qu'il est capable de s'en prendre à tout le village.

– C'est un bonhomme de soixante-huit piges, ne l'oublie pas, c'est pas non plus le diable.

– Brussin a lentement planifié ses coups d'éclat, il est minutieux, organisé et intelligent. Il n'y a qu'à voir ce qu'il a fait de Cappucin. Mag ?

– Oui.

– Réserve un billet à mon nom aussi.

– Lulu, je sais pas si…

– Je pars à Montréal avec les autres. Je veux y être.

Elle ne pouvait rester là à attendre sans devenir folle. Elle devait accompagner les autres. Car elle sentait Brussin mieux que quiconque. Il ne s'était pas embarqué pour le fin fond du Québec sur un coup de tête. Ce n'était pas son genre.

Ludivine en était à présent convaincue, il avait plus qu'une idée.

Il avait un plan.

55.

Tout le monde dormait dans la cabine.

La lumière avait été baissée et chacun s'était emmitouflé dans sa couverture pour se protéger de la climatisation.

Ludivine n'avait jamais compris pourquoi il faisait toujours aussi froid en avion.

Aprikan et Segnon avaient les yeux fermés, et la bouche entrouverte du colonel ne laissait aucun doute sur son état. Même lui était habillé en civil à présent. Ils n'avaient plus que leur carte pour justifier de leur fonction, pas d'uniforme, pas d'arme, pas de menottes, plus rien d'autre qu'un document officiel.

Étrangement Aprikan n'avait pas hurlé en voyant Ludivine se joindre à eux, il n'avait même pas essayé de la dissuader, comme s'il l'avait su, comme s'il l'attendait. Il s'était contenté de l'ignorer.

Mikelis n'était pas à son siège.

La jeune femme se retourna et l'aperçut au fond de l'appareil, debout près de la sortie arrière. Elle défit sa ceinture et le rejoignit.

– Incapable de relâcher la pression ? demanda-t-elle en essayant de se montrer amicale.

– Je dors mal en avion.

– Peur ?

– Non, juste pas confortable. À mon âge, on a ses habitudes pour dormir.

– Vous parlez comme un vieux que vous n'êtes pas, répondit Ludivine en souriant.

– Toute cette histoire vous hante, pas vrai ? Elle vous obsède.

La gendarme haussa les épaules.

– C'est normal, non ?

Mikelis demeura silencieux, la transperçant de ses yeux gris.

– C'est l'enquête d'une vie, se justifia-t-elle. Alexis est mort, je crois que j'ai toutes les raisons d'être obsédée.

La bouche du criminologue remonta sensiblement en même temps que son menton comme s'il n'était pas pleinement convaincu.

– La violence est un trou noir, elle aspire tout sur son passage, tout. Faites attention à vous, c'est tout ce que je veux dire.

– C'est pour ça que vous avez pris votre retraite ?

– Quand vous passez vos journées à tenter de vous mettre à la place de criminels, surtout quand ce sont les pires, vous finissez par réussir à penser comme eux. Parce que vous vous êtes approprié leur mode de vision, leur vécu, et leurs fantasmes. Vous vous renfermez peu à peu, vous devenez habité par ça. Votre propre personnalité en est ébranlée, ça touche à ce qu'il y a de plus intime en vous, même vos relations sexuelles ne sont plus les mêmes, elles deviennent plus sauvages. Vous vous éloignez des autres, que vous le vouliez ou non, tout est plus noir, vous devenez plus agressif.

Ludivine voulut lui répondre qu'elle n'en était pas arrivée à ce point quand elle fut prise d'une crise de lucidité. Avec un tout petit peu de recul, elle devait bien s'avouer que les symptômes décrits par le criminologue ne lui étaient pas tout à fait étrangers. Irritable, renfermée, à ne voir qu'à travers les actes de ces tueurs...

– Peut-être..., concéda-t-elle.

– C'est inévitable, croyez-moi. Personnellement, j'ai choisi de retourner vers ma famille avant de les perdre. Je suis passé à un rien de les voir s'éloigner, j'ai su réagir à temps.

– Alors pourquoi être revenu ? Pourquoi maintenant, sur cette enquête en particulier ?

Mikelis contempla un instant toutes les têtes endormies devant eux. Le bruit des réacteurs emplissait tout l'habitacle et berçait les passagers.

– À cause de la conjuration primitive.

– Pardon ?

– À force de traquer les tueurs en série et les pires pervers, j'ai fini par me faire une idée très précise de ce qu'ils étaient, de leur fonctionnement. Ce sont des machines vous savez. Ils n'éprouvent aucune empathie, aucune émotion, et pourtant ils ont tous les avantages de l'être humain, ce formidable animal évolué qui domine la planète. Avec leur absence totale de pitié, de sentiment, j'ai souvent considéré qu'ils étaient, à leur manière, le véritable sommet de la chaîne alimentaire. Imaginez donc si demain ces êtres décidaient de ne plus s'en prendre à l'individu, mais au système. Si peu à peu tous les pervers et les tueurs de masse, ou en série, se mettaient à frapper globalement. Plus seulement pour assouvir leurs fantasmes, mais aussi dans un but de domination totale.

– Mais vous savez mieux que moi que c'est impossible de cette manière, le tueur obéit à son fantasme, il ne peut décider de l'orienter vers quelque chose de précis. Et certainement pas plusieurs tueurs en même temps, avec le même fantasme !

– Je vous parle justement d'une sorte d'altération du comportement chez ces criminels, qui les pousserait vers une barbarie massive, à grande échelle. Pas une envie concertée, plutôt l'apparition d'un désir individuel mais qui serait le même pour la plupart d'entre eux ! À l'heure d'une société industrielle, des tueurs qui industrialiseraient l'assassinat. Non plus un crime de temps en temps, mais tout le temps, des psychopathes qui injecteraient des produits toxiques dans les aliments des supermarchés, qui fomenteraient les empoisonnements des réserves d'eau potable des villes, qui poseraient des bombes dans les écoles, dans les cinémas, dans les bus, juste pour tuer massivement. Et qui assassineraient des hommes et des femmes comme tous les tueurs en série que nous connaissons, mais sur un rythme effréné.

– Une synchronicité des pulsions meurtrières ?

– Exactement. Une forme de mutation sociale et intellectuelle, qui viendrait se greffer aux déviances, sur des personnes psychologiquement fragiles, déjà vulnérables.

– Une sorte de virus de la violence ?

– En quelque sorte.

– C'est impossible, la violence n'est pas une maladie biologique enfin !

– Pas un virus au sens médical, plutôt un virus mental transmis par nos propres gènes, et activé par la répétition de nos actions agressives de génération en génération. Il serait déjà en nous, depuis l'origine, prêt à être activé. Après tout, les maladies quelles qu'elles soient sont bien nées un jour, il y a longtemps, et elles ont traversé les temps, dissimulées dans des organismes, latentes, en veille, pour soudain exploser ! Regardez le sida, il a fallu combien de milliers d'années d'évolution humaine pour qu'il surgisse ? Il n'est pas tombé du ciel à la fin du XXe siècle ! Il était là, tapi quelque part, à attendre son heure, à attendre les facteurs propices à son déclenchement.

– Alors pour vous il y aurait une sorte de virus de la violence extrême, prêt à apparaître, c'est ça ?

– C'est ça la conjuration primitive. C'est dans notre code génétique. Depuis le début de l'humanité. Tous les experts ne sont pas d'accord, mais il y a eu des recherches à ce sujet[1]. Notre propension à être violents et à nous adapter grâce à la violence pour survivre à tout, pour nous hisser très rapidement au sommet de la chaîne alimentaire, témoigne d'une anomalie comportementale forte. D'où notre capacité innée à être violents. C'est ce qui pousse les enfants dès leur premier âge à jouer à se faire la guerre, alors qu'ils sont si petits. C'est atavique. C'est là notre moteur, notre énergie principale, qui nous a conduits à conquérir tout l'espace qui s'offrait à notre espèce et à asservir toutes les autres. Nous nous propageons sans

1. Voir *La Théorie Gaïa*, Albin Michel, 2008.

contrôle, sans limite, au péril même de nos ressources, et s'il le faut, nous nous ferons nous-mêmes la guerre pour survivre sur le territoire le plus fertile quitte à nous massacrer par millions.

– Vous êtes pire que moi…

– Je dis juste que c'est là, en nous, et qu'il ne faut pas le nier. Le monde va de plus en plus vite, nous voulons tout de plus en plus massivement, nous globalisons, nous industrialisons, nous mondialisons… L'heure serait propice à l'apparition de cette violence de masse. Elle pousse de génération en génération depuis plus d'un siècle. Elle gronde en nous. Elle tire si fort qu'elle a déjà eu des incidences dramatiques. Elle nous a conduits à deux guerres mondiales sans précédent, aux camps d'extermination, et si vous regardez bien les trente dernières années, jamais le monde n'a connu autant de conflits en même temps ! Jamais !

Ludivine recula d'un pas. Mikelis parlait avec une telle fougue qu'il en devenait presque effrayant.

Plusieurs personnes des derniers rangs se retournèrent, le regard mauvais.

Le criminologue s'en rendit compte et baissa d'un ton pour poursuivre :

– Cette violence massive a poussé pour s'exprimer à travers nos grands-parents et nos parents. Maintenant, elle commence à infecter aussi directement les organismes, les esprits fragiles et réceptifs dont je vous parlais tout à l'heure. Elle agit directement sur l'individu. C'est pour ça qu'il y a de plus en plus de tueurs en série, de tueries de masse, ou d'actes de folie criminelle. Et comme par hasard, cela s'exprime dans les pays les plus industrialisés, ceux qui ont inculqué à leurs citoyens un esprit de consommation outrancier, ceux qui ont favorisé la résurgence de notre instinct de conquête et de satisfaction permanente, là où il nous en faut toujours plus.

– Et vous croyez que Brussin et les siens incarnent ce phénomène ?

– C'est ce que j'ai voulu savoir. Quand j'ai vu qu'un simple adolescent pouvait pousser des inconnus sous un train après avoir tagué le symbole utilisé par des tueurs en série et des pédophiles, alors j'ai craint que ma théorie soit devenue concrète.

– Et maintenant ? Vous êtes rassuré de constater que c'est l'œuvre d'un taré sur des esprits faibles ?

Mikelis la fixa comme si elle ne comprenait pas.

– C'est le prolongement de l'Histoire, Ludivine. Ce qu'ils font, c'est la conséquence des expérimentations nazies, c'est le fruit de la destruction psychologique sur des enfants, qui sont ainsi devenus le terreau parfait pour que la violence y pousse. Individuellement, ils étaient une menace pour nos familles. Mais collectivement, ils sont devenus une menace pour tout notre système. Dieter Ferri a fait pire que ce que je pouvais imaginer. Il est parvenu à mettre de l'intention dans un réflexe primal. Ce qui n'était qu'une forme de complot biologique contre notre propre espèce, pour la brider dans son expansion à terme, pour l'empêcher de dominer à jamais le monde, telle une sécurité naturelle, Dieter Ferri l'a transformé en une motivation intellectuelle, et il a voulu en faire une doctrine. La porter à nu. Embrasser l'autodestruction de l'espèce humaine.

Une turbulence secoua brusquement l'avion et Ludivine se cramponna au criminologue. Le signal indiquant aux passagers d'attacher leur ceinture s'alluma en même temps qu'un bip résonnait dans tout l'appareil.

Mikelis l'aida à se rétablir. Ses iris brillaient toujours avec la même intensité troublante.

– Je suis revenu pour m'assurer que j'avais tort, pour pouvoir regarder mes enfants grandir avec plus de sérénité, et j'ai finalement découvert des hommes qui veulent faire de la conjuration primitive une nouvelle forme de religion.

Ludivine le lâcha.

– C'est pire que ce que j'avais craint, conclut-il.

Une nouvelle turbulence agita tout l'appareil et cette fois Ludivine ne put compter sur la main de quiconque pour ne pas tomber.

56.

Les liaisons avec Interpol passaient par le biais de la Gendarmerie royale du Canada, mais à Montréal, ce furent deux hommes de la Sûreté du Québec qui prirent en charge les enquêteurs français. L'inspecteur-chef Malvoie et le sergent Coutant.

Malvoie était un bel homme d'une quarantaine d'années, un petit air de Kevin Costner dans un costume avec cravate anthracite, alors que Coutant était en uniforme kaki, un peu plus jeune et arborant une large moustache.

Avec le décalage horaire, il était à peine midi et les policiers canadiens proposèrent de faire un point dans une cafétéria de l'aéroport en attendant leur prochain vol.

– Nous allons prendre un avion jusqu'à Radisson qui est tout au nord, expliqua Malvoie avec son accent chantant. De là, j'ai organisé notre déplacement dans des gros pick-up pour circuler dans la neige. Même si on se prend la poudrerie, ça devrait pas être un problème pour atteindre le village de M. Locard.

– C'est si éloigné que ça ? demanda Aprikan.

– Ah oui, à ma connaissance plus reculé c'est les Inuit, personne d'autre !

– On peut espérer y être à quelle heure ? s'enquit Ludivine.

– On atterrit à Radisson vers 17 heures, il faut compter au moins trois heures de voiture ensuite.

– Et nous avons vingt-quatre heures de retard sur Gert Brussin, soupira Ludivine.

– Faut pas vous imaginer que c'est facile pour lui, mademoiselle, fit le sergent Coutant. Il n'y a pas des vols tous les jours pour Radisson et nous avons vérifié qu'il n'est pas enregistré à bord de celui que nous prendrons. Ça signifie qu'il a fait tout le trajet en voiture depuis Montréal ! Plus de mille kilomètres ! Dont au moins deux cents dans la neige !

– La neige est déjà tombée à cette période de l'année ? demanda Segnon.

– C'est le pire automne que nous ayons eu depuis des années ! Déjà trois blizzards ! Et nous ne sommes même pas fin octobre ! Jamais vu ça !

– Les routes ne sont pas bloquées tout au nord ? demanda Ludivine.

– Non, si les véhicules sont bien équipés, ça roule, il ne faut pas être pressé, c'est tout. Avec de la chance, nous arriverons peu après votre suspect.

Les deux flics québécois prenaient soin de s'exprimer en utilisant peu d'expressions typiques. Ils avaient l'habitude de travailler avec des « maudits Français » qui n'y comprenaient rien.

L'inspecteur-chef Malvoie hésitait, pas à son aise avec ce qu'il avait à dire :

– Cela m'ennuie d'avoir à vous demander ça, mais... il est entendu que vous n'êtes pas armés, et que vous ne pourrez procéder à l'arrestation vous-mêmes, n'est-ce pas ?

Aprikan hocha vivement la tête.

– C'est évident. Nous vous suivons.

– Je suis désolé, il fallait que ce soit clair.

– Vous ne serez que deux pour interpeller Brussin ? s'étonna Ludivine.

– Nous prenons deux autres de mes hommes avec nous, rassurez-vous, en plus des deux policiers sur place qui nous serviront de chauffeurs.

Rassurée, la jeune femme ne l'était pas vraiment. Six hommes armés étaient bien plus qu'il n'en fallait pour arrêter Gert Brussin, soixante-huit ans, seul, et théoriquement pas armé à cause du voyage en avion, mais elle n'était plus sûre de rien. Brussin n'était pas venu jusqu'ici pour éliminer Locard sans un bon plan. L'attirer à l'écart de sa famille serait le plus simple, elle y avait songé pendant tout le vol. Il suffirait au tueur de téléphoner et de mentionner le nom de Pestilence, Ferri ou même le sien, et Locard rappliquerait, curieux et inquiet que sa famille soit mise au courant de son passé sulfureux. Restait la méthode pour le tuer. Connaissant Brussin, il faudrait que ce soit à la fois efficace et spectaculaire.

Un couteau de boucher ferait l'affaire, avait songé Ludivine. Comme pour Egon Turrin.

Le reste du voyage fut presque aussi interminable que pour traverser l'Atlantique. Un vol chaotique vers le Grand Nord québécois, un atterrissage au milieu de la neige, dans la nuit, puis le froid, mordant, doublé d'un vent glacial qui soulevait des flocons comme des nuées d'insectes.

Deux véhicules tout-terrain de la Sûreté du Québec les récupérèrent au pied de la tour de contrôle, des pick-up immenses avec deux rangées de portières avant le plateau de transport.

Aprikan monta dans le premier véhicule en compagnie de Malvoie, laissant Segnon, Mikelis et Ludivine dans le second, avec Coutant et le chauffeur.

– Les autorités locales sont prévenues de notre arrivée ? interrogea la jeune femme.

Coutant ricana.

– Non, car il n'y a pas d'autorité locale, miss. Je crois que vous ne réalisez pas bien où nous allons : c'est tout petit là-haut. C'est l'un de ces territoires reculés, une ancienne base de départ pour les chercheurs d'or, de cuivre et de zinc. Aujourd'hui, il n'y a plus beaucoup d'habitants à l'année !

– Ils sont combien ?

– Moins de deux cents âmes je pense. Il ne sera pas très difficile d'y localiser votre gars.

– Il n'y a qu'un seul hôtel, j'imagine.

Le sergent émit un nouveau rire sec.

– Il n'y en a pas un seul en fait. Nous nous organiserons sur place avec la municipalité pour cette nuit, ne vous en faites pas.

– Si on arrête Brussin dès ce soir, ça veut donc dire qu'il n'y a pas de cellule pour le détenir ?

– En effet. Il faudra le surveiller. Nous trouverons une pièce qui ferme, ne vous inquiétez pas.

Ludivine croisa les bras sur sa poitrine. Elle n'aimait pas du tout la tournure que prenait cette expédition.

À peine les pick-up eurent-ils quitté l'aéroport pour s'enfoncer dans la nuit noire que la neige se mit à tomber. Mollement, de gros flocons, mais sans discontinuer.

Il n'y avait aucun lampadaire, rien que les phares pour tailler une rigole de lumière dans les ténèbres. La route avait été salée et déblayée par les chasse-neige récemment et, pourtant, déjà un mince tapis blanc commençait à la recouvrir. D'ici une heure, Ludivine se demandait comment le conducteur pourrait se repérer.

La route est droite, se rassura-t-elle.

Une longue tranchée continue à travers de gigantesques épinettes s'ouvrait devant eux. Dans l'obscurité, les branches des sapins pendaient comme des silhouettes en guenilles, mendiant sur le bord de la route, les mains décharnées tendues vers ces voitures qui les faisaient s'agiter sur leur passage.

Ludivine voyait sur le tableau de bord la température baisser tous les quarts d'heure. Cela semblait ne pas devoir s'arrêter.

Les essuie-glaces balayaient le pare-brise de la voiture avec la régularité d'un métronome, envoûtants, et peu à peu, bercée par ce spectacle aussi fascinant qu'effrayant, la jeune femme finit par s'endormir.

Elle se réveilla en sursaut lorsque le sergent Coutant les informa qu'ils arrivaient à Val-Segond, le village oublié.

En contrebas de la route, plusieurs petits immeubles de deux étages reliés par des passerelles couvertes rouges annonçaient le retour de la civilisation. Plus loin s'étendait une enfilade de maisons semblables à de gros préfabriqués, communiquant elles aussi entre elles et avec le reste du village par un tunnel rouge qui courait d'une traite sur l'arrière des bâtiments. Chaque construction était desservie par le même type de bras coloré. Ainsi, toute la population pouvait circuler sans avoir à s'exposer à l'extérieur en cas de blizzard intense.

La neige tombait toujours, invisible dans l'obscurité, et n'apparaissant que dans le flux blanc des projecteurs qui dominaient chaque immeuble. Tourbillonnante, elle recouvrait le monde en silence, prête à l'étouffer pendant son sommeil, dressant peu à peu ses congères comme autant de tentacules grimpant vers les fenêtres.

– C'est beaucoup plus grand que ce à quoi je m'attendais, avoua Ludivine en découvrant toutes les lampes blanches qui clignotaient dans la tempête.

Il y en avait énormément. Plusieurs rues, plusieurs blocs d'immeubles, plusieurs rangées de maisons en préfabriqué.

– Vous êtes sûr qu'ils sont deux cents ? demanda Segnon.

– La moitié de Val-Segond est vide, expliqua le chauffeur, c'était même une ville fantôme autrefois. Au moins ils ne manquent pas de place !

– Qui vit là ? C'est un vrai cauchemar...

– Des bûcherons et leurs familles, quelques exploitants de la dernière mine de zinc du secteur qui a été rouverte au début des années 90. C'est ce qui a permis de sauver le village qui était en train de mourir, ça l'a repeuplé, et voilà. Il y a pas mal de villes fantômes de ce genre dans le nord du pays.

– Je comprends que tout le monde se barre.

– C'est à découvrir en été. Quand il fait beau, c'est magnifique, faut pas croire.

Markus Locard avait fui son passé le plus loin possible. Au point de tout sacrifier pour ne plus risquer de revoir un jour Dieter Ferri et ses camarades, pour ne plus entendre parler des « enfants parfaits ». Il ne s'agissait pas tant d'oublier, réalisa Ludivine, que de fuir, loin, pour se protéger.

Elle se demanda soudain si Markus Locard ne savait pas quelque chose qui l'avait fait s'enfermer au bout du monde. Un secret tel que s'il voulait préserver sa vie, il devait quitter la civilisation, renoncer à une existence normale.

Un secret qu'Egon Turrin ne connaissait pas puisqu'il n'avait pas cherché à se mettre à l'abri de la sorte, mais s'il était mort c'est qu'il pouvait conduire à le découvrir. Était-ce quelque chose qu'il avait confié à Ludivine sans qu'elle s'en rende compte ? La jeune femme ne se souvenait de rien en particulier. Des noms, une histoire, mais pas de quoi faire trembler Brussin, lui qui était prêt à proclamer haut et fort le droit à la perversion comme une différence respectable ! Ce qui s'était déroulé à Pestilence ne le dérangeait pas, au contraire, il voulait faire connaître sa cause, que *e se répande partout.

Gert Brussin était ici pour effacer quelque chose. Pour détruire le passé.

Quel genre d'information pouvait faire peur à un homme comme lui ? Lui, le dresseur de tueurs ?

Quelle obscure connaissance détenait Markus Locard ?

Ludivine se mit à prier pour qu'ils arrivent avant Brussin. Que Locard soit encore vivant.

Le premier pick-up roula sous les façades usées par les intempéries. La jeune femme remarqua que peu de fenêtres étaient illuminées, chaque famille avait autant d'espace qu'elle pouvait en espérer. Le tout-terrain s'immobilisa au carrefour central de Val-Segond, devant une marquise éclairée et deux grosses portes. Ludivine et Segnon imitèrent le sergent Coutant qui sortit pour rejoindre les collègues du véhicule précédent.

Le froid la saisit immédiatement, à l'image d'une main énorme qui se refermait sur elle. Segnon n'avait pas l'air mieux.

Un claquement sinistre résonna dans la nuit et les deux gendarmes sursautèrent.

– Ne vous inquiétez pas, dit le chauffeur, c'est le gel qui fait exploser les arbres.

La jeune femme guetta l'horizon et remarqua, dans le faisceau des projecteurs, l'orée de la forêt qui entourait tout le village.

Les sapins étaient pour la plupart décapités.

Alors, pour la première fois, Ludivine se demanda ce qu'elle faisait là.

57.

Le hall d'entrée ressemblait à celui d'une station de ski désertée des années 80. De grands espaces aux couleurs criardes, des escaliers et des couloirs interminables avec des portes partout, sans âme.

L'homme qui les accueillit, un grand roux barbu dans une chemise à carreaux, caché sous une casquette de baseball, parut très surpris. Il les conduisit vers une passerelle pour rejoindre un immeuble un peu plus loin, où se trouvait une partie des responsables du village.

Ils marchaient à onze, et pourtant Ludivine avait le sentiment qu'ils étaient minuscules dans ce complexe froid, perdus dans ces corridors de tôle rouge. C'était comme de traverser une vaste cité HLM en partie abandonnée. Le vent sifflait dans les interstices, et les ampoules grésillaient au milieu de ce labyrinthe disposé sur plusieurs niveaux.

Une porte s'ouvrit devant eux et un homme apparut tenant un enfant à chaque main.

Il y avait aussi des enfants ici, réalisa Ludivine. Une école, probablement une petite clinique, des hangars de nourriture, de quoi survivre isolé pendant l'hiver.

Elle comprit qu'il devait y avoir des périodes entières durant lesquelles Val-Segond était totalement coupé du reste du monde, et elle se mit à prier pour que la neige qui tombait dehors ne soit pas le début d'un de ces moments. Rester coincée avec Gert Brussin ici même l'angoissait profondément. Même s'il était prisonnier et enfermé dans une remise pendant toute la durée du blizzard.

Ils grimpèrent quelques marches et, après deux coudes, pénétrèrent dans un réfectoire où une télévision diffusait un bulletin météo qui n'annonçait rien de bon sur le secteur.

Des vieux canapés fatigués occupaient le centre de la pièce et des tracts imprimés à la photocopieuse décoraient une partie des murs.

– Je vais chercher un responsable, dit le grand roux avant de s'éclipser.

Ludivine s'approcha des affichettes. Apparemment Val-Segond avait sa propre station radio, et chaque famille pouvait venir ici signer de son nom des référendums ou des pétitions exigeant la réparation de tel ou tel équipement collectif, l'installation d'une nouvelle antenne satellite, la création d'un minigolf à la sortie du village...

Dans le couloir la gendarme perçut des voix de femmes discutant au loin, puis un éclat de rire qui s'éloigna.

Après cinq minutes un homme aux cheveux poivre et sel entra tout essoufflé, le visage creusé de rides alors qu'il ne devait pas avoir plus de quarante-cinq ans, la peau mate, des petits yeux noirs qui brillaient. Il dégageait une étrange bonhomie, bien que la vision de tous ces uniformes de la Sûreté du Québec l'ait affolé.

– Calice ! jura-t-il. Qu'est-ce qui se passe donc là ?

L'inspecteur-chef Malvoie se présenta et, sur un ton aussi rassurant que possible, lui demanda :

– Est-ce qu'un étranger est arrivé dernièrement chez vous ? Nous recherchons un homme qui répond au nom de Gert Brussin, cheveux gris, bedonnant, avec l'accent français.

– Non, pourquoi ?

– Est-ce qu'il peut être entré dans le village sans que vous l'ayez remarqué ?

– Il ne serait pas resté inaperçu très longtemps ! Ici c'est petit, on se connaît tous. Mais qu'est-ce qui se passe ? Pourquoi autant de monde là d'un coup ?

– Nous devons rencontrer Markus Locard au plus vite, c'est bien un habitant de Val-Segond ?

– Oui, il vit là avec sa femme, leurs enfants et petits-enfants. Pourquoi ?

– C'est urgent.

– Nous voudrions lui parler, intervint Ludivine, sans sa famille.

Si Locard avait fui si loin, ce n'était pas pour tout raconter de son ancienne vie à ses nouveaux voisins. Elle était prête à parier que personne n'était au courant et estimait qu'il avait le droit à ses secrets.

– Je vais vous le faire chercher, répondit l'homme avec une certaine angoisse.

La télé diffusait des publicités pour de la nourriture, des quantités astronomiques de nourriture, et pour vanter les qualités de voitures. Les deux s'enchaînaient. Bouffe, bagnole, bagnole, bouffe. De temps en temps, un programme journalistique venait couper ces longs tunnels d'ode à la consommation.

Lorsque Markus Locard entra dans la salle, Ludivine se leva. Il était grand, sec, cheveux blancs comme la neige, joues creusées, lèvres fines, nez aquilin, et des yeux d'un bleu pâle presque maladif. Il tira le col de son pull et embrassa tous les enquêteurs d'un seul et long regard circulaire.

– Markus Locard, fit Ludivine en lui tendant la main, nous sommes venus de loin pour vous parler. Nous sommes de la gendarmerie nationale française, nous venons de Paris.

– J'entends ça, dit-il avec un accent québécois à peine prononcé.

– La situation est un peu compliquée. Peut-être que vous préféreriez que nous en parlions seuls, dit-elle en lançant un coup d'œil vers le responsable qui était parti le chercher et les trois autres personnes postées dans l'embrasure de la porte.

– Ai-je fait quelque chose de mal ? s'étonna-t-il avec une expression un peu inquiète.

– Non. Vous êtes en danger, répliqua Ludivine. À cause de votre passé.

Cette fois le vieil homme releva le menton et la fixa droit dans les yeux. Après un silence, il pivota pour faire signe à ses amis que tout allait bien et qu'ils pouvaient sortir.

La porte se referma derrière eux.

– Je vous écoute, dit-il.

– C'est à propos de Pestilence. Et de Dieter Ferri.

La pomme d'Adam de Locard se souleva. Sa main chercha un appui et Segnon s'empressa de lui approcher une chaise.

– Je sais que vous n'avez plus entendu ce nom depuis très longtemps, fit Ludivine.

La jeune femme avait pris les choses en main et personne ne semblait vouloir l'interrompre.

– Plus de trente ans, chuchota-t-il manifestement sous le choc.

– Vous avez quitté Pestilence lorsque vous vous êtes rendu compte que Ferri n'était pas clair. Depuis, le hameau a beaucoup changé. La situation a dégénéré, monsieur Locard. Gert Brussin a pris les choses en main et… Je vais faire court : nous pensons qu'il est ici pour vous tuer.

Locard se redressa sur sa chaise.

– Me tuer ? Pourquoi ?

– Après tout ce temps, je croyais que c'était pour fermer la boucle, mais à présent je me demande si vous ne savez pas quelque chose qu'il voudrait taire.

– Moi ? Mais je ne suis pas retourné en France depuis trente ans ! Je ne les ai plus revus ! Ni lui ni les autres !

– Vous étiez proche de lui à l'époque ?

– De Brussin ? Pas plus que de Ferri. Vous semblez connaître toute l'histoire, n'est-ce pas, alors vous imaginez sans peine ce que j'ai pu ressentir quand j'ai compris qui était réellement Ferri. Je suis parti, loin d'eux, loin de la France où je n'avais pas été un enfant bienvenu, loin de ce passé insupportable, et j'ai enterré derrière moi toute cette partie de ma vie. Personne n'est au courant ici, personne, pas même ma femme !

Ses prunelles brûlaient avec l'intensité d'une insondable douleur. Il brandissait un index devant lui et s'adressait à tous les enquêteurs de la pièce, comme s'il les menaçait.

– Nous n'avons pas l'intention d'ébruiter votre histoire, continua Ludivine, c'est vous que ça regarde. En revanche, nous voudrions comprendre ce que Brussin peut vous vouloir.

– Vous l'avez arrêté ?

La gendarme regarda Malvoie puis Aprikan, mal à l'aise.

– Non, pas encore. Comme je vous l'ai dit, nous pensons qu'il est ici ou en chemin pour venir vous supprimer.

Locard secoua lentement la tête. Les souvenirs affluaient derrière les globes bleus, happant son attention.

– Je n'ai pas envie de remuer tout ça, avoua-t-il après un moment.

– Je comprends.

– Êtes-vous certains qu'il va venir ? Depuis tout ce temps ? Si loin ? Juste pour... pour moi ?

– Il a déjà tué Egon Turrin.

– Egon...

Une partie de l'esprit du vieil homme n'était plus là, avec eux, il était loin dans le passé, au milieu de celles et ceux qui avaient été ses frères et sœurs.

– Je pense que Brussin veut éliminer les « enfants parfaits » qui ont quitté le groupe, osa Ludivine.

– Cela fait bien longtemps que j'ai compris que nous n'étions pas des « enfants parfaits ». Mais eux n'ont jamais voulu l'accepter. Je vais vous dire : j'ai toujours su que le vrai danger de Pestilence, c'était Brussin. J'ai toujours su qu'une fois Ferri mort, Brussin allait devenir fou, qu'il serait un prédateur sauvage. Il le portait déjà dans ses yeux à l'époque, vous savez ? Ferri était un entrepreneur, éclairé par une vision, tandis que Brussin n'était qu'un idéologue revanchard, frustré par une enfance dure, une brute. Vous allez me protéger ? Moi et ma famille ? Je ne veux pas les mettre en danger !

– Il n'y a qu'une seule route pour arriver jusqu'ici, intervint l'inspecteur-chef Malvoie. Je vais placer un de mes gars dans une chambre qui donne sur l'entrée du village et un autre devant chez vous, dans le couloir de service, au cas où. Nous serons là pour l'arrêter, ne vous inquiétez pas. Tout ira très vite, il n'aura pas le temps de comprendre.

Les yeux pâles se levèrent vers le flic. Locard semblait dubitatif, mais il finit par acquiescer.

– Je vous fais confiance.

Il se tourna vers Ludivine :

– Vous, vous savez de quoi il est capable, n'est-ce pas ? Je le vois dans votre attitude. Vous le craignez.

– Sauf votre respect, monsieur, fit le sergent Coutant en se frottant la moustache, c'est un homme un peu âgé, et nous sommes six policiers armés. Si vous ne désirez pas le voir, vous n'aurez même pas à le croiser !

Markus Locard plongeait ses yeux bleus dans ceux de Ludivine.

Il n'était pas bien, elle pouvait le sentir.

Il avait vécu trois ans avec les « enfants parfaits », il les connaissait mieux que quiconque.

Et il avait peur.

Ludivine était excédée, personne ne l'écoutait.

– Miss, nous serons tous à proximité, insista Malvoie en lissant la veste de son costume, sa parka polaire dans l'autre main. Même si je suis certain que Brussin n'arrivera pas en pleine nuit avec la neige qui tombe, nous serons réveillés en un rien de temps si notre garde le repère !

– Ce n'est pas assez.

– Il est déterminé peut-être, rappela Coutant, mais croyez-moi, nous sommes arrivés au bon moment. Là, dehors, avec toute la poudrerie, personne ne prendrait la route ! Ce Brussin, ce n'est pas un magicien !

– Et s'il est déjà là ? S'il est arrivé juste avant nous et que personne ne l'a remarqué ?

– Tout le monde ici nous l'a confirmé : ils auraient entendu son véhicule, ils l'auraient vu garé quelque part. En plus, c'est un complexe étendu et il n'y a pas de plan, il ne pourrait pas s'y repérer sans demander de l'aide. Il est impossible de trouver le logis de M. Locard sans se renseigner.

Malvoie donna le coup de grâce :

– De toute façon, ils sont en train de diffuser sur leur radio en ce moment même un message d'alerte pour prévenir tous les habitants. Locard nous l'a confirmé, ils écoutent tous la radio le soir, ils sauront tous et ils vont s'enfermer. Je l'ai dit, je vais affecter un de mes gars à la surveillance de l'entrée, un derrière chez Locard et nous allons patrouiller par deux. Croyez-moi, vous pouvez dormir tranquille, il est plus probable que Brussin soit arrêté demain quelque part sur une route, sa voiture coincée, ou à la sortie d'un motel à Radisson s'il a été prudent.

Ludivine capitula sous le regard froid d'Aprikan qui ne pipait mot. Elle ne savait s'il l'approuvait ou au contraire s'il s'insurgeait intérieurement de ses excès de prudence.

Michel Tanguy, le quadra tout ridé et souriant, proposa de les guider vers des chambres qui venaient d'être aménagées pour eux. Pendant que tous s'organisaient pour les tours de garde, Mikelis s'approcha de Ludivine :

– Je partage vos doutes, mais ils n'ont pas tort. Brussin est peut-être ingénieux et machiavélique, il n'est pas chez lui et il ne peut accomplir des miracles. S'il était déjà là, ça se saurait. Les flics ne manqueront pas de le voir venir s'il parvient à débarquer en pleine nuit.

– Je ne sais pas. Je ne le sens pas. Il pourrait avoir loué une moto-neige et arriver par-derrière, il…

– Relax, Ludivine. Il a soixante-huit ans, et même si c'est un roublard, ce n'est pas non plus Superman. Il n'y a que dans les films que les méchants surgissent dans le dos des gentils dans de pareilles circonstances, OK ?

La jeune femme serra les dents. Elle avait le sentiment de n'être comprise ou écoutée par personne.

– Brussin n'est pas du genre à faire tout ça sans un plan, croyez-moi.

Mikelis l'observait, embarrassé. Quelque chose dans l'attitude de la gendarme, dans sa persévérance, le dérangeait.

Était-ce parce qu'elle ne renonçait pas là où tous baissaient les bras, trop confiants ?

Il se contenta de lui donner une tape amicale sur l'épaule et ramassa son sac pour suivre le mouvement dans le couloir.

Ludivine tira sur la manche de Segnon.

– Je peux te demander une faveur ?

Le colosse secoua les épaules.

– Je n'ai pas envie d'être seule cette nuit, on peut dormir dans le même appartement ?

Segnon sourit, avec une certaine tendresse. Il la prit par les bras et la serra contre lui.

– Tant que tu ne me demandes pas de circuler toute la nuit avec toi dans ces couloirs flippants, je suis ton homme.

58.

Le vent filait à travers la ville comme un puissant courant cherchant à entraîner avec lui tout ce qu'il pouvait vers les ténèbres qui encerclaient le village. Il poussait sur les huisseries, en faisait grincer certaines, et s'introduisait par toutes les fentes en sifflant, pour palper, pour saisir, pour refroidir.

Ludivine avait du mal à dormir.

Elle avait refusé de s'abrutir avec un de ses médocs habituels, elle voulait rester lucide, au cas où. Elle se mettait en condition, se préparait au pire, incapable de s'abandonner au repos.

Segnon ronflait doucement dans la chambre d'à côté, porte ouverte.

L'appartement était petit et le chauffage avait tardé à le mettre à bonne température, mais au moins ils avaient un coin à eux. En s'y rendant, les deux gendarmes avaient croisé presque un quart du village. Tout le monde s'était refilé le mot sur la présence des flics et de Français, et ils avaient soudainement tous trouvé un prétexte quelconque pour ressortir, en couple, quelques-uns en famille, juste pour apercevoir ces nouveaux visages.

La nouveauté était rare à Val-Segond, des visiteurs en automne et hiver tout autant. Demain, tout le monde ne manquerait pas de vouloir les rencontrer. Le village serait agité et cela n'en rendrait que plus compliquée la traque de Brussin, ce qui perturbait Ludivine.

La gendarme n'avait pas fermé les stores extérieurs et elle le regrettait à présent. Les projecteurs posés sur le toit des immeubles illuminaient le rideau malgré son épaisseur, diffusant dans la pièce un halo spectral qui n'aidait pas à se détendre. Pourtant, maintenant qu'elle s'était enfin réchauffée sous ses couvertures, elle ne se voyait pas se relever.

Elle n'arrêtait pas de penser. À tout le dossier. À tous les noms. À tous les enchaînements. Aux meurtres. À la psyché de chacun. Aux déductions de Richard Mikelis.

À la conjuration primitive.

À la mort d'Alex.

À celle de Cyril Cappucin. Aux quinze coups de feu, à l'odeur de poudre, aux éclaboussures écarlates.

Curieusement, Ludivine n'avait aucun souvenir du visage de Cappucin mort. Elle ne revoyait qu'une vague image de corps effondré, avec du sang. Mais pas les traits du jeune homme. Elle était en état de choc à ce moment, tout avait été brouillé par l'émotion.

Son esprit moulinait à toute vitesse.

Elle était faite pour ce métier. Elle avait une faculté d'analyse exceptionnelle, c'était sa force. Elle faisait humainement ce qu'Analyst Notebook opérait pour eux. Ludivine le savait, elle n'avait pas fait ce métier par hasard. Ça ne pouvait pas s'arrêter là. À son retour à Paris elle comptait se battre. Faire entendre sa légitimité à l'IGGN, ne pas baisser les bras. Elle serait soutenue par toute la SR.

Peu à peu, l'épuisement commença à faire son travail de sape et, lentement, Ludivine glissa dans un état second. Ses paupières se fermèrent. Et vint un moment où elle ne lutta plus. Aucune pensée parasite. Elle s'endormit.

Son inconscient prit la relève et l'immense classeur de sa mémoire se mit en branle.

Les noms. Les dates. Les lieux. Les faits. Tout se mélangeait, se recoupait.

Les déclarations.

Les constatations.

Des cris. Des coups de feu. Du sang. La peur au ventre.

Le vent glacial qui voulait arracher les fenêtres pour entrer.

La chaleur dans le lit. À transpirer.

Les projecteurs partout dans la ville comme autant d'yeux pour scruter l'arrivée de Gert Brussin.

La photo du tueur, cet homme sans expression, âgé, et ses yeux qui soudain devenaient rouges. Le regard d'un démon.

Celui du diable.

Et la photo qui se déforme, qui jaunit, tandis que les flammes la brûlent par en dessous.

Ludivine se réveilla en sursaut, trempée dans ses draps.

Dehors le blizzard persistait, sinistre.

Segnon ne ronflait plus.

Elle avait à peine dormi.

Une phrase trottait dans un coin de son crâne, vestige de ses pensées nocturnes, déjà en train de se dissiper. Ludivine chercha à la capter avant qu'il soit trop tard.

Elle bondit dans son lit.

Les mots de Markus Locard. *J'ai toujours su qu'une fois Ferri mort, Brussin allait devenir fou, qu'il serait un prédateur sauvage.*

Comment savait-il que Ferri était mort ? Comment le savait-il alors que personne ne le lui avait encore dit ?

Ludivine tremblait.

Elle ne parvenait pas à comprendre ce que cela impliquait.

C'était incompréhensible.

Il l'a déduit, s'apaisa-t-elle. *Oui, il a supposé que Brussin se révélait avec la mort de Ferri.*

Ludivine réalisa qu'elle était à bout de nerfs. Elle faisait une montagne de n'importe quoi. Interprétait avec suspicion le moindre regard. Même Aprikan, tout à l'heure, lui avait paru étrange. Et Mikelis encore pire !

À présent que Segnon était silencieux, elle en venait même à s'imaginer le pire, des images terribles. Son collègue mort, gisant dans son sang, une ombre debout sur le palier entre leurs deux chambres.

Ludivine n'y voyait pas grand-chose. Sa porte était entrouverte, comme elle l'avait laissée avant de se coucher. Le seuil était plongé dans le noir.

Il n'y a personne ! Qu'est-ce qui te prend ?

Il fallait qu'elle se reprenne. Elle faisait un début de crise d'angoisse.

Le rectangle d'obscurité face à elle la terrorisait.

Une silhouette avec un couteau à la main. Un liquide s'écoulant encore du bout de la lame penchée vers le sol.

Elle s'imaginait des horreurs sans parvenir à réfréner son imagination.

Elle devait réveiller Segnon, lui parler, il comprendrait.

Ludivine se leva et, en sentant le froid lui mordre les cuisses, hésita à enfiler son jean sur sa petite culotte. Elle tira sur le pull qu'elle avait gardé pour dormir. Elle ne savait plus quoi faire, l'esprit paralysé par l'épuisement et la peur.

Je suis à bout…

Elle scrutait le rectangle devant elle.

La gendarme s'habilla en hâte, sans quitter le seuil du regard.

Elle tira sur le rideau pour laisser passer un peu de la lumière des projecteurs, et le palier entre les deux chambres se dévoila.

Personne.

Pas une goutte de sang au sol.

Bien sûr qu'il n'y a rien ! Tu t'attendais à quoi enfin ?

Toujours angoissée, Ludivine approcha de la chambre de son collègue et distingua sa silhouette massive recroquevillée contre le mur, comme un enfant peu rassuré.

Elle fut prise de remords. Elle ne pouvait lui gâcher sa nuit sous prétexte qu'elle était insomniaque.

Alors elle songea au garde qui veillait sur l'entrée du village depuis le salon d'un appartement vide, dans l'immeuble d'à côté. Lui serait heureux d'avoir de la compagnie autre qu'une télévision crachant ses programmes nocturnes sans saveur. Ce n'était pas loin, il n'y avait qu'une passerelle à traverser. Ludivine détestait ces couloirs rouges. Ils ressemblaient à l'une de ces perspectives dignes de Stanley Kubrick : interminables, mais qui à tout moment, sous l'effet du stress, semblaient pouvoir se rapetisser brusquement pour écraser ses occupants.

Allez, motive-toi !

Elle mit ses chaussures et, le plus discrètement possible, elle attrapa la poignée de la porte et la baissa.

La porte refusa de s'ouvrir. Elle répéta le mouvement trois fois, avant de comprendre qu'ils étaient enfermés.

Le mécanisme du verrou n'était pas un simple loquet à actionner, il fallait une clé. Qui n'était nulle part.

La jeune femme commença par maudire Segnon d'avoir fermé et planqué la clé plutôt que de la laisser sur la porte, avant de se redresser tout doucement en reculant.

Son cœur s'accéléra d'un coup.

Tout ce qu'elle avait ressassé pendant son sommeil était encore bien présent, flottant à la surface de sa conscience.

Tous les faits. Toutes les déductions.

Et brusquement, il lui vint une nouvelle idée.

Terrifiante. Bouleversante.

Impensable.

Une autre explication qui permettait à toutes les pièces du puzzle de s'imbriquer parfaitement, sans aucun achoppement.

Ses jambes se mirent à trembler.

Dieter Ferri et Markus Locard ne s'étaient jamais entendus.

Sur la façon de procéder.

Ferri était trop modéré. Il ne jurait que par les « enfants parfaits ».

Pestilence n'avait été qu'un essai à sa mesure.

Markus Locard était parti parce que lui voyait beaucoup plus grand.

Et Gert Brussin ne venait pas ici pour le tuer, mais pour lui prêter allégeance. Ce que Brussin avait à peine ébauché avec Seeds in Us, Locard, lui, l'avait développé il y a plus de trente ans.

Le chauffeur leur avait dit que c'était une ville fantôme auparavant, et que la mine de zinc avait été rouverte au début des années 90. Pourquoi rouvrir une mine qui avait été fermée faute d'exploitation ? C'était l'œuvre de Locard ! Il avait recréé une activité, dégageant certes une faible marge, mais qui lui permettait de faire subsister sa communauté. Il avait certainement écumé les prisons, fait passer le mot. De tout temps, même avant Internet, il avait existé des réseaux de déviants en tous genres qui procédaient dans le plus grand secret, par courrier, petites annonces ou bouche à oreille. Locard avait usé de tous les stratagèmes, patiemment, pour rassembler autour de lui, pour recruter et repeupler ce bout de terre déserté par toutes les âmes normales.

Val-Segond était constitué exclusivement de pervers, violeurs, pédophiles, et de tueurs. Une gigantesque famille monstrueuse.

Locard avait rassemblé toute la lie du monde pour lui offrir une terre d'asile. Une aire de jeux rien qu'à eux, sans personne pour les juger. Rien que des voisins compréhensifs, des concitoyens prêts à faire bloc tous ensemble pour se couvrir mutuellement.

Incarnation même de la conjuration primitive.

Ludivine tremblait.

Non, c'est impossible. Je délire. C'est impossible. Un endroit comme ça ne pourrait pas exister… Ça finirait par se savoir…

L'ordre du Temple solaire, plus de cinquante morts dont des enfants. Waco, quatre-vingt-deux personnes dont vingt et un enfants morts. Certes, il s'agissait de sectes, c'était différent, mais tout de même cela prouvait que des communautés inquiétantes pouvaient subsister pendant des années sans éveiller l'attention ! Au Mexique, à Nueva Jerusalén, les habitants faisaient massivement partie d'une secte professant l'apocalypse et inculquant aux trois cents enfants du village ses préceptes terrifiants dans le plus grand secret, avant de brûler les écoles du village et d'attirer ainsi la curiosité. Pire, Adolfo Constanzo et ses adeptes avaient torturé et massacré impunément tout en régnant sur la ville de

Matamoros. On pouvait vivre regroupés selon des codes et des mœurs différents voire pervers, et ne pas se faire repérer pendant des années, l'histoire le prouvait, c'était déjà arrivé.

Ludivine se retint à une armoire pour ne pas tomber. La tête lui tournait. Elle ne savait plus que penser. Était-ce elle qui perdait la raison ?

Au loin, il y eut deux coups secs, étouffés par la distance, par les murs, mais la jeune femme se figea.

Deux coups distincts qu'elle reconnut sans hésitation.

Des coups de feu.

Le garde qui veille sur l'entrée de la ville !

Non, elle n'affabulait pas.

Ils venaient de se jeter dans la gueule du loup.

59.

Segnon se réveilla d'un coup, à peine Ludivine l'eut-elle effleuré.

– Debout, vite, chuchota-t-elle.

– Qu'est-ce qui se passe ?

– Des tirs. Habille-toi.

– T'es sûre que c'étaient des coups de feu ?

– Certaine.

Le colosse enfila son pantalon en grimaçant de fatigue.

– Segnon, t'as confiance en moi ? En mon jugement ?

– Tu connais très bien ma réponse.

– Alors je vais te demander de me croire, aussi aberrant que cela puisse te paraître : je crois que tout le village est à la solde de Markus Locard. Pestilence n'était qu'une répétition à petite échelle.

– Quoi ?

– Tout fait sens. Tout. Ils nous ont bernés.

– Ludivine, c'est pas un peu…

– Ils nous ont enfermés à clé.

Il fronça les sourcils.

– Qu'est-ce que tu racontes ?

– C'est toi qui as fermé et pris la clé ?

– Non, mais…

Il se dirigea vers la porte pour constater que sa partenaire disait vrai en actionnant en vain la poignée.

– Pourquoi est-ce qu'ils fer...

– Ils viennent d'abattre Luc, le flic qui surveillait l'entrée du village, j'en suis sûre.

– Mais tu te rends compte de ce que tu es en train de dire ?

– Tout un village. Oui.

– Lulu, c'est impossible !

– Locard y est parvenu. Bâtir un lieu pour que les gens comme lui, les déviants du monde entier, puissent se retrouver, se rassembler, pour vivre dans leurs secrets, s'entraider.

– Et quoi ? Ils tueraient les touristes qui viennent ici l'été ? Arrête, ça tient pas debout, ça se saurait !

– Pas si, au contraire, ils font attention en passant justement à l'acte loin de chez eux. Il y a pas mal de bûcherons ici, ils ont des poids lourds pour transporter les troncs, ils font de la route, jusqu'à Montréal, Québec, Ottawa, et plus loin encore parfois ! Les prostituées, c'est pas ce qui manque ! Imagine deux secondes que tous ces assassins mutualisent leurs forces, leurs connaissances, leurs expériences, pour se donner des conseils, ne pas semer d'indices, ne pas se faire prendre.

– C'est dément..., fit Segnon en refusant d'y croire.

– Même les pédophiles pourraient trouver leurs victimes facilement, j'ai vu dans le réfectoire des affiches d'un programme de placement en familles d'accueil d'enfants abandonnés, et aussi un programme de soutien envers les familles inuits en difficulté ! J'ignore tous les stratagèmes dont ils usent, mais crois-moi, quand tu as le soutien de tout un village, tu peux embobiner qui tu veux !

– Mais il y a des gosses et des femmes ici ! Tu les as vus comme moi hier soir !

– Et alors ? La plupart des tueurs en série qu'on connaît étaient mariés ! Et une partie de ces femmes savaient, mais préféraient détourner les yeux !

– Arrête, une femme ne laisserait pas grandir ses enfants dans un environnement pareil !

– Bien des femmes laissent leurs maris battre les gamins, et même les violer. Et combien d'affaires on a vues avec des couples machiavéliques où le plus pervers des deux n'était pas le mec ? Combien de crimes ont été commis par des femmes ? Laisse le pouvoir à celles qui sont perverses, détraquées, et tu verras !

Segnon secoua la tête.

– Tu pètes les plombs, Lulu…

– Alors comment tu expliques qu'ils nous aient enfermés ?

– Je ne sais pas ! Une erreur ! Ou c'est Aprikan qui a préféré te boucler pour éviter que tu te balades partout et fasses flipper les gens avec ce genre de délire !

– Segnon, pas toi…

Elle se tut d'un coup en entendant des bruits de pas dans le couloir. Plusieurs personnes.

– Ils arrivent ! murmura-t-elle paniquée.

– Oh, calme-toi ! dit le gendarme en l'attrapant par les épaules. Regarde-moi dans les yeux ! Regarde-moi !

Les pas se rapprochaient.

– Tu es épuisée, insista Segnon. Tu n'es pas dans ton état normal, tu m'entends ?

Les pas ralentirent.

– Ils sont là ! chuchota Ludivine tandis que les larmes lui brouillaient la vue.

– Et tu vas voir que c'est pas pour…

Une porte s'ouvrit juste à côté, dans l'appartement voisin.

– C'est là que dort notre chauffeur, dit Ludivine terrorisée.

Soudain, quelque chose cogna brutalement contre le mur, à deux reprises, et un objet lourd se renversa dans l'appartement mitoyen, avant que quelqu'un s'agite énormément, comme pris de convulsions, entraînant une série de petits couinements du lit contre la paroi.

Segnon avait relâché les épaules de Ludivine.

Il fixait le mur. Puis ses prunelles se posèrent sur sa collègue. Il était livide, presque gris.

– Putain, dit-il tout bas. Il faut sortir d'ici tout de suite…

Ludivine voulut se précipiter vers la porte mais il la retint.

– Trop épaisse, on ne pourra pas la défoncer, et ils sont juste à côté. S'ils ont des flingues on est morts.

Il pivota vers la fenêtre au fond de la pièce.

– Il ne reste qu'une sortie possible.

60.

Ludivine sentait ses ongles sur le point de se retourner. Les doigts pliés dans une rainure de la façade, le bout des pieds sur une corniche, tout son buste collé au mur, elle avançait par reptations lentes.

Le vent soufflait par rafales, chacune cherchant à décrocher la jeune femme de sa paroi, elle le sentait. Il se faufilait entre elle et l'immeuble, tentant de la repousser. Elle devait anticiper et dès qu'il s'intensifiait, elle se rivait à ses maigres prises pour tenter de ne plus faire qu'un avec le revêtement imperméabilisé et glissant.

Segnon venait d'atteindre l'angle du bâtiment et il tendait la main vers elle :

– Plus qu'un mètre, accroche-toi, tu y es presque ! Allez, Lulu, encore un petit effort.

Mais l'angle lui faisait peur. Elle avait des vertiges.

Le sol était douze mètres plus bas.

– Magne-toi ! lança Segnon.

Ludivine perçut un changement dans sa voix, une subtile note de panique. Elle tourna la tête pour découvrir un visage furieux qui dépassait de la fenêtre ouverte de leur appartement.

L'homme sortit le bras et les projecteurs accrochèrent le reflet chromé d'une arme de poing.

Un deuxième individu lui attrapa l'épaule pour l'empêcher de faire feu.

Ils ne veulent pas réveiller les autres !

– Lulu ! Donne ta main ! Dépêche !

Elle y était presque. Elle rampa à la verticale et se retrouva juste sur l'arête, à la jonction entre deux pans de l'immeuble.

Elle n'avait plus autant de prise, mais surtout son corps allait devoir basculer dans le vide pendant un instant avant de pouvoir retrouver l'adhérence rassurante de la façade.

Le vent la secouait comme un partenaire de jeu cruel. Le froid la tétanisait.

– Maintenant ! insista Segnon. Maintenant !

Elle s'élança, bascula, main gauche, pied gauche en suspens, le cœur battant la chamade, et crut qu'elle dévissait, qu'elle n'aurait pas assez d'élan, pas assez de force pour se raccrocher, mais Segnon l'empoigna et l'écrasa contre la tôle glacée.

– Tu y es. Allez, encore un tout petit peu, rapide, avant qu'ils fassent le tour. Jusqu'à cette gouttière.

Elle se guida grâce aux gestes de son partenaire, répétant tout ce qu'il faisait, sans se poser de question, et surtout en évitant de regarder en bas.

En moins de trois minutes, elle avait descendu la gouttière et ses pieds se posèrent sur la neige.

Segnon ne lui laissa pas le temps de se réjouir : deux silhouettes apparurent à travers les flocons tournoyants, de l'autre côté de la rue, lampe à la main. Il poussa Ludivine dans l'immeuble par un accès de service.

Ils étaient dans une réserve vide donnant sur une cuisine collective qui n'avait pas servi depuis des années. Tout au bout, une porte entrouverte laissait passer la lumière du hall.

– Il faut prévenir Aprikan et les autres, chuchota le gendarme.

– Ils sont là-haut, juste à côté des hommes qui sont entrés dans notre chambre, comment tu veux qu'on fasse ? Ils vont nous choper !

Des voix résonnèrent dans le hall, et Segnon entraîna la jeune femme à travers la cuisine, courbé en avant, jusqu'à se positionner tout près pour entendre ce qu'elles disaient.

– … sont dehors ! fit une voix à court de souffle.

– Échappés ? Retrouvez-les ! Vite !

– On s'occupe pas d'abord de ceux qui sont là-haut ?

– Ils doivent encore dormir, et au pire ils sont enfermés. De toute façon ils n'ont pas d'armes. La priorité c'est les types de la Sûreté et les deux fuyards. Et Pierre : va me chercher le chasseur.

– Euh… t'es sûr ? Déranger le chasseur c'est que… j'ai pas très envie de me faire…

– VAS-Y ! aboya la voix familière.

Ludivine se pencha juste ce qu'il fallait pour distinguer les visages.

Elle reconnut Markus Locard et sa forme longiligne ainsi que l'homme qui l'avait menacée avec l'arme un instant plus tôt.

– Ne tirez pas tant que vous êtes dans cette habitation ! ordonna Locard. Je ne veux pas réveiller tout le monde en même temps !

L'homme et un compagnon détalèrent.

Locard se retourna vers une autre personne. Ludivine pivota pour pouvoir la reconnaître.

Cheveux gris, gros ventre, joues rouges.

Elle reconnut tout de suite la photo qu'elle avait reçue de Gert Brussin.

– Toi et tes conneries ! s'énerva Locard.

– Ça réglera le problème une fois pour toutes, répliqua l'autre avec arrogance.

– Non mais qu'est-ce qui t'a pris d'aller flinguer ce flic ?

Brussin avait le sourire.

– C'était pour te mettre devant le fait accompli.

– Pardon ? cracha Locard fou de rage.

– Il fallait tous les éliminer, on ne pouvait faire autrement pour être tranquilles.

– Parce que tu t'imagines qu'après ça des dizaines d'autres ne vont pas débarquer ?

– Il suffira de tous les mettre dans leurs voitures et d'aller les encastrer dans des arbres, au fond d'un ravin. On y mettra le feu pour brûler les preuves et ils croiront à un accident dû au blizzard ! La première voiture aura perdu la trace de la route et la seconde aura bêtement suivi alors qu'ils venaient jusqu'ici !

Locard tendit le doigt vers l'autre enfant parfait.

– J'aurais dû te dénoncer tout à l'heure.

Brussin souriait toujours.

– Tu crois que je suis dupe ? Je sais très bien que tu l'aurais fait. Ne me prends pas pour un imbécile ! Quand ils sont arrivés, je l'ai tout de suite vu à la mine que tu tirais. Tu attendais le moment pour m'en coller une en pleine poire, pour pas que je vous balance tous, et tu aurais prétexté la légitime défense ! Je sais très bien que tu l'aurais fait parce que moi je n'aurais pas hésité une seconde !

– Trente ans que je construis cet endroit, tu m'entends ? Trente ans ! Si c'est le prix à payer pour préserver notre tranquillité, alors oui, sans l'ombre d'une hésitation je l'aurais fait !

– Maintenant nous sommes solidaires, tu n'as plus le choix. Il va falloir supprimer tous les flics.

– Tu n'aurais jamais dû venir, Gert, tu n'y étais pas invité !

Locard se rapprocha de Brussin au point que leurs nez se touchaient presque.

– Je te jure, ajouta-t-il, que si tu compromets notre sécurité, tu seras le premier à tomber.

Ils allaient s'empoigner lorsque la porte s'ouvrit, projetant des flocons de neige dans une bourrasque de vent. Un homme entra, suivi d'une silhouette encapuchonnée dans une grosse doudoune rouge.

– J'ai trouvé le chasseur ! fit fièrement l'homme. Juste dehors, en train…

– C'est quoi toute cette agitation ? fit une voix féminine en rabattant la capuche de fourrure et dévoilant un visage sévère.

C'était une blonde d'une quarantaine d'année, les traits creusés de rides fines, presque sans lèvres, et au regard bleu glacial.

Locard désigna Brussin.

– Nous nous expliquerons avec lui plus tard. Anna, j'ai besoin que tu guides les gars pour retrouver deux fugitifs.

– Les flics ?

– Deux maudits Français. La fille et le grand Noir.

– Ils sont armés ?

– Pas que je sache.

– Alors ce sera rapide, je n'ai pas besoin de tes petits soldats, je traque mes proies seule. Mais je m'en charge à une condition.

– Je t'écoute.

– La fille est pour moi.

Ludivine frissonna depuis sa cachette.

– Tu veux en faire quoi ? On ne peut pas se permettre de la garder en vie longtemps.

– Mon fils a quatorze ans. C'est le moment pour lui de devenir un homme. Je veux la lui offrir. Qu'il la possède, qu'il la baise, qu'il apprenne à la faire couiner comme son père. Et c'est lui qui la transformera en trophée ensuite.

Locard soupira.

– C'est entendu.

La femme se mit à sourire avec sadisme et fit volte-face pour retourner dans le blizzard, aussitôt suivie par l'homme qui l'avait amenée.

Locard fixa son frère parfait pendant plusieurs secondes et secoua la tête, déçu, avant de sortir à son tour.

Brussin était seul.

Ludivine se redressa, sur le point de foncer sur lui. Segnon la rattrapa juste avant qu'elle sorte de sa cachette.

Non ! lut-elle sur ses lèvres. *Non !*

Brussin sortit un pistolet de sous son manteau et le regarda attentivement. Un rictus cruel aux lèvres.

Il l'arma et le glissa dans sa poche en prenant la direction des escaliers.

Il filait vers les chambres de Richard Mikelis et d'Aprikan.

61.

Brussin marchait à bonne allure, agitant ses doigts d'excitation.

Il parvint au deuxième étage et fonça en direction des chambres.

Lorsqu'il passa devant la porte du second escalier, celle-ci s'ouvrit dans son dos. Il se retourna, s'attendant à trouver un des hommes de main de Locard à la recherche des gendarmes, et vit la fille, la jolie blonde, juste devant lui. La stupeur lui fit perdre une précieuse seconde.

Son bras se replia pour aller chercher son arme, mais elle lui balança un violent coup de pied dans les parties génitales qui le paralysa. Sans même se reposer au sol, le pied de la fille s'éleva dans les airs et sa jambe se déplia brusquement pour le cueillir à la gorge, un choc sec qui l'envoya contre le mur.

Aussitôt, un grand Noir lui attrapa les poignets et les lui tordit, lui arrachant un cri de douleur.

La blonde fouilla sa poche pour en sortir l'arme qu'elle braqua sur son visage.

– Combien sont-ils dehors ?

Brussin étourdi par les coups n'était plus tout à fait lucide. Il voulut mentir, mais n'en eut pas la force :

– Toute la garde rapprochée de Locard.

– Combien ?

– Une vingtaine…

– Qui est au courant ?

Il ne comprenait pas la question. Il avait vraiment très mal aux articulations des poignets ainsi qu'aux épaules et surtout aux couilles, ça lui remontait jusqu'à l'estomac.

– Qui sait que vous avez décidé de nous tuer ? insista la blonde.

– Tout le village.

Elle le gifla avec la crosse de l'arme et, cette fois, Brussin manqua perdre connaissance.

Le temps qu'il se remette, il était ligoté avec des draps, bâillonné, et enfermé dans un appartement vide. Il vit le grand Noir sortir et la blonde l'observer avec une colère retenue.

Puis elle le frappa violemment. Un coup en plein visage avec le bout de son propre flingue. Du sang chaud coula depuis son arcade en même temps que se répandait la douleur.

Brussin se mit à gémir à travers son masque.

Le canon était braqué sur son œil ouvert. Il se tut aussitôt.

Elle ne voulait pas seulement l'impressionner, comprit-il, elle hésitait véritablement à presser la détente.

Cette femme était arrivée au bout de sa destination. Elle était prête à passer de l'autre côté. Pendant une seconde, Brussin oublia la souffrance et la peur. Il songea à regret qu'il aurait aimé la connaître plus tôt, dans d'autres circonstances, car peut-être aurait-il pu en faire quelque chose. Il le sentait.

Au pire, il aurait adoré violer cette pute et la voir crier avant de le supplier de l'achever.

Le canon se rapprocha. Une bouche noire. À la parole définitive.

Elle abattit un poing rageur sur sa tempe et disparut.

Aprikan était sous le choc. Il ne parlait pas, suivait docilement, le regard dans le vague.

Ils libérèrent Richard Mikelis et lui exposèrent la situation.

Le criminologue ne douta pas une seconde de ce que Ludivine lui disait. Il écouta attentivement sans se départir de son impassibilité coutumière. Puis quand elle eut terminé :

– Il nous faut des armes. Beaucoup d'armes. Il faut aller jusqu'aux voitures des flics. Il y a des fusils à pompe dedans.

– Ils sont partis vers Malvoie et Coutant, avertit Ludivine. Ils vont les abattre si on ne fait rien.

Mikelis désigna le pistolet Beretta qu'elle tenait :

– Vous comptez les arrêter avec une seule arme ?

– Il a raison, abonda Segnon. Il nous faut d'abord de quoi nous protéger et dans les voitures il y a la radio ! Pour prévenir les secours ! Pour appeler à l'aide !

– Mais ils vont buter Malvoie et Coutant ! Et les trois autres flics de la Sûreté ! On a l'effet de surprise pour nous !

Ce fut Aprikan qui prit la décision en revenant à lui :

– Aux voitures. Morts, nous n'aiderons personne.

62.

Ils se déplaçaient le plus discrètement possible.

Aprikan en tête car il tenait le Beretta, bras tendus devant lui. Les couloirs rouges s'étendaient à perte de vue, le vent claquant contre les parois de tôle. À chaque instant, ils avaient l'impression que quelqu'un allait surgir pour les cribler de balles.

Ils ne croisèrent personne.

Toutes les passerelles, les corridors, les rampes d'escaliers, tout était éclairé, mais personne n'y circulait.

Ils étaient tous dans les rues, à patrouiller dans la tempête pour repérer les fuyards, ou surveillaient les policiers de la Sûreté, Ludivine en était certaine.

Lorsque les quatre Français parvinrent au hall par lequel ils étaient arrivés plus tôt dans la nuit, ils aperçurent les deux tout-terrains de la police garés là où ils les avaient laissés. Un molleton de neige recouvrait le toit et les pare-brise.

– Attendez ! fit Mikelis au moment où Aprikan allait sortir. Non, c'est une mauvaise idée. Ils sont sûrement là quelque part à guetter.

Le colonel dégagea son bras.

– Vous voyez bien qu'il n'y a personne, avec ce blizzard ils n'y verraient rien !

– S'ils sont à la poursuite de deux fugitifs, ils se doutent que le premier endroit où aller c'est aux voitures ! Un moyen de fuite ! La radio et des armes ! Je vous dis qu'ils sont là, cachés, à attendre.

– Il n'y a qu'un moyen de le savoir, fit Segnon et se levant.

Ludivine s'affola.

– Qu'est-ce que tu fais ?

– Appelez les secours et récupérez des armes. Je vais faire diversion…

– Non ! Reste !

Le colosse la repoussa vivement.

– Je cours vite. C'est immense ici, je les sèmerai et tout seul je trouverai facilement un endroit où me planquer en attendant que la cavalerie arrive. Pendant ce temps, tenez le coup, dès qu'ils vous repéreront ils ne vous lâcheront plus.

Il déposa un baiser sur le front de sa partenaire sans la laisser protester et sortit dans le vent et la neige. Un tourbillon blanc s'engouffra en sifflant dans le hall le temps que les portes se referment.

Segnon traversa la rue à vive allure. Il n'avait pas atteint l'autre côté que deux hommes jaillirent de derrière une benne. Ils marchaient vite, cagoules et lunettes vissées sur le crâne, un fusil à lunette dans le dos pour le premier.

Segnon les vit tout de suite.

Le premier homme l'interpella en hurlant à travers les rafales. Segnon se mit à sprinter.

L'homme épaula son arme, mais le gendarme disparut dans une contre-allée et les deux chasseurs s'élancèrent derrière lui. Le rideau de neige les engloutit d'un coup.

– C'est le moment, fit Aprikan.

Ils jaillirent vers les deux voitures, recourbés pour attirer le moins possible l'attention, et le colonel leva son arme pour se préparer à riposter en cas de tir pendant que Mikelis tirait sur la poignée d'une portière. Contrairement à ce que craignait Ludivine, elle était ouverte.

– Je m'occupe de l'arme, appelez avec la radio, commanda-t-elle en avisant le fusil à pompe rangé dans le rack central.

Il était retenu par un système de sécurité à clé.

– Merde !

Le bras vertical qui tenait l'arme était robuste, elle comprit qu'il ne servait à rien d'insister.

– Les chauffeurs ont la clé ! pesta Aprikan. Regardez sous les sièges, ou dans le coffre, on ne sait jamais !

Tandis que Mikelis essayait de passer un message désespéré d'appel à l'aide, Ludivine fouilla les deux véhicules et ne trouva que des gilets pare-balles qu'elle distribua à ses deux camarades après y avoir intégré une plaque supplémentaire de Kevlar pour les protéger des tirs d'armes lourdes.

– Je sais où dormait un des chauffeurs, dit-elle. Attendez-moi là.

– Non ! On ne se sépare pas !

– Je serai plus discrète sans vous ! Je suis menue, je peux me faufiler, je connais le chemin, c'est plus sûr si vous restez là !

Aprikan n'était pas fier, il hésita, regarda Mikelis qui s'acharnait sur la radio, et capitula d'un signe de tête.

– Prenez au moins ça, dit-il en lui tendant l'arme.

Elle refusa.

– Je reviens tout de suite.

Et elle se précipita à travers la neige.

63.

Ludivine se glissait d'un bâtiment à l'autre, profitant des intempéries pour se couler dans la nuit entre les flaques de lumière.

Elle ne les voyait pas, mais elle entendait de plus en plus d'hommes en mouvement, des portes qui claquaient, des pas rapides sur des marches métalliques, des fenêtres qui s'illuminaient d'un coup. Ils étaient de plus en plus nombreux. Ils s'activaient.

Au détour d'une plateforme, elle surplomba un incinérateur qu'elle n'avait pas remarqué à l'allée. Ses trois cheminées la firent frémir maintenant qu'elle imaginait leur usage. Combien de cadavres avaient disparu dans ces fours ? La suie de combien de dizaines, sinon de centaines d'âmes recouvrait les murs de ce village maudit ?

Elle pressa le pas.

Lorsqu'elle parvint à l'immeuble où elle avait dormi, elle se souvint que c'était là qu'ils avaient enfermé Gert Brussin.

Lui rendre une courte visite pour le faire payer la démangea mais elle se raisonna aussitôt. Ce n'était absolument pas une bonne idée.

Elle grimpa les marches, s'assurant à chaque palier qu'il n'y avait personne au-dessus, et sortit la tête dans le couloir.

Un calme presque anormal régnait ici.

Étaient-ils tous occupés à traquer Segnon ou à surveiller les agents de la Sûreté ?

Ludivine dépassa l'appartement où elle avait été captive et poussa tout doucement la porte de celui où le chauffeur s'était fait attaquer. Il était plongé dans le noir. Elle s'y introduisit et referma derrière elle.

Aucun son, aucune odeur suspecte.

Elle avança vers la chambre, se guidant avec le halo des projecteurs extérieurs qui filtrait à travers le rideau. Lui aussi avait oublié de baisser ses stores, ça ne lui avait pas sauvé la vie pour autant.

Ludivine marcha dans quelque chose de poisseux et vit une grande flaque noire à ses pieds. Pas besoin d'allumer pour comprendre.

La table de chevet était renversée, ainsi que le petit bureau.

Le chauffeur était sur son lit, en position fœtale. Beaucoup de gens mouraient ainsi lorsqu'ils agonisaient, avait remarqué Ludivine. Une réminiscence enfantine. Une régression pour fuir la douleur, la peur, la mort. Une vaine quête pour chercher la protection de la mère.

Sa gorge n'était plus qu'une plaie béante et suintante dans la pénombre.

– Je suis désolée, dit-elle tout bas.

Elle lui ferma les paupières et resta plantée là pendant un moment avant de se retourner vers les affaires rangées sur un siège. Elle trouva les clés à la ceinture.

Une forme noire et familière attira son attention.

La crosse d'un Glock.

Les assassins n'avaient pas nettoyé la pièce.

Ils avaient agi rapidement, sans précaution, sans se méfier.

Ludivine sortit l'arme et la serra contre elle.

Maintenant, elle était parée.

Mikelis multipliait les appels radio.

– Personne ne répond ? demanda Aprikan par la portière

ouverte, préférant rester dehors, pour s'assurer que personne n'approchait.

– Non, j'ignore si c'est la météo, la distance ou la fréquence. Je fais tout ce que je peux.

– Continuez !

Le colonel examina l'épaisseur de neige tombée depuis leur arrivée. Vingt bons centimètres, estima-t-il. Avec des pneus adaptés, c'était jouable. Dès que Ludivine serait là, ils iraient chercher Malvoie et Coutant et ils pourraient fuir, aller chercher des secours à Radisson. Segnon était un solide bonhomme, il pourrait tenir, s'il s'était trouvé une bonne cachette.

Aprikan allait se pencher à nouveau vers l'intérieur de la voiture lorsqu'il perçut le crissement caractéristique d'un pas dans la neige tassée. Il voulut se retourner mais le canon glacé d'un fusil se colla sur sa joue.

– Pas bouger ! lui ordonna une femme emmitouflée dans une doudoune rouge, la capuche relevée pour l'abriter.

Elle était blonde, les cheveux apparemment longs, une quarantaine d'années et le regard perçant. Elle fixait sa prise avec satisfaction.

– Toi dans la voiture, dit-elle avec un fort accent québécois, tu bouges pas sinon sa cervelle sera sur tes pieds.

Aprikan avait le cœur qui tambourinait. Il respirait mal.

Il s'était fait avoir comme un bleu.

Il sentit la peur grandir. La terreur de mourir.

Brusquement le front de la blonde éclata. Un bouquet pourpre se répandit jusque sur Aprikan et la femme tomba à la renverse.

Derrière lui, Ludivine tenait le canon fumant d'un pistolet.

Le coup de feu avait résonné comme un appel, un cri.

Comme une déclaration de guerre.

64.

Aprikan et Mikelis remontaient une des longues passerelles peintes en rouge, chacun un fusil à pompe dans les mains, Ludivine sur les talons, à guetter leurs arrières.

Ils fonçaient en direction des chambres où étaient logés une partie des policiers de la Sûreté du Québec.

Dès qu'ils passaient devant une fenêtre ou un balcon, ils se courbaient pour ne pas être repérés. Ludivine venait de remarquer des hommes qui circulaient à vive allure sur d'autres passerelles ou en contrebas dans la rue, et plusieurs motoneiges fonçaient bruyamment. L'alerte était sonnée. Tout le monde était dehors. Les femmes et les enfants enfermés à l'abri pendant que tout ce que Val-Segond comportait de chasseurs était réquisitionné pour la traque.

Et ici, les prédateurs ne manquaient pas.

Des coups de feu éclatèrent droit devant, à deux bâtiments de distance. Une demi-douzaine, aussitôt suivis par des claquements plus secs d'armes de moindre calibre. Moins de trente secondes après, des décharges puissantes terminaient le feu d'artifice.

– Ça vient de leurs chambres, non ? demanda Aprikan qui était encore couvert par endroits de sang et d'esquilles d'os.

– J'en ai bien peur, confirma Ludivine.

Ils se tenaient immobiles, ne sachant plus quoi faire.

Un autre coup de tonnerre résonna dans la nuit, bien plus tard, comme un coup de grâce.

Puis Aprikan s'élança.

Ils se rapprochèrent le plus prudemment possible et se cachèrent dès qu'ils virent cinq hommes sortir dans la rue à toute vitesse. Ils étaient lourdement armés, fusils de chasse, à pompe, et même pour l'un d'entre eux une arme automatique de guerre dans le dos.

Ludivine n'avait plus beaucoup d'espoir quand elle arriva dans le couloir, face aux portes ouvertes. L'odeur de poudre flottait encore, piquante. Les chambres étaient allumées et les dernières plumes d'un coussin éventré dansaient dans l'air.

Coutant tenait son arme dans la main, face contre terre, baignant dans sa propre matière cérébrale. Derrière lui, son supérieur Malvoie était renversé sur un lit, le corps perforé d'impacts.

Deux autres flics de la Sûreté avaient été rassemblés ici et exécutés d'une balle dans la nuque.

Ils arrivaient trop tard.

Un homme sortit de la salle de bain et s'arrêta net, surpris par la présence de ce trio qu'il ne connaissait pas. Il attrapa la crosse de son revolver à sa ceinture.

Aprikan délivra le feu de la haine qui souleva l'homme en lui déchirant l'abdomen. Le coup de fusil à pompe avait claqué si fort dans l'appartement qu'il fit siffler les tympans des trois survivants.

À travers le bruit parasite qui la handicapait, Ludivine perçut quelque chose derrière elle. Les poils de sa nuque se dressèrent. Elle sentit le danger et brandit son Glock vers le couloir.

Deux hommes se précipitaient à l'extrémité du corridor, fusil à la main.

Elle visa le premier. Deux balles au niveau de la poitrine.

Le second ralentit pour épauler.

Elle tira au hasard, quatre coups.

La fumée se dissipa rapidement.

Les deux hommes gisaient par terre, l'un gémissait.

Elle vit une nouvelle silhouette surgir, suivie d'une autre.

La bourrasque d'un courant d'air lui fit comprendre que les portes du bâtiment s'ouvraient toutes en même temps, et aussitôt des talons claquèrent dans les escaliers. Les cinq types surarmés revenaient.

Ludivine recula au moment où une détonation assourdissante remplissait le corridor et une balle fit exploser un bout du chambranle juste à côté de son œil droit.

– Ils arrivent des deux côtés ! s'écria-t-elle en refermant la porte.

Tous les trois s'enfoncèrent dans l'appartement.

Pris au piège.

Les pas s'accéléraient dans le couloir. Ils étaient là. Plusieurs, à se regrouper, à préparer l'assaut final.

Aprikan poussa le sofa sur lequel reposait un des flics exécutés pour servir de protection et s'agenouilla derrière.

Lorsque la porte explosa, le premier homme qui apparut se fit arracher la tête d'un tir du colonel. Le second prit la décharge de Mikelis, tandis que Ludivine ouvrait le feu sur lui en même temps, blessant au passage un troisième individu qui rebroussa chemin immédiatement.

La fumée des tirs ne s'était pas encore évanouie que plusieurs canons surgirent, tenus à bout de bras, pour tirer à l'aveugle dans l'appartement.

Aprikan et Ludivine se jetèrent au sol, mais Mikelis ne fut pas assez rapide : une balle perdue lui perfora le haut du bras gauche en mouchetant de son sang un cadre contenant une photo de paysage sauvage.

Le criminologue serra son fusil à pompe contre lui en étouffant ses cris, furieux et apeuré.

Les tirs transpercèrent toute la pièce, dévastant le mobilier, arrachant des mottes de plâtre aux murs, pulvérisant les fenêtres et la décoration standardisée, avant que le colonel Aprikan lève son fusil pour répliquer à son tour. Ludivine en fit autant.

Puis le silence tomba.

L'immeuble grinçait. Les canalisations sifflaient, des morceaux de verre dégringolaient et se brisaient sur le sol. Tout l'appartement était à présent noyé dans une poussière de plâtre et de fumée de tirs qui piquait les narines.

Ludivine repéra l'intrusion aux pas précipités dans le vestibule.

Elle brandit le Glock en direction de l'entrée, tira trois balles puis leva la tête. Un jeune homme, à peine vingt ans, se tenait contre le mur, le visage déformé par la douleur, une main sur la poitrine, pleine de sang. Dès qu'il aperçut la gendarme, la rage lui déforma encore plus les traits et son bras armé se redressa.

Une balle en pleine tête le fit tomber.

Ludivine fit pivoter la pointe de son canon juste ce qu'il fallait pour avoir la porte fracassée en ligne de mire.

Elle n'éprouvait plus rien. Plus de pitié. Pas même de la colère. Rien qu'un grand vide comblé par les battements de son cœur.

Elle voulait vivre. C'était tout ce qui lui importait. Survivre.

Quelqu'un chuchotait dans le couloir, à moins que, les tympans affreusement meurtris, elle ne soit devenue sourde. Se coordonnaient-ils pour le prochain assaut ?

Combien étaient-ils ?

Combien faudrait-il en abattre pour qu'ils réalisent que c'était de la folie ?

Ils sont ivres de colère parce que nous sommes chez eux. Une menace pour ce paradis qu'ils ont durement bâti ! Ils sont prêts à tout pour le protéger...

Le sofa derrière lequel les trois Français se protégeaient se mit à trembler de partout, perforé par les tirs d'une arme automatique qui firent s'envoler des myriades de particules de mousse.

Un fusil d'assaut les arrosait. Au rythme de six cents balles à la minute.

On les visait par-derrière, à travers les fenêtres déjà brisées par le premier combat, depuis l'immeuble de l'autre côté de la rue.

Mikelis prit une seconde balle, dans la cuisse cette fois.

Et, avant qu'elle puisse réagir, Ludivine en reçut deux en plein cœur.

65.

Tout l'air qu'elle avait dans les poumons fut chassé en une fraction de seconde, ses côtes craquèrent, trois se fendirent sous la violence de l'impact.

Ludivine ouvrit la bouche pour inspirer mais rien.

Le choc au niveau du cœur. Deux coups. L'impression d'avoir reçu la charge d'un taureau en pleine poitrine.

Elle ne respirait plus.

Tout se brouillait autour d'elle. Le sol se renversait, le plafond lui tombait dessus. Elle n'entendait plus rien.

La douleur, brûlante, se répandit vers son ventre, son cou.

Ludivine lâcha son Glock et chercha à se retenir à quelque chose, à s'agripper à sa propre existence.

Elle mourait. Si vite et si lentement à la fois. Incapable d'empêcher ça, et pourtant en pleine souffrance.

Elle s'agitait, ses doigts s'ouvraient et se refermaient sur le vide. Sur le néant qui l'aspirait.

Et brusquement, l'oxygène revint. Une longue goulée d'air qui la fit sortir de son apnée. Le gilet pare-balles se souleva en même temps. Fumant.

Tout autour, les tirs crépitaient, saccageant toujours plus l'appartement, chaque balle se rapprochant dangereusement des trois Français. Ce n'était plus qu'une question de secondes avant qu'ils en soient criblés.

Du coin de l'œil, Ludivine vit Aprikan se redresser et brandir le fusil à pompe vers la façade opposée. Il ouvrit le feu. Encore et encore. Il vida ses dernières cartouches en direction du tireur et Mikelis, malgré ses deux blessures, parvint à se mettre sur un genou pour imiter le colonel. En un instant les feux de l'enfer se déversèrent sur le sniper fou.

Ludivine réalisa qu'ils tournaient le dos à l'entrée.

Maintenant que les rafales s'étaient tues, l'assaut allait être donné. Ils étaient peut-être déjà à l'intérieur.

Elle attrapa un pan du canapé éventré et tira dessus pour se hisser malgré la douleur qui lui bloquait la poitrine et l'obligeait à de petites inspirations pour ne pas s'étourdir.

Elle grimpa jusqu'au sommet du sofa en grimaçant, éjecta son chargeur, engagea le suivant, son avant-dernier, et arma le Glock.

Deux hommes étaient là. Carabine et fusil à pompe leur ouvraient la voie. Elle n'eut pas le temps de les abattre que déjà ils tiraient.

La décharge de chevrotine emporta la moitié du crâne d'Aprikan en une fraction de seconde, transformant ses os, sa chair et son cerveau en une bouillie liquéfiée qui se répandit sur tout un bout de mur.

Ludivine pressa la détente, deux fois rapidement, puis deux autres. Un morceau de canapé s'arracha à dix centimètres de son visage et quelque chose lui écorcha la joue, mais elle ne cilla pas.

Encore deux tirs.

L'agitation retomba d'un coup, avec les corps des intrus et celui du colonel.

66.

Ludivine avait bloqué ce qu'il restait de la porte avec tous les meubles qu'elle était parvenue à entasser, pendant que Mikelis pansait sa blessure à la cuisse, la plus importante.

Ensuite, ils comptèrent les munitions qui leur restaient. Avec celles qu'ils avaient récupérées sur les cadavres, ils avaient encore de quoi tenir un petit siège.

Mais ils savaient l'un comme l'autre qu'ils ne pouvaient pas rester ici indéfiniment. Ils étaient blessés, repérés, à bout de forces.

Le couloir était occupé par d'autres hommes qu'ils pouvaient entendre. À chaque fois que Ludivine ou Mikelis se redressaient pour regarder par les fenêtres béantes, ils distinguaient des silhouettes courant dans la rue, sur les passerelles à proximité et dans l'immeuble d'en face.

Des dizaines et des dizaines de chasseurs qui se regroupaient, qui s'organisaient.

Plus bas dans la ville, les motoneiges se rassemblaient.

Foncer dans le tas leur avait déjà coûté bien trop cher.

Il y en avait partout.

Ni Mikelis ni Ludivine ne voyaient de moyen de sortir.

Ils étaient beaucoup trop haut pour sauter et longer la façade comme elle l'avait fait avec Segnon était impossible pour le criminologue. Sans compter qu'ils avaient été exposés aux tirs des snipers d'en face.

Ils étaient coincés. Obligés de ramper.

Tôt ou tard la porte allait sauter, et cette fois, aucun doute, ils seraient submergés.

Cela faisait maintenant deux heures qu'ils attendaient, la peur au ventre, sans savoir quoi faire. Deux heures à lutter contre la peur, contre l'abandon, contre la souffrance également.

Mikelis saignait encore et Ludivine avait la cage thoracique en feu, le moindre déplacement lui arrachait des larmes.

Le criminologue attrapa la main de la jeune femme. Il était pâle et transpirait malgré le froid et le vent qui s'engouffraient de partout.

– Ne les laissez pas vous prendre vivante, dit-il tout bas, affaibli.

Elle eut un spasme, elle refoula un sanglot.

– Ne dites pas ça !

– C'est la vérité, Ludivine. Vous savez de quoi ils sont capables.

– On va s'en sortir.

Il la fixa de ses yeux gris et, pour la première fois, elle les trouva beaux. Il secoua la tête lentement.

– Je suis désolé, dit-il doucement.

– Vous allez revoir votre femme, vos enfants, Richard, je vous le promets.

Il respirait péniblement.

Il serra sa main dans la sienne sans rien ajouter, ses yeux parlaient pour lui.

Le ciel rosissait.

Le vent avait gelé tout l'appartement, couvrant la peau de tous les cadavres d'une fine pellicule de givre.

Ludivine et Mikelis n'étaient pas loin de subir le même sort.

Aprikan était là, juste à côté, méconnaissable avec la moitié supérieure de sa tête arrachée.

Avec l'aube la rue s'agita à nouveau. La jeune femme s'approcha de la fenêtre. Mikelis voulut l'en empêcher mais elle se dégagea pour se relever un tout petit peu malgré la douleur au niveau de ses côtes brisées.

Il ne neigeait presque plus. La tempête s'était calmée.

En bas, un pick-up venait de se garer à une vingtaine de mètres, son plateau arrière chargé de jerricans d'essence.

– Ils vont nous cramer, comprit-elle. Ils vont tout faire pour nous déloger.

Les hommes se rapprochèrent pour décharger le matériel et Ludivine aperçut Markus Locard en retrait, qui supervisait la manœuvre.

Il n'y avait plus d'espoir, Mikelis avait raison. Même leur appel au secours n'avait rien donné. Il y avait trop de monde. Une trop grande puissance de feu. Trop de détermination. Même si tous les flics de Radisson débarquaient à l'instant, acculés, Markus Locard et sa communauté préféreraient se battre jusqu'au dernier plutôt que de se rendre. Ils feraient un carton, se joueraient des quatre ou cinq malheureux véhicules de police en quelques minutes puis prépareraient leur apocalypse. Et avec des êtres comme eux, il faudrait s'attendre au pire. Ils n'allaient pas se contenter de mourir dans leur coin comme une vulgaire secte démasquée. Non. Ils frapperaient partout. Fort. Pour disparaître avec les honneurs. Pour marquer les esprits. Pour tyranniser cette société qui les avait rejetés, même ici. Des tueries de masse.

La jeune femme rampa jusqu'à l'entrée et souleva un des cadavres pour lui prendre son fusil de chasse. Il était muni d'une lunette de précision. Elle retourna sous la fenêtre, toujours en serrant les dents, des larmes de douleur au coin des yeux.

– Qu'est-ce que vous faites ?

– Il y a Locard en bas.

Mikelis soupira.

Ludivine n'avait plus d'innocence à préserver. Sa vie s'achevait ici. Loin de la civilisation. Loin des valeurs. Elle était dans l'action. Même si cela devait être sa dernière sur terre. Agir.

Elle épaula, prit le temps de viser, de calmer sa respiration douloureuse, puis tira.

À trois reprises.

Les hommes dans la rue se jetèrent dans la neige.

Le bouchon d'essence du pick-up était tout petit. Ludivine savait que son idée était folle, qu'elle avait une maigre chance d'aboutir, mais il fallait essayer. Si le réservoir était plein, rien ne se produirait. En revanche, s'il ne l'était pas, l'espace à l'intérieur saturé de vapeurs d'essence n'attendait qu'une étincelle provoquée par la friction d'un projectile incandescent contre le métal pour que tout...

Son index appuya juste ce qu'il fallait pour libérer une nouvelle balle.

Le pick-up se souleva dans une boule de feu colossale.

Ludivine se remit à l'abri contre le mur.

– Je ne lâcherai rien, dit-elle. S'ils veulent ma peau, ils devront la payer très cher.

Lorsque le souffle de l'explosion fut passé, elle releva la tête.

Locard était étendu dans la neige, trois personnes au-dessus de lui, dont une femme. Une auréole rouge l'entourait.

Ludivine vit qu'il parlait.

Les hommes reprenaient leurs esprits, et deux bidons d'essence qui avaient déjà été sortis avant l'explosion disparurent à toute vitesse à l'intérieur de l'immeuble.

Le moment de vérité approchait.

Ludivine refusait de mourir ainsi.

Elle attendrait le dernier instant, mais elle tenterait une sortie. Armes aux poings. Elle passerait par la fenêtre s'il le fallait, mais elle refusait de baisser les bras.

Un coup de feu claqua depuis le toit de l'immeuble voisin, et une balle fusa juste au-dessus de l'oreille de la gendarme, qui se colla au sol aussitôt. Du sang coula dans son cou.

Elle avait le cuir chevelu entamé.

Deux autres coups suivirent et comme s'il s'agissait d'une invitation, une dizaine d'armes se joignirent au bal pour pulvériser l'appartement. Les deux Français étaient au centre d'un cyclone effrayant, un maelström de poussière, de plâtre, de sciure, de mousse, de neige, de plomb brûlant et de sang qui tournoyait tout autour d'eux.

Les tirs cessèrent presque tous en même temps.

Une accalmie.

Mikelis et Ludivine se tenaient rivés au sol, les mains sur les oreilles, complètement sonnés par la violence de l'assaut.

La jeune femme comprit alors que ça avait été une diversion pour laisser aux incendiaires le temps de préparer leur piège. Elle sut que c'était la fin.

Les flammes allaient grimper, la température monter, ils seraient asphyxiés, condamnés à mourir ici ou à sortir pour se faire cueillir par les balles ennemies.

Elle attendit le crépitement des premières flammes et se jura que ce serait le signal pour tirer sa révérence.

Ils ne la feraient pas rôtir vivante. Impossible. Elle refusait la mort, la souffrance et le néant total. Elle voulait vivre encore. Rire, pleurer, manger, jouir, sentir sur sa peau et ses sens les plaisirs et les douleurs simples de l'existence. Elle n'était pas repue de vie. Elle ferma les paupières.

Personne n'est jamais prêt à partir. Personne.

Si tout devait s'arrêter là pour elle, comme pour les autres, Aprikan, Mikelis, Segnon… alors elle allait leur en faire baver une dernière fois. Elle voulait mourir dignement. Debout.

Elle serra son arme contre elle. Des larmes roulèrent le long de son nez.

Ludivine ferma les poings et se prépara à rassembler tout le courage du monde. Elle allait en avoir besoin.

Elle avala sa salive et pivota pour regarder Mikelis.

Il cillait en respirant fort. Il était mal en point et avait tout aussi peur qu'elle. Leurs prunelles se croisèrent.

Ils savaient tout deux que c'était fini. Leur trajectoire s'interrompait ici, avec l'aube.

Restait à décider comment.

Il lui tendit la main, ses doigts étaient couverts de sang séché.

Elle la lui prit et la serra de toutes ses forces.

Il hocha la tête.

– Maintenant, dit-il tout bas. C'est maintenant.

Ludivine s'appuya sur les coudes pour se relever.

Elle chassa tout espoir. C'était nécessaire pour oser se dresser sur ses jambes et faire ce qu'ils s'apprêtaient à faire. Ludivine comprit qu'il ne fallait pas du courage pour mourir, juste renoncer à toute espérance.

Le ciel se mit à vrombir.

Et deux hélicoptères passèrent en rase-mottes.

67.

La Gendarmerie royale du Canada investit Val-Segond en quelques minutes. Une douzaine de véhicules tout-terrain et quatre hélicoptères crachèrent leurs hommes de tous côtés.

Deux voitures blindées entrèrent dans le village pour délivrer à travers ses haut-parleurs un message ordonnant à tout le monde de déposer les armes.

Ludivine n'en revenait pas. C'était impossible. Ils n'avaient pu s'organiser si vite. Elle ne comprenait pas ce qu'elle voyait.

Le premier tir mit le feu aux poudres.

En un instant le village entier s'embrasa.

Pendant de longues heures, les embuscades se multiplièrent, les snipers semblaient avoir des munitions inépuisables, et la GRC n'eut d'autre solution que de répliquer.

Avec l'appui des dispositifs de repérage thermique embarqués à bord des hélicoptères, les tireurs tombèrent les uns après les autres.

Des immeubles entiers s'enflammèrent, et Ludivine constata avec résignation que certaines familles préféraient se donner la mort plutôt que d'être arrêtées.

La jeune femme pensa à Segnon, son cœur se serra en même temps que sa gorge. Elle priait pour qu'il soit parvenu à se cacher quelque part, loin des flammes.

Voyant que Mikelis était de plus en plus mal, elle se risqua à prendre ce qui restait d'un drap troué et elle l'accrocha à un fusil qu'elle suspendit à l'une des fenêtres pour l'agiter de temps en temps.

Les coups de feu s'éloignèrent, puis la barricade de l'appartement fut enfoncée.

Des hommes en tenue d'intervention fondirent sur eux, canons braqués sur leurs visages.

Ludivine leur adressa un sourire triste.

Et elle perdit connaissance.

Ludivine avait refusé d'être débriefée plus tard. Dès son réveil, elle avait demandé à voir l'un des responsables de la GRC pour s'expliquer. Et pour comprendre.

– Est-ce que vous avez trouvé un autre Français ? commença-t-elle. Un grand Black ?

L'homme était en uniforme, une cinquantaine d'années, sec, il ressemblait à Aprikan et cela creusa le ventre de la gendarme.

– Non, je suis désolé. Nous sommes en train d'encercler les deux derniers quartiers qui sont aux mains des insurgés.

– Comment avez-vous fait pour être si nombreux, si vite ?

L'homme hésita à répondre, puis, face à l'état dans lequel elle se trouvait, il dut estimer qu'elle méritait de savoir :

– Nous préparions notre intervention depuis quinze jours déjà. Repérage à distance, surveillance des habitudes, nous tentions d'estimer la quantité d'armes en leur possession, et d'établir un plan d'action pour pouvoir évacuer les enfants en priorité. Plusieurs fois par semaine, nos hommes approchaient par la forêt pour les étudier.

– Vous saviez ?

– Oui. Et nous sommes intervenus ce matin à cause de votre appel sur la radio, cette nuit. Vous nous avez obligés à brusquer notre timing, nous n'étions pas vraiment prêts.

– Mais comment avez-vous su ? Vous avez traqué la piste de ravisseurs ? De tueurs ?

– Je dois avouer que nous n'y sommes pour rien. C'est un criminologue américain qui nous a amenés jusqu'ici. Un détective privé. C'est son enquête qui l'avait conduit là.

– Il est ici ? Je peux le voir ?

– Maintenant ?

Ludivine n'eut pas besoin d'insister, son regard était un ordre bien assez convaincant.

L'officier revint avec un brun approchant la quarantaine, mâchoire carrée, des mèches de cheveux tombant sur le front comme des griffes de corbeau. Il avait les mains enfoncées dans une épaisse veste en cuir et, au-delà d'une certaine beauté, Ludivine fut aussitôt captivée par son charisme.

Son regard était si pénétrant qu'elle se sentit presque nue face à lui.

Le même magnétisme perturbant que Richard Mikelis.

Ludivine vit aussitôt qu'il transpirait la même obsession. La même quête insatiable. Il était différent des autres êtres humains. Sa façon de se mouvoir, de poser ses yeux comme s'il enveloppait chaque objet, tout avait une raison d'être, un sens.

Un froid calculateur.

Il dégageait une aura aussi fascinante que dérangeante, constata la jeune femme en voulant soutenir son regard.

Il pouvait faire peur. Terriblement peur. Elle le devinait. Et pourtant tout en lui semblait sous contrôle. Même cette part d'ombre gigantesque dans laquelle flottaient en permanence ses pensées était maîtrisée.

Il ressemblait à un félin. Un prédateur à la grâce séduisante.

Elle sut qu'il était à l'image de Mikelis en tout point : capable de comprendre les pires des hommes, de se mettre à leur place, pour anticiper, pour les traquer.

Ludivine réalisa alors qu'il existait quelques rares spécimens de ce genre. Des prédateurs de prédateurs.

L'homme lui tendit la main.

Et la salua en anglais :

– Je m'appelle Joshua Brolin.

68.

Un rapace planait au-dessus de la vallée, ses ailes brunes déployées pour glisser sur les courants d'air avec une grâce hypnotisante.

Il effectuait des cercles de plus en plus petits.

Ludivine ne le lâchait pas du regard, assise sur un éperon rocheux, surplombant la pente de la montagne. En contrebas, les pâturages et les conifères alternaient sous le soleil du printemps. Les montagnes en face, elles, étaient dans l'ombre. D'immenses falaises grises, des blocs de roche monumentaux qui dominaient la vallée dans un équilibre presque dangereux. Des pics et des sommets enneigés si hauts qu'ils semblaient appartenir à un autre monde, celui du froid éternel, des vents ancestraux et invisibles seulement trahis par les traînes de poudreuse qui se formaient dans leur sillage tout là-haut, très loin.

L'ombre et la lumière.

Dans la nature comme chez l'homme.

Une abeille bourdonna à ses oreilles en lui tournant autour avant de filer vers un bouquet de gentianes d'un bleu éclatant.

Ludivine se sentait d'un calme comme elle n'en avait que rarement éprouvé. Presque méditatif.

Elle avait vécu sa propre mort et cela l'avait à jamais transformée. Elle savait ce que c'était que de renoncer à tout espoir. Il lui avait fallu du temps pour remonter la pente. Pour revivre.

Elle avait d'abord cru qu'avoir survécu à Val-Segond aurait un effet bénéfique, euphorisant, avant que la réalité ne la rattrape. Il en avait été tout autrement. Un long tunnel dépressif.

Les petits plaisirs du quotidien avaient mis du temps à la toucher à nouveau, mais maintenant elle se sentait plus posée, elle ne se réveillait plus en eau au milieu de la nuit. Il ne lui restait que quelques angoisses nocturnes de temps à autre. Une première étape de franchie.

Dans sa poche le porte-clés des New York Giants d'Alexis ne la quittait plus. Comme tous les souvenirs de ce mois d'octobre qui avait fait basculer son existence et qui s'était soldé par sa rencontre avec Joshua Brolin.

Un homme qui la hantait encore parfois. Aussi fascinant qu'effrayant. Lui aussi traquait cette même conjuration primitive qui obsédait tant Richard Mikelis, même si lui ne lui avait pas donné de nom. Un prédateur de prédateurs qui avait compris que le monde changeait, que la société avait amorcé un tournant depuis plusieurs décennies, que la violence n'était pas un phénomène parallèle mais bien une jauge, un langage à comprendre pour estimer l'état réel d'une civilisation.

Brolin comme Mikelis savaient que l'homme n'avait pu traverser un siècle de violence extrême, de guerres meurtrières à l'échelle mondiale sans qu'il y ait d'impacts sur l'expression reptilienne de l'humanité, sur la résurgence d'atavismes primitifs. Ces instincts cruels et belliqueux qui avaient permis à l'humanité de survivre pendant des centaines de milliers d'années au milieu d'une nature hostile, de se hisser peu à peu au sommet de la chaîne alimentaire, ces instincts de tueur sans aucune pitié qui avaient guidé l'humanité pendant plus de 99 % de son évolution en tant qu'espèce animale, avant d'atteindre l'« âge de raison ».

Quelque chose s'était réveillé.

L'humanité traversait une période de crise profonde et personne ne semblait prêt à l'entendre. Elle était sur le seuil d'un bouleversement majeur que chacun réfutait d'un geste entendu, comme s'il ne s'agissait là que d'un hasard, d'un épiphénomène sans conséquence. La société tout entière semblait préférer se mettre la tête dans le trou et se recentrer sur ses problèmes de consommation frustrée par les crises économiques récurrentes.

Joshua Brolin avait compris, comme Richard Mikelis, qu'il se tramait autre chose de plus sombre dans les arcanes du monde, dans les fissures du quotidien et, comme Mikelis encore, il avait découvert l'existence de la conjuration primitive. Il avait suivi la piste d'enlèvements à la frontière américaine, jusqu'à Val-Segond.

C'était à lui que Ludivine devait d'être encore en vie aujourd'hui.

Mais pour autant, vivre ne l'avait pas rassurée. Car depuis ce jour d'octobre où elle avait eu cette conversation avec le détective privé américain, ses derniers mots continuaient de flotter dans un coin de sa conscience.

Pestilence et Val-Segond ne sont pas des cas isolés, miss. Il y en a d'autres, avait-il dit. *Ailleurs. Peut-être plus organisés encore. Parce que l'humanité n'a pas fini d'engendrer des parias, des détraqués, des épaves, et des pauvres types, et qu'ils comprendront qu'en se rassemblant ils deviendront une force. Ils ne peuvent se soigner, car ils ne sont pas malades au sens médical, ils sont différents, ils se sont construits sur leurs déviances et rien ne peut plus les faire changer désormais. Plus la société prendra conscience qu'ils sont nombreux et incurables, plus elle se radicalisera. Et plus ils seront acculés à s'unir pour ne pas périr. Il y a d'autres hameaux quelque part, d'autres villages. Ils sont là, tout autour de nous, ils s'organisent, dans l'ombre, dans le silence. Ils sont invisibles, et nous n'avons pour les traquer que l'empreinte de leur existence : leurs crimes.*

Ludivine avait encaissé le discours comme un coup de poing.

Et qu'adviendra-t-il si vous dites vrai, s'il y en a de plus en plus, et qu'un jour la société cesse de fermer les yeux ? avait-elle demandé.

Joshua Brolin avait planté ses iris noirs comme les ténèbres dans ceux de la gendarme, et elle s'était sentie terriblement vulnérable.

Il adviendra alors ce qu'il advient toujours avec l'homme quand deux factions différentes s'opposent et ne se comprennent pas. Ce sera la guerre.

Ces mots résonnaient encore dans son esprit, comme s'ils avaient été prononcés le matin même.

Elle n'avait plus revu le détective privé, comme s'il n'avait pas existé, comme si tout cela n'avait été qu'un rêve.

Ou un cauchemar.

La plupart des habitants de Val-Segond avaient péri dans l'affrontement avec les forces de l'ordre, refusant de se rendre. Les familles s'étaient pour la plupart barricadées avant de mettre le feu à leurs appartements et, faute de services d'intervention efficaces sur place, elles avaient presque toutes brûlé.

Deux jours durant le village avait été ravagé par les flammes.

Ludivine n'eut jamais le décompte exact des cadavres retrouvés dans les semaines et même les mois suivants. Elle s'était arrêtée à plus d'une centaine car beaucoup n'étaient plus que des tas de cendres. Même le corps de Gert Brussin n'avait pu être identifié avec certitude, ce qui avait valu à Ludivine plusieurs nuits d'insomnie avant qu'elle prenne conscience que personne n'avait pu fuir. Le village, en flammes et isolé par le froid, avait été quadrillé par la GRC, et personne n'avait pu s'échapper avec un véhicule sans être aussitôt repéré par un des hélicoptères. Brussin était mort, tout comme Locard et leurs fidèles.

Val-Segond avait abrité des pervers, des tueurs, des violeurs, des pédophiles, tout ce que la société comptait de pire, et qui, entre eux, avaient trouvé un terrain d'entente. Pendant presque trente ans, ils s'étaient rassemblés petit à petit, ils s'étaient entraidés, à chasser loin, les uns pour les autres, à brouiller les pistes, à se structurer. Il y avait un orphelinat qui accueillait des enfants inuits pour les pédophiles, même des couples qui avaient procréé pour alimenter le réseau, il y avait aussi les routiers pour enlever des femmes et parfois des hommes ou des adolescents loin au sud, jusqu'aux États-Unis. Tout était parfaitement orchestré. Ils se recrutaient les uns les autres par le biais de parrainages, à travers les prisons, puis Internet, ils s'obligeaient à tuer les uns pour les autres pour être tous soudés ensemble, et Val-Segond avait prospéré pendant tout ce temps sans se faire remarquer, loin au nord, sur un territoire isolé, avec sa propre administration, sa propre police, et personne pour rendre des comptes.

Maintenant tout était terminé. Même le tueur en Espagne, Zaroff comme l'avait surnommé Ludivine, avait été identifié et arrêté par les flics sur place, dans la banlieue nord de Madrid.

C'était fini. Sauf si Joshua Brolin avait raison et qu'il existait d'autres rassemblements dans le monde. D'autres communautés monstrueuses.

Au loin le rapace s'immobilisa un bref instant et, soudain, piqua vers le sol pour saisir une proie entre ses serres. Des coups d'ailes, un cri de désespoir, et l'oiseau reprit son envol avec un petit corps entre les griffes. Le minuscule mammifère n'était pas mort, pas encore, mais il était immobile et silencieux, résigné.

Ludivine se leva, les fesses meurtries par la pierre.

Plus haut sur la pente elle vit une silhouette colossale passer avec un gamin sur les épaules. Segnon.

Il avait survécu. Terré dans un recoin toute la nuit, jusqu'à l'intervention de la GRC. Lui n'avait pas changé, toujours jovial et obsédé par sa famille. Il y avait bien des moments de tristesse que sa collègue surprenait au coin de ses yeux, mais globalement sa nature avait repris le dessus en peu de temps.

Ludivine grimpa à travers les herbes en direction des rires d'enfants.

Les silhouettes de Segnon, Laëtitia et leurs jumeaux se mêlaient à celles de Mikelis et les siens.

Le criminologue boitait en portant un paquet de chips à sa femme.

C'était tout ce qui restait de ceux qui avaient traqué Gert Brussin et sa horde. Ils étaient trois témoins du Mal.

Ludivine enfouit sa main dans la poche de son jean et sentit le porte-clés au bout de ses doigts.

Elle ne parvenait pas à oublier Alexis, du moins pas comme elle aurait dû. Elle allait souvent lui parler sur sa tombe avant le crépuscule et menait une vie de célibataire solitaire depuis.

Alexis lui manquait. Pas seulement en tant que collègue, mais comme une autre solitude capable de la comprendre.

Lorsque Ludivine arriva au niveau des pique-niqueurs, Sacha, la fille de Mikelis, cria son nom et se précipita pour l'attraper par la main et l'entraîner vers les couvertures tendues sur le sol.

La fillette voulait partager son déjeuner avec la gendarme, elle s'était prise de passion pour elle.

Les coups de foudre, même enfantins, ne se commandaient pas.

Ludivine se laissa faire et prit l'assiette que Sacha lui avait remplie.

– Tu vas manger ! commanda la blondinette. Parce que je trouve que tu te laisses aller !

Mikelis et sa femme rirent, un peu gênés.

Ludivine passa la main dans les cheveux de la petite fille.

Les enfants ne s'embarrassaient pas de vernis.

– Mange ! Sinon tu n'es pas un bon exemple pour nous ! sermonna Sacha. Les grands doivent montrer l'exemple aux plus jeunes !

Cette fois Ludivine n'eut pas envie de rire.

La gamine avait raison. Il fallait se tenir droit. Servir de point de repère. Même si l'horizon semblait bouché, c'était son rôle d'adulte, le rôle de tous les adultes que d'être responsables. Pour l'équilibre des plus jeunes.

Et pour ne pas les effrayer.

Ludivine s'en voulut aussitôt d'être aussi sinistre.

Regardant les Mikelis et la famille de Segnon proches les uns des autres, elle surprit leurs regards pleins d'amour lorsqu'ils guettaient le comportement de leur progéniture.

La famille était un rempart.

Face à la violence, à la mort.

Face à la réalité du monde.

Face à la conjuration primitive.

Richard Mikelis l'avait bien compris en fuyant son ancien métier.

Pourtant il en fallait des êtres comme lui, et comme Joshua Brolin. Des êtres à la lisière, à la limite eux-mêmes, capables de scruter et comprendre les ombres. Des êtres retenus dans la lumière par un tout petit quelque chose, par une force qui les dépassait, la force d'un noyau solide, d'une unité à plusieurs. Si Mikelis avait finalement renoncé, combien de temps Brolin tiendrait-il ? Fallait-il se damner pour garantir à la société le minimum de vigilance nécessaire à sa survie ? Qui pouvait être volontaire pour une existence si seule et angoissée ?

Joshua Brolin n'avait donc pas trouvé sa famille ?

Les enfants de Segnon riaient un peu plus loin.

L'avenir était là, songea Ludivine sans savoir si elle en serait un jour capable. Ni même digne. Ne serait-elle pas plutôt un jour un de ces veilleurs ? Incapables de se fixer, obsédés par le danger. En avait-elle la fibre ?

Pour l'heure, elle se sentait hantée.

Car les fantômes existent, elle le savait maintenant, et ils sont l'incarnation de nos déséquilibres.

Elle n'en manquait pas.

Sacha sembla sentir quelque chose car elle déposa précautionneusement son assiette en plastique sur la couverture et s'approcha de Ludivine pour la serrer dans ses bras.

Une petite fille sans calcul, pleine d'amour, prête à le partager.

Une petite fille comme Ludivine l'avait été il y a longtemps.

Au-dessus d'elles, le rapace passa en opérant plusieurs cercles, et la jeune femme fut incapable de le lâcher du regard. Il vira brusquement et finalement s'éloigna.

L'heure n'était pas à la chasse.

Pas encore.

Les prédateurs étaient repus.

Pour un temps au moins.

REMERCIEMENTS

Tout d'abord je tiens à préciser que le village de Val-Segond, au Québec, n'existe pas. Dans un premier temps mes recherches m'avaient conduit à situer l'intrigue dans un lieu réel, mais compte tenu des horreurs décrites dans cet endroit et de la responsabilité de ses habitants, je ne pouvais pas leur confier un rôle aussi terrifiant, j'ai donc préféré inventer le nom du village en question en m'inspirant d'un lieu réel.

Par expérience, je sais que vous serez nombreux à me demander si le procédé utilisé par la gendarmerie pour découvrir le numéro de téléphone de la Bête est vrai. Je vous le dis ici, pour apaiser votre curiosité : oui, c'est possible. Au moment de la rédaction de ce roman, c'était une nouveauté en passe de révolutionner bien des enquêtes. De manière générale, et sauf erreur de ma part, toutes les procédures techniques décrites dans mes romans sont authentiques. Noyer la fiction dans un bain de réalité est le meilleur moyen que je connaisse pour lui donner corps, pour la rendre plausible.

Je tiens aussi à présenter mes excuses à l'établissement du Bois-Larris de le dépeindre sous ce jour pour les besoins du roman, et surtout à tous les enfants nés dans ce *Lebensborn* et leurs descendants. Bien entendu, il ne s'agit que d'une histoire, loin de moi l'idée de penser que ces enfants seraient devenus ce que j'en ai fait. Là encore, le processus romanesque l'emporte sur la réalité sans l'ombre d'un doute.

Dans l'élaboration de ce roman, plusieurs personnes m'ont été d'une précieuse aide.

Je tiens tout d'abord à remercier toute la SR de Paris et en particulier Ollivier pour ses remarques et conseils concernant les aspects de l'enquête et le réalisme des procédures. Ollivier, pardonne-moi d'avoir laissé Ludivine seule au Bois-Larris alors qu'un binôme aurait été plus réaliste ! J'ai tout de même fait des concessions à propos des Giants, ne l'oublie pas !

Merci à Sonia Draga, ma fidèle éditrice polonaise, et Marta Grzywacz pour leur assistance en Pologne. Sonia me soutient depuis le début, et une partie de ce roman est née d'un voyage à Cracovie il y a plusieurs années et d'une promesse que je lui ai faite. Promesse tenue !

Bien entendu, merci à toutes les équipes de mon éditeur Albin Michel, à commencer par Richard qui rend possible l'imaginaire, en simplifiant toute chose compliquée pour un auteur, et à toutes celles et ceux qui œuvrent dans l'ombre pour que cette histoire voyage partout, jusqu'à vous.

Bien sûr, merci à vous, lecteurs de partout, pour votre présence sans laquelle rien de tout cela ne vaudrait la peine. Passez prendre des nouvelles de temps à autre sur mon blog : www.maximechattam.com, ou sur Facebook : Maxime Chattam Officiel, ou pour des brèves plus quotidiennes sur Twitter : @ChattamMaxime, et pour m'en donner.

Enfin, merci à ma femme, Faustine, qui est là, tout le temps, toujours, pour tout, avec les mots justes, et parfois, quand il le faut, seulement le bon regard.

À très bientôt, compagnons de mots.

Edgecombe, le 21 février 2013.

DU MÊME AUTEUR

Aux Éditions Albin Michel

Le cycle de l'homme :

LES ARCANES DU CHAOS

PRÉDATEURS

LA THÉORIE GAÏA

Autre-Monde :

T. 1 L'ALLIANCE DES TROIS

T. 2 MALRONCE

T. 3 LE CŒUR DE LA TERRE

T. 4 ENTROPIA

T. 5 OZ

Le diptyque du temps :

T. 1 LÉVIATEMPS

T. 2 LE REQUIEM DES ABYSSES

LA PROMESSE DES TÉNÈBRES

Chez d'autres éditeurs

LE CINQUIÈME RÈGNE, Pocket

LE SANG DU TEMPS, Michel Lafon

La trilogie du Mal :

L'ÂME DU MAL, Michel Lafon

IN TENEBRIS, Michel Lafon

MALÉFICES, Michel Lafon

Composition Nord Compo
Impression Marquis Imprimeur
Éditions Albin Michel
22, rue Huyghens, 75014 Paris
www.albin-michel.fr
ISBN 978-2-226-24140-5
N° d'édition : 19095/01 – N° d'impression : 117412
Dépôt légal : mai 2013.
Imprimé au Canada.